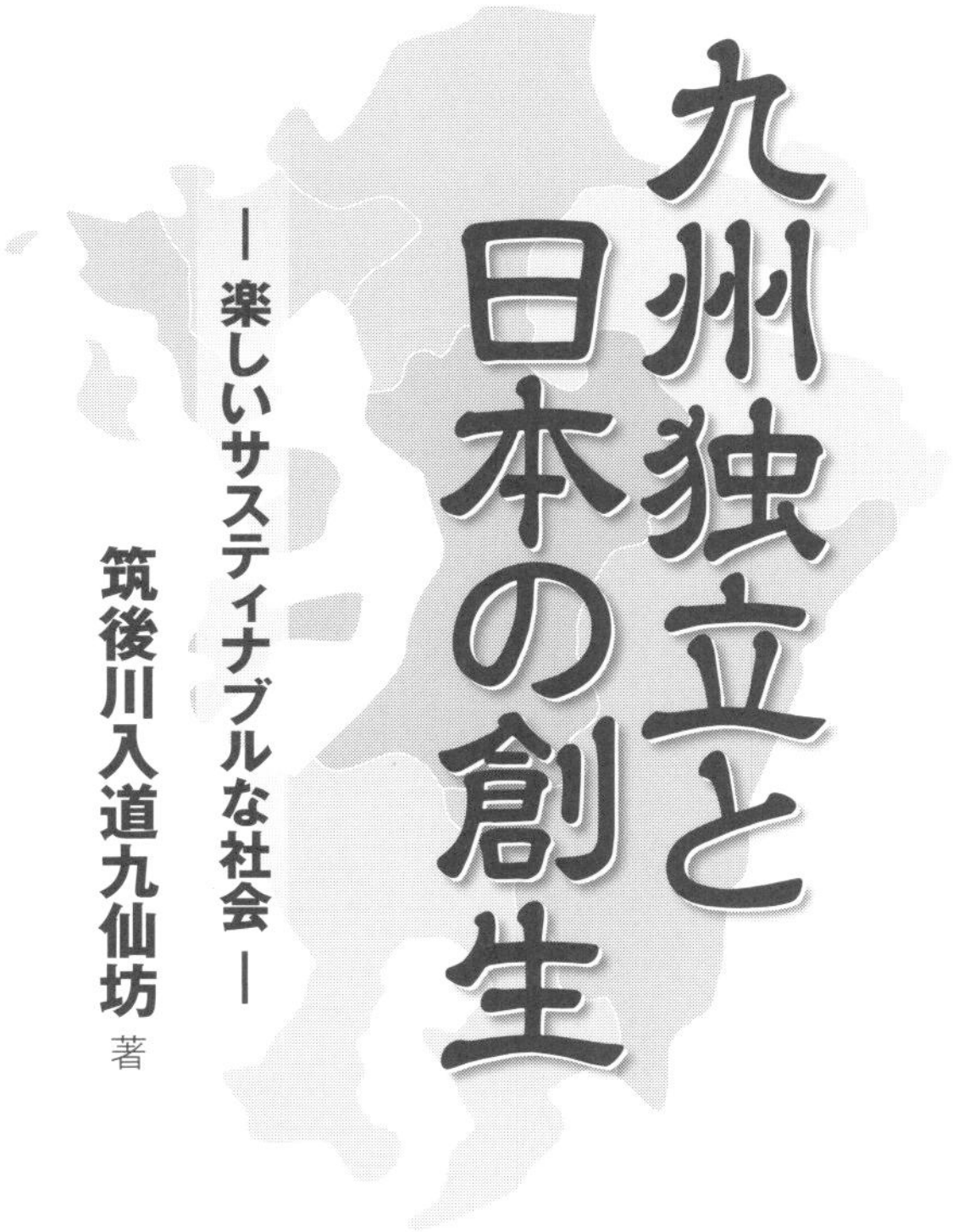

# 九州独立と日本の創生

## ―楽しいサスティナブルな社会―

筑後川入道九仙坊 著

新評論

# まえがき

壮大なテーマで本を著すことにした。ほとんどの読者が一笑に付すであろう「九州独立」だが、現在の日本社会をよく考えてみると、その必要性が十分にあると思えてくる。もちろん、九州にかぎったことではなく、ほかの地域においても考えるべきときに来ているのではないだろうかと筆者は考えている。

本書は二部構成となっている。冒頭のことを明らかにするために、第1部では「なぜ、九州が独立するのか」、そして日本の社会・経済がどのような理念で運営され、その問題点について述べていく。第1部は九つの章で構成されているが、これまで先進諸国では「当たり前」と思われているさまざまな事象について再考をしていきたい。

現代社会は、西欧からはじまった近代化の路線が世界中に行きわたっていると言えるだろう。もちろん、その進捗度には、国や地域によって「速い」とか「遅い」というスピードの差がある。一般的に「発展途上」と言われる国々では、今やっと近代化の途に就いたところが多い。一方、先進諸国では、次の段階となる「ポスト近代」に移行しているというのは滑稽な話である。

近代化とは、一八世紀ごろから本格化し、政治的には民族単位の中央集権的な国民国家の成立、経済的には工業化、そして精神的には、ナショナリズと「自由と平等、基本的人権の尊重、人間中心主義」というキリスト教的な倫理観に裏打ちされた個人主義が特徴となっている。多くの人々が、近代化と歩調をあわした「成長神話」に支配されてきたと言えるだろう。

『第三の波』(徳岡孝夫訳、中公文庫、一九八二年)の著者として知られるアルビン・トフラー(Alvin Toffler, 1928~2016)が、人類社会を根本的に変革し、また変革しようとしている「三つの波」を同書で挙げたが、その三つを簡単に説明すると以下のようになる。

「**第一の波**」は農業革命である。これは、人類が初めて農耕を開始した新石器革命に当たる。

「**第二の波**」は、一八世紀の産業革命と呼ばれるものである。

「**第三の波**」は、現在進行中で情報革命による脱産業社会を指す。

近代化は、この「第二の波」に該当する。近代化が人類に与えた恩恵は大きく、それによって人類は、「貧困」という問題を解決する糸口をつかみ、科学的な知識に裏打ちされた生産技術を獲得した。しかし、現代社会を見わたしても分かるように、多くの課題が残っている。

著名な経済学者であったジョン・スチュアート・ミル(John Stuart Mill, 1806~1873)やJ・M・ケインズ(John Maynard Keynes, 1883~1946)は、生産技術の進歩で生活に必要とされる物資は十分に生産され、それに費やす労働時間も大幅に減少し、人類は早晩「経済」という問題から解放されるという期待を抱いていた。しかし、彼らの時代から生産技術が飛躍的に進歩し、経済も数倍成長しているにもかかわらず、人々はますます「経済問題」で頭を悩ましている。

かつての経済学者が想像できなかったような高度な生産技術を人類はもちながら、いまだに貧困問題は解決できていないし、戦争もなくなっていない。そして、「地球温暖化」という問題に代表されるように環境破壊がすすんでいる。さらに精神面では、近代社会がもたらすストレスから病が増えているし、DVや離婚率も高くなっている。

いずれも新聞やネットニュースで毎日のように報道されている事柄だが、これらすべては、近代化を支えてきた制度に起因していると言える。「このような制度そのものを考え直そう」というテーマで書いたのが「第1部」である。

続く第2部では、第1部での基本理念に従って、九州独立のための制度設計をどのようにすればいいのか、そして具体的にどのような政策を実施していけばいいのかについて記していくわけだが、これについては、読者のみなさんにも真剣に考えていただくことになる。

というのも、本書に記したことは、落語でいうところの「マクラ（つかみ）」であるからだ。「本題」から「落ち（サゲ）」まで噺をつくっていくのは、読者であるみなさんの感性であり、頭脳であることを踏まえて、本書を読みすすめていただきたい。読了後、「ひょっとしたら独立できるんじゃない……」と思っていただけることを願っている。

もくじ

**第1部第4章の「コラム13」にある「ハック」の説明**

「ハッキング」と聞くと、コンピュータに不正に侵入する「ハッカー行為」と捉える人が多いかもしれませんが、実は「切り開く」、「うまくやり抜く」、「やり遂げる」、「巧妙に改造する」などの意味があり、本書では「巧妙に改造する」と捉えています。現状を「当たり前のもの」として受け入れず、「不適切なものを壊してやり直そう」とすることです。

（スター・サックシュタイン／高瀬裕人・吉田新一郎訳『成績をハックする』新評論、二〇一八年より引用）

# 九州独立と日本の創生——楽しいサスティナブルな社会

久留米市田主丸町に鎮座するカッパ

昔、カッパは中国の黄河上流で大族をなしていた。その一部が南下して、九州の球磨川に辿りつく。そこで繁栄したが、悪行をなして追い出され、筑後川に逃げてきたと言われている。田主丸町には、カッパにまつわる伝承が多く残っている。

## プロローグ――二つのシナリオで見る三〇年後の九州

まずは、本書において「九州が独立する理由」あるいは「独立的でなければならない」と訴える理由を説明しておく。本書が掲げるテーマをイメージしていただくために、二つのシナリオ「**シナリオA**」と「**シナリオB**」を示すことにする。

**シナリオA**は、現行の枠組みやパラダイムが変わらなければ、九州がこの先（仮に三〇年後としよう）どうなるかについて予見する。一方、**シナリオB**では、独立して独自の政策を実行すればどのような九州が実現するのか、というよりも、どのようになってほしいかを想定することにした。ちなみに、**シナリオB**のようになるには、現在の中央主権的な体制では実現不可能と考えられるが、その答えに関しては、みなさんが本書を読んで検討していただきたい。

まずは、現行の枠組みがどのようなパラダイムに基づいているのかについて見ていきたい。

### 現行のパラダイム

ドイツ生まれのイギリスの経済学者シューマッハ（Ernst Friedrich "Fritz" Schumacher, 1911

～1977）は、著書『スモール・イズ・ビューティフル』（小島慶三ほか訳、講談社学術文庫、一九八六年）で「仏教経済学」という章を設けて、現代経済学と仏教経済学を比較している。**表1**にその概要をまとめたので参照していただきたい。

シューマッハの仏教経済学に関する考え方に同意するかどうかは別にして、彼が示した現代経済学の特徴は、市場経済に立脚した経済社会の特質をよく表している。二〇世紀は、間違いなくこのパラダイムに支配されていた。そして、二〇世紀の最後四半期になって批判の声が上がってきたわけだが、今もなお、多くの人々の意識を隠然《いんぜん》として支配している。

彼の言う現代経済学は、ひたすら快適さと便利さを求めるものであり、かつ「成長神話」に基づいている。この成長神話は、二つの仮説にまとめられる。

❶経済が成長すれば社会を取り巻くすべての課題は解決し、人々を幸福にする。極端に言えば、経済的に豊かになれば、人は善良でなくても幸福になれるということである。

❷経済の成長は無限に可能である。

現在では、この二つの仮説を疑問視する人が多いわけだが、それでも公然と否定することは憚られる状況にある。とくに、政治家がこのことを選挙運動で言おうものなら、おそらく選挙に負けるだろう。これが理由で、政治もこの仮説に基づいて運営されており、経済的な利益追求が第一の目的となっている。

表１　現代経済学と仏教経済学の相違

| | 現代経済学 | 仏教経済学 |
|---|---|---|
| 基本概念 | ・欲望を増長し、富への執着から暴力・戦争を招く。<br>・物質的価値を追求し、消費を重視する。 | ・簡素と非暴力を主張し、限りある資源を分ちあう。<br>・非物質的価値（正義・調和・美）を重視する。 |
| 基本道徳 | 目先の利益、狭量で卑小、打算的 | 知恵・正義・勇気・節制 |
| 目標 | 唯物的な生活様式 | 「正しい生活」 |
| 方法論 | 貨幣価値と数量化価値に変換。 | 非貨幣価値と数量化されない質を重視する。 |
| 豊かさ | 適正規模の生産で消費の極大化 | 適正規模の消費で満足の極大化 |
| 労働と余暇 | 労働は必要悪で苦痛 | 仕事と余暇は相補的な関係 |
| 技術 | 資本集約型＝労働節約型<br>資源・エネルギーの浪費<br>大量生産の技術＝巨大化<br>巨大さへの追求 | 頭脳の活用と手先の使用<br>資源・エネルギーの節約<br>大衆による生産の技術＝中間技術<br>small is beautiful ／人間の背丈に合わせること<br>自然界との均衡重視 |
| 機械化 | 機械への奴隷化 | 人間の技能と能力を高めるための機械化 |
| 農業 | 食料生産のみが目的 | 食料生産＋人間と自然との融合などが目的 |
| 貿易 | 遠隔地の資源に依存し、世界と貿易を行う | 地域資源の活用と自給自足・地産地消 |

梅林寺（久留米市）九州における臨済宗妙心寺派の総本山。雲水が厳しい修行を現在も行っている

言葉を換えれば、政治は「経済の奴隷」になっているということだ。景気の良し悪しのみが最大の関心事となっており、政治体制も政策も経済的な利益追求を目指し、「効率化」のみが使命となっているのだ。その結果、さまざまなことがあると面倒なので、画一化して多様性が否定されてしまう。なかでも、住民の意向を尊重する地方自治は非効率的なものと考えられており、中央集権化がすすめられている。

このような標準化への過程が、「政府寄り」とされるさまざまなメディア（コメンテーターも）を通して流布され、一般の人々は「欲望の奴隷」と化せられていく。

## 解決しなければならない課題

仮に、成長神話に基づいて経済が成長するとして、これから先の三〇年間でわれわれが直面する「課題」を解決することはできるのだろうか。まずは、その課題が何であるかを明らかにしておこう。みなさんもある程度は想像がつくだろうが、解決しなければならない課題はいくつもあり、それらは互いに、幾重にも重なりあっている。とりあえず、それらを五つに分けて考えてみよう。

❶世代間に関するもので、少子高齢化社会への対応となる。社会保障、年金、介護・医療などがどうなるかである。人口の減少に伴って生産力は低下し、若年世代の負担が重くなる。必然的に、

人手不足を補うために外国人労働者や移民といった手段が出てくるわけだが、それらの政策についてどのように考えるかである。

❷地域的な問題で、過密過疎化に対する対応となる。都市への人口集中は所得の地域間格差が原因となっており、資源の有効利用を歪め、都市と田舎における生活の質を低下させている。また、過密過疎化には教育のあり方も大きくかかわってくる。

❸分配をめぐる問題であり、貧富の差が拡大していることへの対応である。経済がＡＩ化するにつれて生産力が高まり、富がますます資本家に集中すると考えられるが、これに対してどのように対応するかである。

❹グローバル化に関するものである。好むと好まざるにかかわらず、ますますグローバル化の波にのみ込まれていくわけだが、これへの対応を考えなければならない。言うまでもなく、グローバル化にはメリットとデメリットがあり、デメリットをどのように縮小するかについて考えなければならない。ちなみに、メリットは全国画一的に現れる傾向があるが、農産物に見られるように、デメリットは地域間で異なった形で現れてくる。必然的に、ローカルな対応が必至となる。

❺環境問題である。地球温暖化や海洋汚染など、グローバルな環境悪化にどのように対応するかである。産業革命以後、地球規模で見ると一貫して自然環境は悪化の一途をたどっている。このような現状に、地域としてどのように対応するかが重要となる。

これらの課題を前提条件として、二つのシナリオでは九州がどのようになっていくのかについて見ていきたい。

## シナリオAの帰結

五つの課題のなかで、衆目の一致する愁眉の課題は「少子高齢化」に関係するものであろう。現代の日本社会では、退職後の生活は年金に依存しており、子どもに頼るという人は少ない。少子高齢化がすすみ、全人口に占める生産年齢人口の割合が減少するにつれて、年金制度を維持していくために若い世代への負担が増大する。その若い世代だが、「年金には頼れない」と考えている人が多くなっている。

第二次世界大戦後まで、つまり二世代前までは、子どもが親の老後の面倒を見るという慣習が色濃く残っていた。一九六〇年代の高度経済成長期に核家族化がすすむとともに、この慣習から年金制度へと急速に変わっていった。

この変化は、親あるいは社会の子どもに対する教育理念を変えていったように思える。なぜなら、親が老後の面倒を子どもに見てもらおうとすると、まずは子どもを一人前の大人に育てなければならない。すると、子どもに対する教育について真剣になってしまう。

一方、子どもに頼らないとすると子どもの将来に責任をもたなくなり、極端に言えばペット扱いのような子育てになってしまう。子どもがどうなるかというと、親の面倒を見るという行為から解放されるので自由にはなるが、自分の子どもは別として、人の世話をするという心構えや経験が不足するため、社会全体としては「助け合い」といった精神が欠如してしまう。

自然界に目を移してみよう。動物の世界では、子どもの世話はするが親の世話はしない。言ってみれば、親の面倒を見ないほうが自然なのかもしれない（最近の研究では、霊長類は障がいのある仲間や老齢の仲間の世話をするといった事例が報告されている）。となると、親の面倒を見る「孝」の精神は人為的に育む必要が出てくる。人生経験の豊富な高齢者を大切に扱うという姿は、人間社会が持続していくために必要なことであり、そうしてきたことで人間社会が継続しているという事実がある。

現在では、高齢者が蓄えてきた知識や技術は書物や電子媒体などによって外部化されているが、それらだけでは伝えきれない「阿吽《あうん》の呼吸」とも言える「暗黙知」がたくさんあることに異論はないだろう。よって高齢者は、まだまだ社会にとって必要な存在であると考えられる。

ところで、**シナリオA**のパラダイムでは、経済成長によって課題を解決することが前提となっている。経済が成長すれば若年層の社会保障に対する負担が軽減できるということだが、以下に掲載した「**コラム1**」の試算によると、労働生産性が毎年一パーセント上昇すれば年金掛け金として基準年（二〇一七年）所得の五〇パーセントを支払ったうえでも、就業者の可処分所得は基準年の水準が維持できるとなっている。そこで、このシナリオでの問題点は以下の二つとなる。
❶毎年一パーセントの労働生産性の上昇が可能なのか。
❷仮にそのような経済成長が実現したとして、五つの課題は解決できるのか。

## コラム1　経済成長と負担率

経済成長によって高齢化社会がもたらす課題を解決するには、年平均一パーセントの労働生産性が上昇しなければならないが、その試算根拠を示す。

### 人口構成と生産力

二〇一七年から二〇五〇年までの約三〇年間に、日本の総人口と人口構成に関する変化を見てみよう。内閣府「平成三〇年度少子高齢化社会白書」によると、総人口は一億二六七〇万人から一億人に、約八〇パーセントに減少する。人口構成を見ると、年少人口（〇歳～一四歳）と生産者人口（一五歳～六四歳）はともに七〇パーセントに減少し、高齢者人口（六五歳以上）はほぼ横ばいである。

その結果、年少人口と生産者人口の比率は、それぞれ一二・三パーセントから一〇・六パーセント、六〇・〇パーセントから五一・八パーセントに減少する。一方、高齢者人口は、二七・

七パーセントから三七・七パーセントに増加する。これによって、高齢者を支えるための生産者人口の肩にかかる負担は、生産者人口一人当たり〇・四六人から〇・七三人へと重くなる。
　生産者人口の減少は、負担増という問題だけではない。経済の生産能力にもかかわってくる。生産人口の減少で就業者総数と総人口に占める割合も減少するため、総生産力（GDPで測られる）と一人当たりのGDPも減少する。経済力が課題解決の万能薬と考える「成長神話」に基づけば、とにかく経済を成長させる必要が出てくる。
　では、少子高齢化にまつわる課題を解決するには、どの程度の経済成長が必要であるかを見ていこう。労働生産性を就業者一人当たりの生産能力（GDP）と定義すると、以下の式が成り立つ。

**GDP＝労働生産性×就業者数**

つまり、労働生産性が一定であれば就業者数の減少に比例してGDPは下がることになる。また、一人当たりのGDPについても、就業率を生産人口内で就業している人の割合とすれば次の式が成立する。

**一人当たりGDP＝労働生産性×就業率×生産人口比率**

要するに、労働生産性と就業率が一定であれば、生産人口比率の低下によって一人当たりのＧＤＰも低下するということだ。生産人口比率の低下を防ぐことはできないので、一人当たりのＧＤＰを上昇させるためには、労働生産性を高めるか就業率を上げるしかない。

これを実際の統計値で確かめてみよう。二〇一七年の生産人口比率は六〇・〇パーセント、二〇五〇年のそれは五一・八パーセントであるので、労働生産性と就業率が一定であれば、二〇一七年を基準として一人当たりＧＤＰを「100」とすれば、二〇五〇年のそれは「86.3」となって約一五パーセントの減少となる。

この減少を食い止めるためには、就業率と労働生産性を引き上げる必要があるが、二〇一七年の就業者数は六五六六万人となっているので就業率はおよそ「〇・八六四」となる。もし、二〇五〇年の時点ですべての生産者人口が仕事に就ければ、労働生産性が上昇しなくても一人当たりのＧＤＰの低下を食い止めることはできる。

とはいえ、就業者というのは調査期間中に一時間以上の仕事をした人であるため、就業者の単位は「人（ストック）」ではなく「時間（フロー）」でなければ精確な数値は出ない。それに、生産者人口のすべてが働くというのは非現実的な話である。しかも、労働生産性の上昇がなければ、それ以上に一人当たりのＧＤＰを押し上げることはできない。

## 労働生産性の上昇

それでは、労働生産性の場合はどうであろうか。**表2**は、労働生産性の上昇率と三〇年後の一人当たりＧＤＰの関係を見たものである。これによれば、労働生産性が三〇年後に一・一八倍に、年率にして〇・五七パーセント上昇すれば、一人当たりＧＤＰの減少を食い止めることができる。しかし、国民一人当たりＧＤＰが基準年と同じになったとしても年金負担が重くなるので、可処分所得は基準年の額を保証されない。これを単純化して、所得から年金負担額を差し引いたものを可処分所得として考えてみよう。

年金の所得代替率（支払われる年金と現役時の所得との比率）を「0.5」として賦課方式で考えると、基準年（二〇一七年）での就業者一人当たりの負担は「0.5×0.277＝0.139」となり、可処分所得は「100－13.9＝86.1」となる。一方、三〇年後では、負担が「0.5×0.377＝0.189」であり、可処分所得は「100－0.189＝81.1」となる。つまり、基準年の九

表２　労働生産性と30年後の一人当たりGDP

| 労働生産性の上昇率 2017年＝１ | 年率 % | １人当たりGDP 2017年＝100 |
|---|---|---|
| 1.00 | 0.00 | 86 |
| 1.18 | 0.57 | 100 |
| 1.22 | 0.7 | 104 |
| 1.26 | 0.8 | 107 |
| 1.3 | 0.9 | 110 |
| 1.33 | 1.0 | 113 |
| 1.37 | 1.1 | 117 |
| 1.41 | 1.2 | 120 |

四・二パーセントであり、およそ六パーセントの減少となる。
したがって、基準年の可処分所得を得るためには、年率〇・七〜〇・八パーセントの労働生産性の上昇がなければならないことになる。さらに、医療や介護などの費用を考慮すれば、年率一パーセントの労働生産性の上昇と、一人当たりＧＤＰは基準年の約一三パーセント以上でなければ基準年の生活水準は維持できないとなる。

---

今のところ考えられる経済成長戦略は一九ページに掲載する「**コラム2**」で示すことにして、ここでは、ロボットやＡＩなどの技術革新によって経済成長が可能になるとして、第二と第三の問題について考えてみる。

経済成長は、通常ＧＤＰの成長率で表されるわけだが、それはある期間（一年や四半期）に市場で取引された財・サービスの総価額であり、経済成長は市場経済の拡大、言い換えれば貨幣での取引が拡大することである。

人々の生活が市場に依存する形となり、生活必需品は貨幣での購入となった。その結果、所得が得られる働き口を求めて都会に出るケースが増えた。これが過密過疎化を生みだした要因である。人口が過密している都会での生活には費用がかかるため、共稼ぎ世帯が一般的なものになって少子化をもたらすことになった。もちろん、少子化にはほかの要因も考えられるが、地方から首都圏や大都市に人を引き付けるという構図が少子化を生んでいることだけは間違いない。つまり、過密過疎化は、少子化と過疎化を再生産するということである。

競争的な自由市場経済は経済の効率化をもたらすわけだが、同時に経済格差を拡大することにもなる。それが理由で、「少子高齢化」、「過密過疎」、「経済格差」という負のスパイラルに陥っている。また、経済成長に伴って環境の悪化も懸念されている。経済成長がもたらす副作用を社会政策で補っているわけだが、それにはコストがかかり、そのこと自体が経済成長の足を引っ張っている。

さらには、貨幣所得が増えたわりには生活の満足度が高まらないという「幸福のパラドックス」が生じている。幸福のパラドックスとは、経済力と人々の幸福度は必ずしも相関しないという事実、そして経済が成長しても幸福になるとはかぎらないという現象である。

次ページの**図1**は、日本において幸福のパラドックスが生じていることを示すものである。図中の「系列1」は、内閣府が国民の生活満足度を調査した結果である。「満足」および「やや満足」と答えた人の割合を示し、一九八〇年を「100」として、比較しやすいように指数化されている。ご覧のように、一九八〇年から二〇一六年までほとんど変化のないことが分かる。

一方、「系列2」は一人当たりの実質ＧＤＰを表し、一九八〇年を「100」として指数化している。一九八〇年から二〇一六年の間にほぼ二倍になっていることが分かるだろう。つまり日本は、「幸

図1　幸福のパラドックス　日本

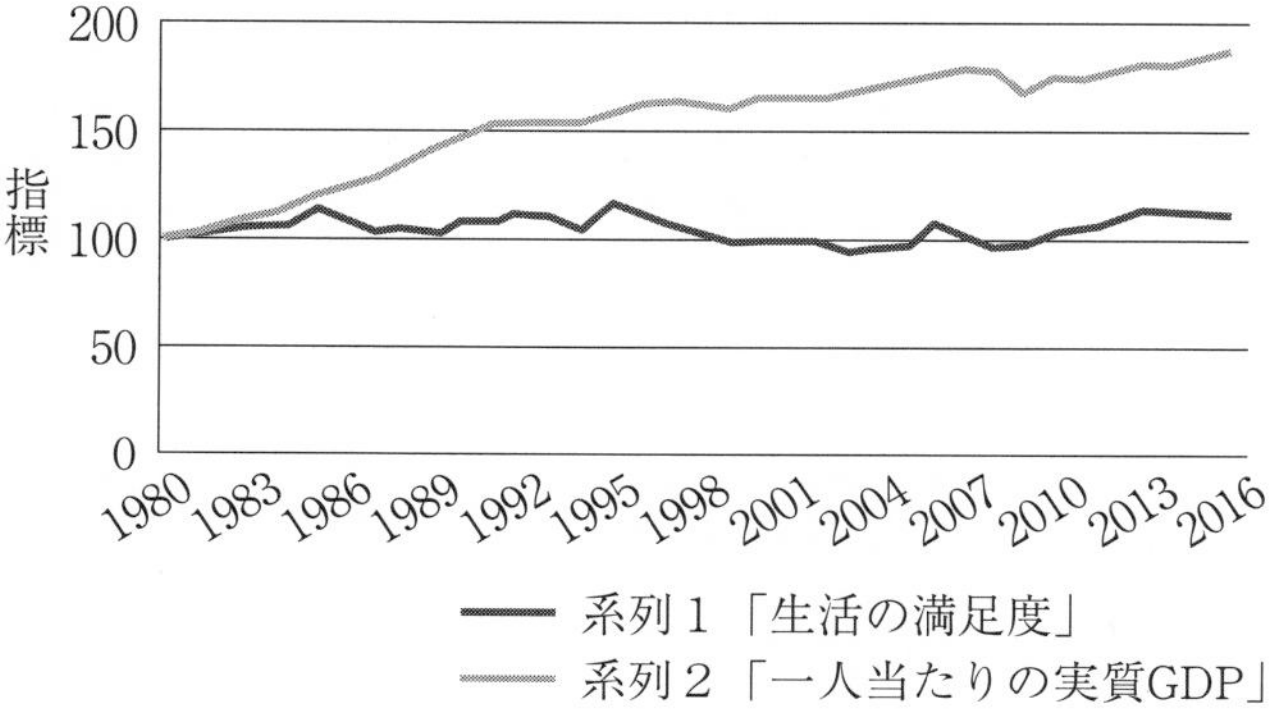


福のパラドックスに陥っている」、と言える。

それでは、なぜ幸福のパラドックスが生じるのだろうか。その理由として「欲望のトレッドミル効果」が考えられるので、説明しておこう。

イギリス古典派経済学の流れをくむ現代経済学は、イギリス功利主義の哲学に立脚している。それによれば、人間はできるだけ苦痛を避けて快楽を求めるため、幸福度は「快楽」とそれを得るための「苦痛」との差になる。人間の活動は性格の異なる「防衛的活動」と「創造的活動」に分けられるが、防衛的活動こそ苦痛を避けて快適さや便利さを求める活動と言える。

一方の創造的活動とは、積極的に楽しみを求めるという活動である。スポーツや芸術など、好きな趣味に打ち込めば飽きの来ない幸福感に浸ることができるし、この活動に習熟していくにつれて人の文化力は高まっていく。

さて、防衛的活動だが、この活動で得られる幸福感は慣れてしまうと著しく逓減してしまう。たとえば、エアコンを最初に使用したときはその快適さに酔いしれて感激するだろうが、それに慣れてしまうと当たり前になるというのが人間の感覚である。そして、エアコンの設置が「当然」となり、ないと「苦痛」になるということだ。

新しい感動は、より便利で快適な状態が得られることでもたらされる。しかし、このような行為で幸福感を高めようとすると、スポーツジムのトレッドミルを踏むが如く、便利さと快適さをさらに与えてくれる新奇なものを次々と求めることになってしまう。過度に生活の満足度を高めようとすると、便利で快適さをもたらす商品・サービスを次から次へと購入するために金銭が必要になる。それを得るために時間を取られると、創造的活動に費やすための時間的・精神的な余裕がなくなってくる。そして、「幸福のパラドックス」に陥いるという状態になる。(1)

経済が成長するためには、次から次へと新しい製品を開発し、それを消費者に買ってもらわなければならない。逆に言えば、トレッドミル効果がなければ消費者は新し

(1) スイスの経済学教授マティアス・ビンズヴァンガーが著した本に、『お金と幸福のおかしな関係——トレッドミルから降りてみませんか』がある。幸せに生きるためのヒントが書かれているので、ぜひ読んでいただきたい。

小山千早訳、新評論、2009年

い商品を買わないので経済は成長しないということである。

企業は、広告宣伝などによって消費者に新しい商品を買うように仕向けている。時には、まったく不必要なものを買うようにも仕向けている。アメリカの劇作家アーサー・ミラー（Arthur Asher Miller, 1915~2005）の戯曲『セールスマンの死』（一九四九年）に描かれているように、優秀なセールスマンはマサイ族に毛皮を売りつけ、エスキモーに冷蔵庫を購入させているのである。このように考えると、現代経済学のパラダイムでは、必然的に「幸福のパラドックス」が生みだされる状態になっていると言える。

ところで、経済成長を測るＧＤＰだが、これは非常にやっかいな物差しである。市場価値のあるものは何であれＧＤＰに含まれるが、生活に役立つものであっても売買されないものはＧＤＰには含まれていない。となると、欲望にそそのかされ、不都合な面があればあるほどＧＤＰは増加することになる。

たとえば、徒歩や自転車で通勤していた人が自動車での通勤に代えたとしよう。たしかに便利になるわけだが、太ってしまい、スポーツジムに通う羽目になり、成人病が理由で病院治療が必要になるというケースが考えられる。この場合、自動車は売れ、スポーツジムに会費を納め、病院に治療費を払うことになる。言うまでもなく、ＧＤＰは確実に増加するわけだが、決して生活が豊かになったわけではない。

この例のように、ＧＤＰは生活の豊かさを測るものではなく、生活に必要な費用であると考えたほうがよい。つまり、生活における満足度が同じなら、ＧＤＰは低いほうが合理的であると考える必要がある。

## コラム2　九州の経済成長戦略

内閣府によると、「社会保障の充実・安定と財政健全化の両立を図りつつ、段階的な社会保障歳出の増加が生じる場合に必要とされる実施地成長率」は年率一・七パーセントとなっている。九州経済調査協会が著した『三〇年後に向けた九州地域発展戦略』（二〇一九年）によると、九州地域が目標とすべき実質成長率も同程度としているが、現在の九州地域の一人当たりの実質ＧＤＰは全国平均の八割に留まっているので、この格差を解消するには二パーセントの成長が必要であるとしている。そして、この二パーセントを達成するために、五つの成長戦略（①産業創出・職業開発戦略、②海外需要開発戦略、③労働力の創出・活用戦略、④地域経営の生産性向上戦略、⑤国土と産業を強靭化するインフラ戦略）と戦略推進プロジェクトを提案している。

一番目の「産業創出・職業開発戦略」を遂行するための推進プロジェクトとして七つ挙げられているが、それはＡＩ・ロボットの活用を目指す「ビッグデータビジネスの創出」とクリエイティブな人材育成を主眼とする「イノベーションを促す土壌つくり」に分けられている。

ＡＩ・ロボットを活用するというのは、この分野における技術進歩には目覚ましいものがあるので生産性の向上には欠かせないであろう。社会的にもっとも必要とされるのは介護や医療の分野である。この分野におけるロボットの活用もさることながら、ＡＩの活用によって知的な労働分野も大きく変わると見られている。会計士、弁護士、金融、公務などの分野でＡＩが活用されると大幅な社会的コストの削減となるが、その一方では大量の失業者が出るのではないかと懸念されている。

また、人間の労働がＡＩ／ロボットに代替されるにつれて人間にしかできない分野が注目されることになり、その面からもクリエイティブな人材育成の必要が大きくなる。しかし、そのためには、現行の学校制度を大幅に改革しなければ効果を発揮することはないだろう。

二番目の「海外需要開発戦略」に関しては、六つの推進プロジェクトが挙げられている。インバウンドや日本商品の海外での販売に関するものとなっているわけだが、インバウンドに関しては最上級クラスの開発（高級志向で単価の高いもの）となっており、オーバーツーリズムにならない配慮が必要である。また、海外の都市インフラ建設の受注が目指されているが、その際にはノウハウの輸出に重点を置くべきであろう。

老子の格言に「魚を与えれば一日食いつなげるが、魚の釣り方を教えれば一生食べていける

（授人以魚 不如授人以漁）」とあるように、人類社会の進歩は、共感の広がりに伴う物資の交流や文化技術の移転によって成し遂げられている。そのなかでも、とくに技術移転が大きい。新たな土壌に新しい技術が植えられることで変化を遂げ、それが相乗的効果を発揮して、最初に開発したところにも恩恵が与えられる。

また、文化・技術の創造は、個人の頭脳によるものではなく「集団脳」によるものと言える。仏教で言うところの「三人寄れば文殊の知恵」である。モノの貿易にこだわると国際紛争の要因となるばかりか、輸送費用が増大し、資源の浪費と環境破壊を招くことになる。モノの貿易にこだわるというのは、植民地主義の現れであるとも言える。

日本の商品に関して言えば、ノウハウの移転が必要となる。「made in Japan」から「made in Japanese（made by Japan）」への移転である。たとえば、和牛について言えば、日本で和牛を育てるのではなく、そのノウハウを輸出して稼ぐべきだろう。日本での成育は、後継者不足と環境破壊が問題となっているほか、飼料を輸入に頼っているという問題がある（窪田［二〇一七］二一四ページ」、川内［二〇一九］一四六〜一四九ページ）

蛇足だが、技術移転を推進する場合には移転者の機会費用を補償する制度が望まれる。資源の産出者が資源価格にプレミアムを付加すれば資金源となるかもしれない。資源の節約と技術開発の誘因という二重の効果が見込まれることを踏まえたい。

三番目の「労働力の創出・活用戦略」については、四つの推進プロジェクトが掲げられている。人口減少に伴う労働力不足を補うためには、高齢者や女性を活用し、外国人の登用を当然考えるべきであろう。とくに、一般の職場や通常の労働条件で高齢者に働いてもらうのではなく、高齢者が必要とする商品やサービスを供給する職場を用意する必要がある。高齢者のための高齢者による高齢者の職場であり、そこでは地域通貨の活用が可能になるだろう。

労働生産性を高めるためには労働力の有効活用が求められるので、従来のような閉鎖的な雇用形態は改めるべきである。また、企業間のネットワークで雇用して、各企業に配置するといった方式も考えるべきである。

四番目の「地域経営の生産性向上戦略」については、七つの推進プロジェクトがある。農山漁村の生産性向上にＡＩ・ロボットを活用するのは当然のこととして、地方自治体のあり方に関する提案については注目できる。

たとえば、地方公務員の活用については「兼業の促進」を挙げている。これにワークシェアリングの観点が加わると、もっと広い範囲での適用が可能になるだろう。そして、小学校区単位での小規模多機能自治組織の提案については、行政事務の効率化だけでなく、新しい概念のコミュニケーション創成という観点が必要になるだろう。

最後、五番目の「国土と産業を強靭化するインフラ戦略」には、一一の推進プロジェクトが挙げられている。提案された成長戦略を実施するためには、それを支えるだけのインフラ整備が必要となる。問題となるのは、このインフラ整備は九州全土で画一的に行われるものではなく、成長戦略に沿って地域ごとに行うことになるので、九州全体からの視点による調整が必要となる。極論かもしれないが、道州制を視野に入れないと不可能であろう。

今後、人口減少を視野に入れてインフラの維持費用の節約を考えなければならないので、単にインフラを充実すればよいというものではない。たとえば、新しい働き方によって在宅勤務が多くなれば通勤といった交通事情が緩和されるため、その方面でのインフラ縮小が可能になるということだ。

これらの戦略と政策が現実にどれだけ実行できるかどうかは分からないが、実行できれば年率二パーセントの成長は可能であると思われる。しかし、成長の結果はどうなるだろうか。成長によって課題は解決できるだろうか、経済成長によらなくても課題解決が可能ではないだろうかなど、基本的な考察をすることなく成長路線が描かれているように思える。また、成長戦略の結果、どのような不都合が起こるのかについては考察されていない。やはり、成長神話に取り憑かれたままで、「経済は成長しないといけない」という強迫観念に惑わされているようにしか思えない。

## シナリオBのパラダイム

シナリオBでは、はっきりと「成長神話」を否定することになる。経済成長には限界があるだけでなく、人間の幸福に直結していない。経済成長は人間の生活に必要なものを供給する範囲に留めて、幸福感や満足感は創造的で文化的な活動によって達成するものと**シナリオB**では考える。

そして、人間の幸福はよき人間関係にあり、富はそれを実現するための手段であって目的とはならない。さらには、生活に必要な物資もすべてを市場に依存するのではなく、金銭を介さずとも人々の絆のなかで得られるような仕組みを築く。

人間の絆がしっかりと確立すれば、ＡＩが導入された場合に議論となる「ベーシックインカム(2)」などの所得分配がスムーズにいく。事実、新型コロナの対策で一人当たり一〇万円が支給されたことはベーシックインカム導入への試行となる。そして、極端な所得差を是正する手段として、国民に容認される事例ともなる。このような仕組みを築く際に考えるべき基本的な要素は「文化経済学の手法」に潜んでいる。

## 文化経済学の基本公式

文化と経済の相互関係を研究対象とする文化経済学は、人間の幸福と文化、および経済との関係を次のように考えている。

文化というものの定義はひとまず横に置いて、「文化力」という概念を導入して、それを「富（経済力）を幸福（生活の豊かさ）に転化する能力」として数値化できると想定すると、以下の式で表すことができる。

**文化力＝生活満足度（幸福度）÷経済力**

料理が上手な人は、下手な人と同じ材料を使っても美味しい食事をつくることができる。これと同じように、文化力のある人は、そうでない人と同じ経済力であってもより幸福な人生を送れるということだ。先の式を書き換えると次のようになる。

**生活満足度（幸福度）＝文化力×経済力**

この恒等式では、幸福度は文化力と経済力の掛け算によって算出される。幸せな家庭の場合、愛情があっても経済力がなければ破綻するが、逆に経済力があっても愛情がなければ続かない。この場合と同じように、幸福になるためには経済力がなければならないが、それだけでは幸福に

---

（2）（basic income）最低限所得保障の一種で、政府がすべての国民に対して一定の現金を定期的に支給するという政策のこと。九九ページからを参照。

なれないということである。文化と経済という抽象的な関係を具体的なものに置き換えたこの関係式は、「文化経済学の基本公式」と呼べる。

経済力というのは、一人当たりの実質ＧＤＰに比例すると考えてもよいだろう。近年、「県民幸福度」などといった指標が開発されているが、生活満足度（幸福度）に関してはなかなか客観的な指標ができない。もちろん、文化力についても同様である。それでも、生活満足度を顕示選好の理論(3)で評価すれば、ある程度のことは言えるだろう。たとえば、「東京に住みたいか、九州に住みたいか」を自由に選べるとして、「九州に住みたい」を選んだ人が多い場合、九州に住むほうが東京に住むよりも生活満足度が高いということになる。

最近、九州出身の大学生は卒業後の就職先として九州内の企業・職場を選んでいる。これが顕示選好として客観性をもつとすれば、東京よりも九州のほうが生活満足度は高いということになる。さらに、一人当たりの所得水準を見ると、九州は東京の七〇パーセントにも満たない状態となっている。となると、九州のほうが東京よりも「文化力」が圧倒的に高いと言える。

このように、文化力は「富（経済力）を幸福に転化する能力」であると解釈できるわけだ。**シナリオB**では、この文化力を高めることに主眼を置き、いわばお金がなくても楽しく幸せに暮らせる社会を目指すことになる。

## 文化と経済の相互作用

文化経済学の基本公式では、文化力と経済力は幸福度を説明するものとなるが、この二つの説明変数は独立したものではなく、相互に影響しあっている。論理的には両者の相互関係は以下の五つに集約できるが、どのケースも現実には生じるものである。

①文化力と経済力の間には何の関係もない。相互に無関係である。
②経済力が高まることで文化力も高まる。
③経済力が高まることで文化力が低下する。
④文化力が高まることで経済力も高まる。
⑤文化力が高まることで経済力が低下する。

現代経済学は①または②のケースを想定しているが、文化経済学は③と④のケースに着目している。「幸福のパラドックス」は③のケースとなり、経済力が高まる以上に文化力が低下することで発生する。たとえば、経済が成長することで便利になって、「おふくろの味」が「袋の味」（レ

---

（3）　P・A・サミュエルソン（Paul Anthony Samuelson, 1915～2009）によって創始された理論。現実の市場で与えられる価格、数量などといった客観的なデータを通して消費者の選択行為の合理性を設定し、それによって消費者行動の法則性を説明しようとするもの。

トルトの味）になるようなものである。

先に述べた**シナリオA**のパラダイムでは、経済を成長させることで文化力も高め、豊かな生活を実現しようとするものであったが、「経済力→文化力」のルートが負のフィードバックになる可能性があり、その結果として「幸福のパラドックス」が生じたわけである。

これに対して**シナリオB**では、文化力を高めることに力を注ぎ、良好な人間関係に基づく社会づくりを実践して、豊かな生活の実現を目指す。生活に必要な財・サービスに関しても、市場経済のみに依存するのではなく、自給自足的な生活実践や通貨が介在しない互酬関係から得ることになる。景気の良し悪しや収入不足にあまり悩まされることなく生活できる、という社会の実現である。

さらに、第三次産業が圧倒的シェアをもち、文化産業や文化関連業種が重要さを増すというポスト工業化社会では、文化力が経済力を高める重要な要素となるだろう。文化力を高めるこ

図2　シナリオA

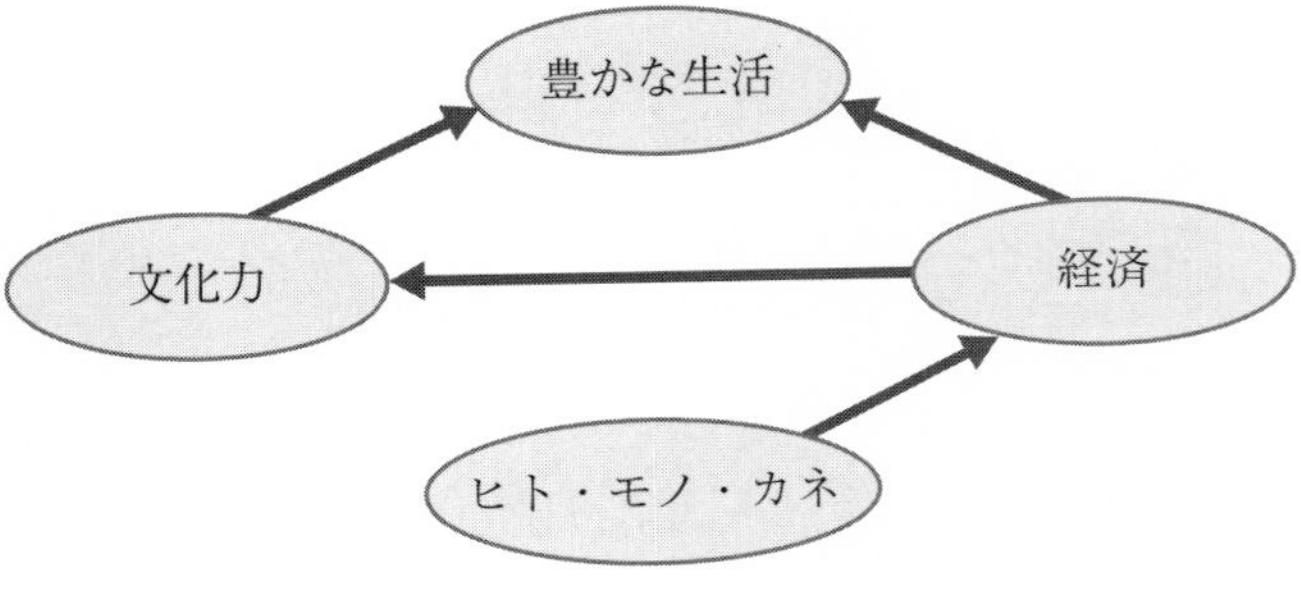

とに政策の第一義的な力点を置けば、経済と自然環境の「ウィンウィン関係」や良好な人間関係が重視され、経済格差は解消に向かいはじめる。

このように考えると、「文化力とは、文化を経済力に転化する能力」とも解釈することができる。この能力は、内部経済面からは文化産業を発展させ、外部経済面からは地域の集客力を高めることになる。サービス・ソフト産業である第三次産業が経済の圧倒的シェアを占めるポスト工業社会では、言うまでもなく地域の集客力が経済の要となる。

**無銭経済**

実は、お金がなくても楽しく生きられることを提唱し、実践しているという人は決して少なくない。その提唱者であるマーク・ボイル[4]は、自らが理想とする経済を「無銭経済」と名付け、その説明を以下のように行っている。

図３　シナリオＢ

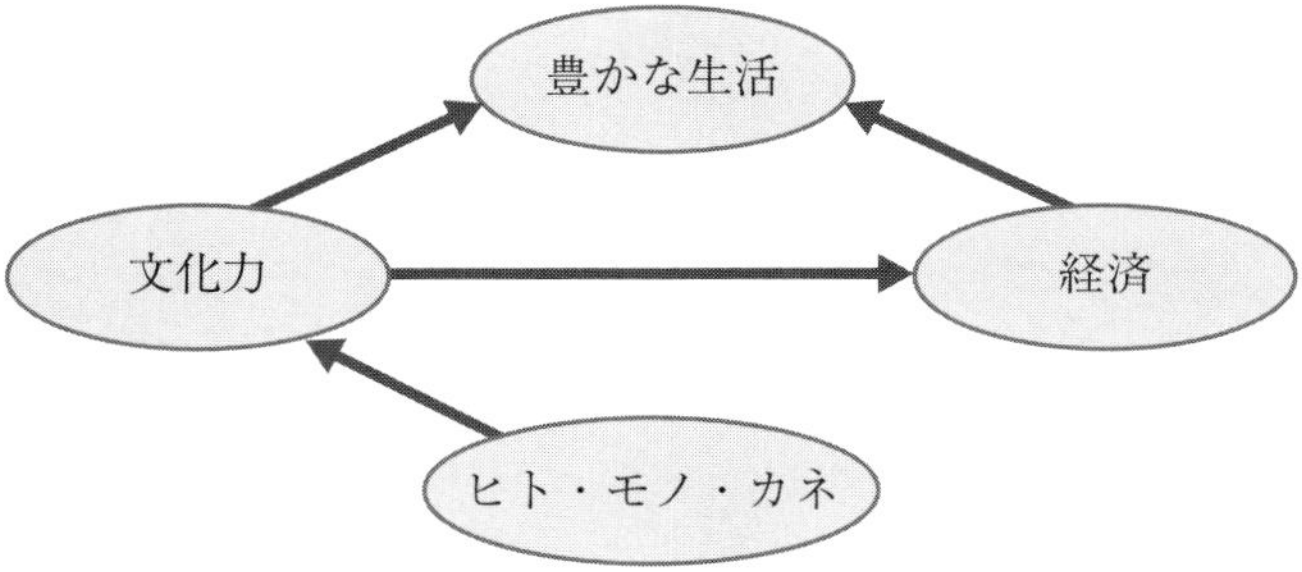

〈無銭経済〉とは、モノやサービスの無償の分かちあいによって（すなわち明確な交換条件をさだめずに）、参与者の肉体的・情緒的・心理的・精神的ニーズを、集団としても個人としても満たすことのできる経済モデルである。分かちあうモノは受益者の徒歩圏内で調達するのを理想とする（が必須ではない）。（マーク・ボイル［二〇一七］七九〜八〇ページ）

そして、「無銭経済＝贈与経済＋一〇〇パーセントローカル経済」として、それに至るプロセスを以下の六つのレベルに分けている。

「レベル１」——一〇〇パーセントローカルな贈与経済
「レベル２」——ローカル経済圏内で、地域通貨やバーターに基づく共同自給
「レベル３」——贈与経済＋貨幣経済への最低限の依存
「レベル４」——地域通貨＋貨幣経済への最低限の依存
「レベル５」——「環境を配慮した」グローバルな貨幣経済
「レベル６」——一〇〇パーセントグローバルな貨幣経済

ボイル自身は、世界全体が「レベル１」に到達することを望んでいるが、筆者はそのようには考えていない。「レベル１」から「レベル６」までの経済が混在していて、それぞれの人が好き

なレベルを選べるような世界であってほしいと思っている。そして、レベルの違う経済をお互いが排除しないことを望んでいる。自由な選択肢があってこそ人々は幸福に導かれるはずだし、それが現実的であると考えている。

## 文化力の高い生活のイメージ

**シナリオB**のもとで一般的になると思われる生活スタイルのイメージを、フィクションを交えて紹介しよう。現在、日本全国においてここに挙げるような生活スタイルを実践している人がかなりいるし、テレビや新聞などでその様子が紹介されている。それらを見ると、とくに九州はこのような生活を可能にする社会的・地理的な条件がそろっているように思える。

なお、紹介する方々をイニシャル表記としたが、それはモデルとなる人物が筆者の周りにいるからだ。読者のみなさんにリアリティーを高めてもらうためイメージ写真を掲載しているが、実際の現場でないことをお断りしておく。

(4) (Mark Boyle, 1979〜) アイルランド国籍のイギリス在住の自由経済運動の活動家。サラリーマンのころ、営業成績が大変よかったため高収入を得ていたが、金銭を介在させる生活に疑問を感じるようになり、二〇〇八年からイギリス・ブリストル近郊で金銭とは縁のない生活をはじめている。

## 事例1——写真家Tさんの場合

Tさんの住まいは筑後川流域の山村である。ここに来た理由は、渓流釣りを趣味としているからだ。都会にいると、釣り場まで行くのに四～六時間かかるが、ここだと仕事の合間に行ける。

Tさんは写真家で、コマーシャル用の写真を企業に売り込むことで収入を得ている。かつては写真を使ってもらうために顧客を訪問しなければならなかったので、顧客の多い都会に住む必要があった。しかし、インターネットが普及してからは、メール添付などの方法で写真が送れるようになったため、頻繁に顧客を訪問する必要がなくなった。それどころか、インターネットを使えば国内の顧客だけでなく海外の顧客にまでアクセスできるようになった。

取材のために出掛ける以外は、ほとんどこの地にいる。自宅の横にある畑で野菜などもつくっている。近所に住んでいる人とも親しくなり、イノシシやシカといったおすそ分けがあ

旧小石原小学校。廃校がジビエレストランや宿泊所に改造された

るという。

この村にはイノシシやシカが多く、山や畑を荒らすために駆除するのが大変だった。しかし、逆転の発想で、それらを資源と考えてイノシシやシカの牧場をつくることにした。それが理由で肉質と供給が安定し、ビジネスにもなっている。村の廃校を改築してジビエのフランス料理店が開店されたが、これが大変な人気となって都会からたくさんのグルメがやって来ている。

Tさんが留守の間は、妻や子どもが畑仕事を行っているという。また近所には、畑仕事に対して助言や手助けをするという「自給自足の支援」をビジネスにしている人もいる。Tさんのような田舎暮らしをしている人が九州には結構いるようで、支援の依頼が多いという。

## 事例2——山村の役場で働くSさんの場合

Sさんは山村の役場に勤めている。この村ではワークシェアリングが行われており、暮らしに必要となる最低の現金収入は、公務やそれに類する安定的な仕事で得られている。役場勤務は週三日で、残りの日は自分の果樹園で働いている。果樹園からの収入は安定していないが、こと「食」に関しては仲間と物々交換（おすそ分け）をしており、ほとんどお金がかからないという。

Sさんの奥さんは手先が器用で、クラフトをつくっている。ネットで販売するほか、地元で定期的に開かれているマルシェ（marché・市場）で販売を行っている。

実は、このマルシェでは地域通貨が使われている。さらに、この村では地域通貨で税金も納められるほか労働の対価としても使われている。事実、役場が支払っている給料の一部も地域通貨となっている。つまり、この村では役場が地域通貨を信用創造して、財源不足を補っているのだ。言葉を換えれば、村に「中央銀行」があるということだ（この実証実験は二〇二一年一月から六月まで行われた）。

村の直販店。ここでマルシェが開かれる

## 事例3——福岡市に住むKさんの場合

以前は東京で仕事をしていたKさんだが、現在は福岡市に在住して市内の会社に勤めている。現在勤めている会社の求人広告に、「わが社では、週末を楽しめる農園を用意しています」と書かれていたのが転職の契機となった。ＩＴ関係の会社で今後も成長が望めそうだし、東京の通勤地獄から抜けだしたかったというのが移住の理由である。

マンション暮らしではあるが、会社までは徒歩で行ける。これで、一日に二時間ほど時間的な余裕が生まれた。当初、奥さんは反対していたと言うが、「奥さんの仕事も会社が世話をする」ということで踏み切ったという。

週末は、会社が用意してくれた果樹園と畑に出掛けている。車で一時間ぐらいの距離だが、この車も会社が用意してくれたものである。「ドライブを楽しみがてら出掛けている」と話すＫさんの表情は優しい。

果樹園と畑は数社の共有となっており、

果樹園の交流の場。ここで農園利用者が交流している

Kさんの会社はその一角を使っている。農業指導を行う専門のアドバイザーもいる。また、トレーナーハウスの宿泊設備があるほか、何と温泉まである。もちろんキャンプもできるので、子どもたちも大喜びだという。

「月に一度、この農場に来る仲間たちとパーティーを開いている」とKさんは言う。異業種交流の場ともなっており、ビジネスに関する貴重な情報も得られるようだ。何といっても、畑仕事のあとに、自分で栽培した採りたての野菜を食べるのがたまらない、とも言っていた。

「東京で働いていたときに比べると多少給料は下がったが、満足度ははるかに高い」と話すKさんの表情は、とても誇らしげであった。

## 事例4——俳優C子さんの場合

C子さんは俳優で、ミュージカル劇団に所属している。劇団の本拠地は九重《くじゅう》高原で、そこには屋内ホールと野外劇場がある。定期的に野外公演を行っているが、とくに夏の公演は大人気で多くの観客が足を運んでいるという。

実は、ここには劇場のほかに温泉付きのホテル・宿泊設備、レストラン、観光農園、演劇学校なども併設されており、さしずめ「芸術村」の様相を呈している。公演だけでは採算がとれないというのが正直なところで、併設されている施設の売上で補っている。

劇団員は、公演や練習の合間にこれらの施設で働いている。ゆえに、食事や宿泊費は無料となっている。演劇学校で教えたりするほか、要請があればほかの学校に出掛けることもあるし、レストランでちょっとしたパーフォーマンスを行ったりしている。近くの温泉旅館やホテルからもオファーが入るようで、そこで認められれば、テレビや映画に出演できるといった機会も出てくる。文化事業複合体をイメージして、地域全体が連携してマネジメントしていくことが現在の目標となっている。

---

ここで紹介したような暮らし、読者のみなさんはどのように思われるだろうか。「羨ましい！」と言う人がいる一方で、「老後のことなど、もしものことがあったらどうするの？」と経済面での心配を口にする人もいることだろう。

しかし、よく考えてほしい。現在、このような生活を送っている人も、かつては経済至上主義という生活に浸っていた人なのだ。発想の転換をすれば「幸福のパラド

C子さんの活動拠点である円形劇場。戦前に造られたものが復元され、活用している

ックス」に陥ることなく、生活を満喫することができるのだ。「文化経済学の基本公式」をもちだすまでもなく、「人生を謳歌している」と言えるのではないだろうか。

筆者、筑後川入道九仙坊が推奨する生活様式の一つは、まさにここで紹介したようなものである。

第1部

# 独立論の理念

「原鶴温泉ビューホテル平成」から筑後川を望む（福岡県朝倉市）

眼下の中央部右岸の小高い山（通称・御陵山）に斉明天皇の御陵がある。天皇は661年に百済救援のための大本営をこの地に置いたが、病気で崩御された。喪に服した中大兄皇子（のちの天智天皇）は、ここで「小倉百人一首」に収められている

秋の田の　かりほの庵の　とまをあらみ　わが衣手は　露にぬれつつ

を詠んだと言われている。また、この山の下に、「ペシャワール会」の故中村哲氏（1946～2019）ゆかりの山田堰がある。

# 第1章 独立論のパラダイム

## 1 人間と社会の進化

九州独立論の基本的ビジョン、哲学的背景、またはパラダイムは、人類という地球上において繁栄してきた生物の特徴に根拠を置いている。その意味では、九州独立論のパラダイムは、九州という一地域に留まらず、すべての地域や地方が自立するうえにおいて普遍的なものと言えるだろう。

いくたびかの激しい気候変動を伴いながら地球環境は変遷してきたが、人類はその変化に適応しながら、滅ぶことなく持続してきた。そして現在は、二億五二〇〇万年から六六〇〇万年前の中世代に繁栄を謳歌した恐竜たちに匹敵する存在にまでなっている。

ご存じのように、鳥類や哺乳類も家族や血縁集団で暮らすことによって環境適応力を高めてきた。もちろん、ホモサピエンスも家族や血族集団を超えた組織をつくることで寒冷な気候に適応してきたわけだが、一方のネアンデルタール人は個体や家族単位で行動し、集団を組織しなかったために滅びたとされている。

さて、人類、とくにホモサピエンスが激変する地球環境に適応できたのは、大部分の生物のように身体的な進化を繰り返してきたわけではなく、広い意味での文化をつくりあげて、集団によってそれを継承してきたからである。ここで、あえて「文明」という言葉を避けたのは、普遍化する文明は、人類の存続を危機にさらしかねない側面をもっているからである。

社会を構成することで環境変化に適応してきたのが人類となるわけだが、その意味では「社会的存在」と言うことができる。つまり、独りぼっちでは生きていけないので人は社会の一員になる。そして、社会が壊れると生きていくのが難しくなる。したがって、社会を混乱に陥れ、社会の持続可能性を危険にさらすような行動・言動は慎まなければならない。しかし、これさえ踏まえれば、個人の自由は許されるべきである。要するに、社会全般にわたる見識をもっていれば、可能なかぎり楽しい人生を送る自由があるということだ。

逆に、個人の自由を過剰に規制すると欲求不満になり、それが高じると集団的な反社会的勢力が生まれ、社会を混乱させるだけでなく社会全体の結束が緩み、ひいては社会の持続可能性が維持されなくなる。個人の自由が保障されている社会であるからこそ、人はその社会を大切にして日々の暮らしを続けているのだ。

また、自由の規制は人々の独創性を抑制するほか、社会や環境の変化に対応するための革新性を阻害し、環境の変化に適応することを難しくしてしまう。イギリスの経済学者アダム・スミス（Adam Smith, 1723～1790）が、重商主義的規制を廃して自由放任を推奨したのは、独創性の発露のもとで創意工夫がなされることで新しい技術が生まれ、経済社会の変化に適応できて発展の道が開かれると考えたからである。自由競争のもとでの淘汰によって適者が生き残るという考え方は、自然科学者のダーウィン（Charles Robert Darwin, 1809～1882）にも影響を与えていることはご存じだろう。

さらに、人間は集団や社会を形成し、協力することで環境に適応し、生き抜き、生活も向上させてきた。その一方で、戦争や暴動、敵対者や弱者への非人道的な抑圧など、集団や社会の暴走を繰り返している。個人の自由を保障することは、集団や社会の不条理を批判し、暴走を食い止めるためになくてはならないものである。

環境への適応という進化のプロセスのなかで人は社会を形成し、それを持続させる制度やルール、道徳、倫理を生みだしてきた。それらは神から与えられたものではなく、社会有機体説[1]が言うところの「社会の意思」を体現するものでもない。そして、事前に社会契約を結んだものでもない。それらは、進化のプロセスが生んだ自然発生的で、本能的なものだ。人は、互いに協力することで繁栄してきた。協力するためには、お互いに相手を認める必要がある。そのための人情であり、人権である。また、信頼を築くためには義理や義務を疎かにすることもできない。

幕末から明治にかけてのことだが、西欧の概念である「right and duty」を日本語に訳すとき、「義理人情」と訳してはどうかという考えがあったようだ。日本人にとっては馴染みのない造語の「権利と義務」よりも、「義理と人情」と言ったほうがその真意がよく伝わってくる。たとえば、「納税の義務」と言うよりは「納税の義理」と言ったほうが税金を払う気になるのではないだろうか。また、人権を認めるということは、進化論的に見れば「人情（共感）」の問題となる。

いずれにしろ、これらのことを長い歴史のなかで試行錯誤しながら洗練し、体系化することで「道徳」、「ルール」、「社会体制」といったものを人類はつくりあげてきた。したがって、現行の社会体制やモラルなどは、すべてが絶対的なものではなく、社会環境の変化に応じて変更されるのが自然である。

人間社会を持続させるということは、生命進化プロセスの方向である。したがって、持続可能な地域社会をどのように形成するのかが、「独立論パラダイム」おいては最初のテーマとなる。

## 2 地域社会が持続可能になるための三つの原則

世界全体が持続可能であるためには、地域社会も同じく持続可能でなければならない。地域が持続可能でないのに世界全体が持続可能であるという状態は、理屈のうえでは可能でも現実にはありえないし、仮にそのような状況が実現したとしても、新型コロナの影響を見れば分かるように、世界の持続可能性は極めて不安定なものになる。地域社会が持続可能であるためには、以下に挙げる三つの原則が守られる必要がある。

### 原則1――社会の持続可能性を究極の目的とすること

地域社会の意思決定に関しては持続可能性を優先することである。たとえ民主主義的な手続きで決定された事項であっても、地域の持続可能性に反するものは無効としなければならない。

---

（1）社会を生物有機体の体制になぞらえて説明する社会理論のこと。一九世紀、オーギュスト・コント（Auguste Comte, 1798～1857）、ハーバート・スペンサー（Herbert Spencer, 1820～1903）らによって主張された。社会は意思をもつ有機体であるという説の問題点は、社会の意思をどのように確認するかである。社会を構成する個人からその意思を確認するのであれば、方法論的個人主義と変わらない。

誰が言ったか定かではないが、

「民主主義は天国に導くものではなく、地獄に落ちないようにするものである」

という言葉のとおり、民主主義的な体制は必ずしも社会の持続可能性に即した政策を選択するとはかぎらないからである。

## 原則２――社会の多様性を保持すること

個人および地域社会の多様性が保持されることが望まれる。ある固定的な環境や状況のもとで所与の社会的目的を達成するには、社会が画一化されているほうが効率的であろう。しかし、それはあくまでも状況や環境条件が静止的な場合であって、言ってみれば静態的な効率化でしかない。

画一化した社会のもとでは、環境や状況が変化したときもほぼ全員が現状の条件に適合した生き方をしているため、新しい環境に対応するための人材や素地に乏しく、適応が難しくなる。しかし、社会が多様であれば、現状では支配的な立場におらずとも、新しい環境では指導的な立場になれるかもしれない。多様性を保持することは自由を保障することであって、自由がなければ個人の幸福度も高まらないし、新機軸も生じない。

**原則３――地域の自立が保持されること**

これは、地域間の多様性を実現する際の必須条件となる。地域の自立が担保されず、すべての点で中央政府の指示に従わなければならないとすると地域の独自性が損なわれてしまう。仮に、自らのことは自らで決定するという政治的な自律があっても、経済的・文化的に自立していなければ実質的には従属している状態と同じである。

## 地域の限定

具体的に、地域をどのような範囲・領域として規定すればよいのかについて考えよう。

歴史的に見れば、国の境は海・山・川などといった自然の障壁で区切られてきた。それらが無視され、人為的に区切られたとしたら、何か特別な事情があったことになる。ご存じのように、帝国主義の時代には列強が植民地獲得で争ったわけだが、この場合の国境線は人為的に引かれたものである。今日の中東における紛争の原因にもなっているわけだが、日本でも明治維新の廃藩置県における県境はかなり人為的なものであり、何とも言えない不自然さがある。

一般的に言えば、地域が拡大するにつれて自立性は高まっていく。たとえば、行政単位や自治体を地域の区切りとして考えた場合、市町村から県、国へと拡大していくにつれてほかの地域からの干渉は排除でき、独立性を保つことが可能となる。行政面から見ると領域が拡大すれば自立性を高めることになるが、その一方で住民が増加し、多様になればなるほど利害が錯綜し、合意形成が困難になるというのはお分かりだろう。

合意形成がうまくいかないと、言うまでもなく、整合的に一連の政策が実行できなくなる。合意形成は、地域住民の意見や文化的土壌に極端な隔たりがない場合は民主主義的なルールで整合的に得られるものだが、住民の意見が極端に分かれている場合は整合的な合意が得られるとはかぎらない。

自然の障壁は人々の交通を遮断し、情報や物資の流通も滞ることになるので、自ずと地域の自立性を高めることになった。また、歴史的な条件や文化的な要因を考慮して領域を限定すれば、自立性や合意形成の整合性が高まることになる。島や河川の流域が、それらを高める例として一番分かりやすいだろう。この自立性と意思決定の整合性が地域を限定する基準になる。

## コラム3　生物多様性と文化の多様性の類似

生物多様性とは、一般的にはさまざまな種類の動植物が共存していること、すなわち多様な「種」の共存である。それが重要な理由は、以下に示すとおりである。

❶植物の数が多いほど植物はよく茂る。

❷天敵が多様で、数が多いほど害虫の増殖率が低くなる。農薬の散布によって害虫だけでなく

その天敵まで殺すことは、新たな害虫の発生を生み、逆効果になる恐れがある。抗生物質に耐久性をもつ病原菌の発生は、その菌の天敵を過剰な消毒で抹消したことにある（清潔好きも、度を超すと問題であるということだ）。

❸植物の種類が多いほど、新しい種の侵入を防ぐ。

多くの生物が何万年、何千年と生き残っているのは、一つの種のなかの個体が多様な遺伝子をもっているからだ。つまり、外界の環境変化に適応できる遺伝子をもっているものが生き残ってきたわけで、遺伝子の多様性は、突然変異と有性生殖による遺伝子タイプの混合によるものである。

人間もまた外界の環境に適応しながら遺伝子を変化させてきたが、ほかの生物と違って、環境を自分の都合のよいように変えていくという営みを行ってきた。これは、言語の発達に伴う非遺伝的伝達、つまり文化によるところが大きい。人類という種にとっては、遺伝子の多様性と並んで「文化の多様性」が存続するうえにおいて必要不可欠のものとなっている。

もし、ある文化が、その極端な固執や信仰によって一風変わったライフスタイルや価値観をもつ者を抑圧したとしたら、氷河期の終わりに発揮されたような人類の適応力を失い、存続において非常に危険な状態となる。それゆえ、一つの社会で文化の多様性を維持するためには、異なる文化間の幅広い交流が必要となる。

その意味で言えば「開かれた社会」が望まれるが、開かれ方に問題があると言える。他の社会を自分の文化に変えさせようとする開き方であれば、世界を画一化し、文化の多様性を損なうことになる。一見すると開いているようだが、実は閉じている社会となる。現在のグローバリゼーションにはこの傾向がうかがえると思うのは筆者だけであろうか。

独自の文化を保ちつつ他の文化を受け入れるわけだが、その際、他の社会に自分の文化を強要しないという開き方をしなければならない。その意味で考えれば、国土を閉じていた江戸期の日本は、実は「開いていた社会」であったと思われる。そうでなければ、明治期の近代化は成功していなかっただろう。

また、文化の多様性を維持するためには、多様な自然環境がなければならない。ある特定の文化に必要な生物資源だけを残して他を消滅させてしまうと、他の文化を滅ぼすだけでなく、新しい文化が生じる可能性もなくしてしまうのだ。

## コラム4　エリートと生産要素の希少性について

『新しい産業国家』（都留重人監訳、河出書房新社、一九七二年）を著した経済学者ガルブレイス（John Kenneth Galbraith, 1908～2006）は、人類の歴史を俯瞰して、社会を支配するエリートと生産要素との関係に言及している。

標準的な経済学の教科書では、必ず必要となる生産要素として、労働、土地、資本（道具、機械、設備など）の三つを挙げている。この三つの生産要素は、歴史の発展段階を通じて必ずしも充分に存在しているわけではなく、どれかが相対的に不足している。相対的に希少となった生産要素が生産能力の限界を決めるためにその価値が高くなり、希少になった生産要素を所有する者が社会を支配するエリートとなる。

古代では農業が基幹となっていたが、人口が少ないために「労働」が相対的に希少であった。それゆえ、労働力を支配する者がエリートになった。ここで言うところの「支配」とは、人を奴隷にすることである。もっとも、奴隷にもさまざまな形態があった。金で買われた個人所有のもの、武力によって征服した民族や種族を奴隷としたケース、そして最悪な事例として人種差別による奴隷があった。なかでも、アメリカの奴隷制度は最悪のものと言われている。

時代を経て人口が増加すると、農業の場では労働力よりも耕作する土地が相対的に希少になった。そうなると、土地を所有している者が社会の支配層に君臨する。封建制度とは土地の支配関係を土台としたもので、土地と労働が固定的に組み合わされ、農奴は土地に縛られて移動の自由がないという状態に置かれた。

さらに時代がすすみ、一八世紀になって蒸気機関をはじめとするさまざまな機械が発明されて産業革命がはじまると、機械が生産の場における主力となり、生産能力を高めるために必要とされる「資本」が社会の主役として舞台に上がってきた。そして、資本をもつ者が社会を牛耳ることになったわけである。これが資本主義のはじまりである。

ひと口に「資本」と言っても、二つの側面がある。第一次的には、生産要素としての実物資本（道具、機械、設備、原材料など）があり、第二次的にはそれらを購入するための資金（貨幣資本）となる。資本主義社会とは、資本が生産の主力になる社会である。資本の私有が前提となっている場合は「自由経済」となり、分権的な経済体制下での市場の存在が不可欠となる。

一方、社会主義の場合は、社会（国家）が資本を所有することが前提となっているので、集権的な経済体制が敷かれて「計画経済」となる。しかし、所有と経営が分離されると分権的な経済運営が可能となるため、市場の導入が促されることになる。いわゆる「社会主義市場経済体制」となるわけだが、その代表例が中国である。

資本主義社会になって経済が飛躍的に発展していくと、資本が希少なものではなくなってきた。要するに、生活に必要とされる基本的な物資が充分に行きわたっているという状態である。となると、需要を喚起するために、今までにはなかったような魅力的な新製品を開発する必要が出てくる。また、市場での競争に勝ち抜くために、生産方法において新機軸（イノベーション）が必要となった。まさに、現在の状態である。

資本主義社会が発展するためには常にイノベーションが必要である。その意味では、現代の資本主義は「イノベーション主義」であると言える。イノベーションに有利な体制は、集権的なものよりも分権的なものである。これが、社会主義下の計画経済が破綻した理由の一つである。

ここ数十年の社会状況を見れば分かるように、もう一つの側面にも注意する必要がある。ポスト工業化社会において「サービス」が経済の主軸になったことである。このための情報・技術・知識が重要な要素になったわけだが、従来、これらは暗黙のうちに資本に含まれていたものだ。技術の高度化・複雑化、情報の多様化に伴って、現在においては実物資本と区別するほうが自然である。

技術と情報があれば資本がなくても起業でき、実物資本をもたなくても委託生産が可能となる。これら相対的に希少となった要素を所有するのが「テクノクラート」と呼ばれる集団であり、それらが新たにエリート層を形成することになった。

しかし、インターネットやＡＩ技術がすすんだことで情報や知識も容易に得られるようになった。となると、情報・知識・技術をテクノクラートが独占できなくなり、これらも希少な要素ではないということになる。では、現在においてはいったい何が希少な要素なのだろうか。

確実に言えるのは、経済の発展とともに手つかずの自然が少なくなり、生活の周辺環境が人工化し、味気のないものになると同時に、大気や水質汚染、気候の温暖化が進行しているということだ。今後、よほど的確な対策を講じないとさらに悪化することになる。つまり、現在においては自然環境がもっとも希少な要素となる。

では、この自然環境を所有するのは誰なのだろうか。これればかりは特定の人間や集団が所有できないため、エリート集団が存在しない社会が誕生する可能性がある。夢物語で終わるのか、現実となるのか、みなさんの考え方や行動によってその答えが出るだろう。

## 3 質のよい生活

独立した九州国は「楽しい国」でありたい。何が楽しいかについては十人十色で、人によってそれぞれ異なっている。多様であることを前提として何が楽しいのかについて考えれば、「人は質のよい生活を求める」と断言しても反論する人はいないだろう。

では、質の高い生活とはどのようなものであるのか、となるわけだが、熊本市に住んでいる思想史家の渡辺京二氏が有益なヒントを提示してくれている。〈西日本新聞〉（二〇一五年二月二二日付）の「提論」というコラムに「明日へ」という見出しで掲載されたものである。少し長いが引用しておこう。

（前略）では、生活の質のよさとは何だろう。それには三つの要件があって、まず自分が暮らしている街なり村なりの景観が美しく親和的であることだ。一生そこで暮らすのだから、歩いているまわりが汚くてはかなわない。また殺風景であってはたまらない。景観の魅力だけではない。よい店やよい施設もなければならぬ。そういう愛するべきわが街、わが村の中で生きるのが、生活の質のよさなのだ。

第二に、情愛をかよわすことのできる仲間がいなければならない。これには、何かにつけて助け合うということも含まれるだろうが、昔の共同体的相互扶助の再現をめざすわけではない。人間はひとり自立せねばならぬ人類史的段階に来ている。しかし、ひとりでありつつも、互いに情愛の働く場がなければ、人の生は不毛なのだ。よい質の生活とは、人々の情愛ある出会いを可能にする、開かれたフリーな場が備わっている生活のことだ。

第三に、人は生きている間、できる限りよい物を作らなければならない。例えば私は文章で飯を食っているから、できるだけ粗悪な文章を書かぬようにせねばならぬ。物を作るといってもいろいろある。サービスだって広い意味の物作りだ。自分がたべものの店を出すとしたら、店の場所・構え・雰囲気、もちろんメニューも、まさに創造そのものだ。タクシーのドライバーだってそうだ。運転の仕方、客への接しかた等、まさに自分の創造なのである。みんな一能一芸を極めることができるのだ。

このような質のよいさまざまな創造を、思い思いに実現しようとし、またその実現がスムーズに行くのが、質のよい生活だ。ところが実際には、粗悪で見かけばかりが気をひくような「物づくり」が横行していて、本当によい物を作ろうとすれば敗者になりかねない、質のよい生活とは、本当によい物を作る行為がむくわれる生活のことだ。（後略）

渡辺氏が提示した「質のよい生活の三要件」は、生活の質に関する基本的な指針を示すものであり、社会の持続可能性においても貴重な含意がある。

第一に、持続可能な社会とは、現世代が享受している生活の質を少なくとも次世代が享受できるということであろう。そうなるには、自然環境、経済と人口、社会や政治、それに文化など多方面に関連するさまざまな要因を整える必要がある。そこで、渡辺氏が提示した質のよい生活の第一の要件は「自然環境」に関連したものとなっている。美しく親和的な住空間を実現するためには自然環境が保全されていなければならないと言っているわけだが、これは「良好な環境を保つ」という持続可能な社会を実現する条件に合致する。

第二の要件である「情愛をかわすことの仲間がいる」ことは、よい人間関係を構築できる場があり、社会に潤いがあり、要らざる紛争が少ない社会であり、相互扶助の精神が生きている社会となる。渡辺氏は、人間一人ひとりが自立せねばならないと言っているが、孤立してはやはり生きていくことができない。それは、災害に見舞われたときのことを考えれば分かるだろう。

　災害から身を守るためには、「自助」、「共助」、「公助」が必要であると言われている。自助とは、言うまでもなく自らが災害に備えておくことだ。公助とは、自治体や国などの行政による救助の必要性である。そして共助は、その中間にあって、自助ではどうにもならないとき、公助が本格的に動きだす前に仲間うちで助けあうという行為である。また、公助が本格的に動きだしたとしても、自助と公助の間においてはやはり「共助」が必要となる。

　この共助だが、それを担う仲間や組織があったからといって、すぐさまできるものではない。普段から絆づくりができていなければ生まれないものだ。となると、情愛のある出会いを可能にする場は災害に強い社会を築くために必要となり、ひいては社会の持続可能性を高めることにもなる。

　第三の「できる限りよい物を作らなければならない」については、よいモノをつくる人が報われる社会であるべきだ、ということを訴えている。質のよい生活を実現すると同時に、真の意味での労働生産性を高めることにもなる。もっとも、創造的な活動を「労働」と呼ぶのはふさわしくないので「仕事生産性」と言ったほうがよいかもしれないが、ここでは、あえて「真の意味での労働生産性」という言葉を使用したい。

　通常、労働生産性は労働者一人当たりの付加価値によって測られている。近似的には「労働者一人当たりのGDP」と言ってもいいだろう。GDPは生産活動の成果を測る一つの尺度であり、市場価格で評価した最終生産物の総額である。そのため、人々の生活の質を必ずしも反映するものではない。前述した「幸福のパラドックス」でも分かるように、GDPと生活の満足度（幸福度）は必ずしも相関しないのだ。

「プロローグ」で述べたことの復習となるが、重要なことなので、改めてGDPと満足度について説明しておこう。

GDPは市場価格で評価されるため、生活を豊かにするうえにおいて価値があったとしても、市場価格が付けられないものはGDPには含まれない。そしてGDPは、ある期間、通常一年間に生産されたものであるフロー面のみを対象にしているため、人々の生活の質に深く関係する過去の生産物などの蓄積であるストックは反映されない。大量生産・大量消費・大量廃棄というサイクルがGDPを押し上げるわけだが、それにストックは反映されないのだ。

たとえば、一〇〇年耐用する住宅と二〇年ぐらいで壊される住宅を比べれば分かる。一〇〇年住宅は文字どおり一〇〇年で償却されることになるので、二〇年で償却される住宅に比べれば建設費を五倍かけることができる。利子を無視すれば、毎月の償還額は同じである。言うまでもなく、耐久性、断熱性や省エネルギー、居住アメニティにも配慮できるため、「生活の質」に大きな差が出てくることになる。

身近な例を挙げると、一〇〇円ショップで買った食器と手づくりの食器を比べれば分かるだろう。後者は、大事にさえ使えば一生ものとなって、日々の生活に潤いを与えてくれるのだ。もっとも、それを感じるだけの文化的な教養が必要にはなるが。

「真の意味での労働生産性」とは、GDPのように市場価格で評価するものではなく、生活の質そのものを基準にして測られるものであり、この基準での生産性向上は生活の質を高めるストック面の充実において役立つ。たとえば、生産性が高まって自動車の台数が二倍になる状態と、五年で廃棄していた自動車を一〇年にわたって使用する状態を比べれば分かるように、利用できる自動車台数は同じなのだ。

より良いものをつくるという創造性を発揮する社会風潮が生まれれば、モノづくりにおけるイノベーションに終わらず、社会のほかの面においてもイノベーションを引き起こすことになる。経営管理のイノベーションは経済を活性化させるし、社会制度のイノベーションは行政コストを削減し、国民の税負担を削減することになるだろう。このような変化は、社会の経済体質を強化するに留まらず、社会の持続可能性を高めることにもなる。少しでもよいものを求めるという社会であれば「進化」を促進し、時々の環境に適応していくこともできる。

以上のことを結論づけると、ここに挙げた三つの要件で示される「質のよい生活」を実現すれば、社会の持続可能性は高められるということになる。

## コラム5　民主主義の意義と限界

### 民主主義的政治の古典的解釈とその限界

イギリス、アメリカ、フランスなどは、歴史的に民主主義的な政治制度を樹立する経過を辿ってきた。また、民主主義的な信条がキリスト教プロテスタントの信条で補完されていることもあって、その理念と政治形態が圧倒的な支持を得ている。少なくとも、民主主義的な政治形態は人類社会が獲得したなかでもっとも優れたものであるという合意に関しては、世界的にも共通認識となっているだろう。非民主主義的な政治形態をもつ国の指導者であっても、（内心はどうであれ）公然と民主主義を否定することはないし、そうすることは「得策でない」と考えているはずだ。

しかし、民主主義的な政治形態は一種類ではない。現実の政治形態にはさまざまな類型があり、どれが本当にそうなのか、という線引きは難しい。さらに、民主主義的ルールに則った政治的な決定が行われたとしても、イギリスのEU離脱に関する国民投票（二〇一六年）のように、長期的、短期的を問わず、その国にとって適切な決定になるのかどうかはまったくもって疑わしい。

功利主義に基づく古典的な解釈では、民主主義的な政治決定プロセスの特色は人民自らが問題の決定をすることであり、そのために、人民の意思を尊重する代表者を選出することとなっている。あまりにも当たり前のことを言っていると思われるだろうが、日々のニュースなどを見ても分かるように、現実の民主主義的な政治決定制度は、このような解釈がぴったりと当てはまるようには機能していない。

第一に、選出された代表者だが、人民の意思に沿った決定をするとはかぎらない。また、人民の意思といっても一枚岩ではない。人々は、利益が一致するとはかぎらない利益集団に所属しているのだ。したがって、選出された代表者は、国民全体の利益ではなく、その人が所属する集団の利益に沿った決定をすることになる。決定に至るまでの政治的判断は、優勢を誇る集団利益に沿ったものであるか、諸集団における利益主張の妥協に基づいた産物でしかない。

第二に、国全体の利益に沿うような合理的な判断を人々がするとはかぎらない。各個人がそのような判断をするためには、情報が充分で、かつ結論に至るまでの推論能力が備わっている必要がある。仮に、この二つがクリアされたとしても、政治的な決定事項について関心があるのかという問題が出てくる。なぜなら、関心がなければそれに対して時間と労力を割くということをしないからだ。

現実に、政治決定に対する人々の関心の低さは、定期的に行われているさまざまな選挙の投票率に現れている。

## 現実の民主主義的政治決定制度とその利点

古典的な解釈では、選挙民が政治的問題の決定権を握るのが民主主義的な政治決定制度の第一義的目的であり、代表者を選ぶのは第二義的となっている。つまり、直接民主主義が理想であり、間接民主主義は便宜的な手段ということだ。

しかし、現実の制度はこの解釈の求めるところを実現していない。『資本主義・社会主義・民主主義（全三巻）』（東畑精一訳、東洋経済新報社、一九六二年）を著した経済学者シュンペーター（Joseph Alois Schumpeter, 1883～1950）によれば、現実に合うように民主主義的な政治決定制度を解釈するには二つの要素を逆転させ、決定を行う代表者を選出することを第一義的とし、選挙民による問題の決定を第二義的としている。したがって、政治決定制度としての民主主義的は、人民の投票によって競争的に政治的権力を得て、政治的決定に到達する制度的な装置であるとしている。

また、シュンペーターは、市場経済と民主主義的な政治決定の双対性を指摘している。前者は個々人の購買という貨幣の投票によって経済力を、後者は一人一票の投票から政治的権力を獲得するということだ。

現実的に解釈される民主主義的な政治装置がもつ最大の利点は、政権の平和的交替にある。歴史的に見て、武力を背景にした政権は、交替時に必ずと言ってよいほど血なまぐさい抗争が伴っていた。この種の抗争は、言うまでもなく、社会の持続可能性や文化の継続性と成熟に大きな負の影響を与えてきた。

もちろん、政権の平和的交替が実現するためには、国民の意思を反映する公正な選挙が実施されなければならない。公正な選挙には、平等な選挙権、被選挙人への自由参加、情報の公開、言論の自由が保障されることが前提となるが、民主主義的に選出された政権であったとしても、社会の持続可能性に沿った政治的決定をするとはかぎらないというのが現実である。

現在、政権を獲得する競争は政党間の争いになっている。政権の座に就いた政党は、支持母体の利益に反するような政治的な決定は絶対に行わない。長期的な判断では社会の持続可能性に必要とされることでも、短期的な判断に左右されて（とくに選挙戦に不利だとすると）、そのような決定を避けている。

合理的に判断して、明らかに社会の持続可能性を侵すような政治的な決定が行われようとするとき、あるいは引き延ばそうとするとき、それを阻止するための法的・政治的制度が必要なわけだが、現実的にはこのような制度の確立は難しい。民主主義とは一つの理念であり、平等な人々が共に生きるための終わりのない過程であるかもしれない（宇野重規『民主主義とはなにか』講談社、二〇二〇年、二五二ページ参照）。

# 4 自然との共生と多様なユートピア

人間社会の変遷を生命進化の一環として捉えたとき、人間も自然の一部であり、われわれの共感を、すべての生き物と自然全体の美しさまで広げる必要がある。これについて、「自然との共生」という言葉がよく引き合いに出されるわけだが、筆者には少し違和感がある。「共感」なら理解できるのだが……。繰り返すが、人間も自然の一部なのだ。

建築家の黒川紀章（一九三四〜二〇〇七）は、建築のテーマとして「自然との共生」を掲げていた。そして、「共生」について深く洞察している（『新・共生の思想』黒川紀章著作集Ⅳ（評論・思想Ⅳ）、勉誠出版、二〇〇六年参照）。

黒川によると、共生とは異質なものの平和な共存であり、そのためには相手の異質性を（たとえ理解し難く、不合理なものに見えても）認め、「聖域」として敬意を払う必要があるとしている。そして、この共生の概念は、妥協・混合・折衷とは本質的に異なるものであるとしている。

もちろん、弁証法的な展開とも違う。そうすると、人間も自然の一部であり、人間は自然がなければ生きていけないが、自然のほうは人間がいなくても支障がない。さらに、ほかの生物からすれば人間はやっかいなものでしかないため、「人間と自然との共生」というのは実におこがましいことになる。
ところで、人間はほかの生物と違って、自然に対して手を加えるという方法で都合のよいように改造（開発）してきた。とはいえ、人間の自然に対する向き合い方については、以下に挙げるような違いがある。

❶「自然征服型」と呼べるもので、積極的に自然に働きかけ、都合のよいように改造していくべきものであるという考え方。この考え方の根源は、『旧約聖書』の「創世記」にあると言われている。

❷「自然順応型」と呼べるもので、あるがままの自然を受け入れ、いたずらに手を加えるべきではないという考え方。

この二つの考え方は、おそらく人々が暮らす自然条件の相違によって生まれたものと思われる。砂漠に近い乾燥地帯では、木々を植えて緑を増やすことが自然の征服を意味する。一方、熱帯雨林やモンスーン地帯の豊かな森林があるところでは、木々の伐採が自然の征服となる。アメリカのカリフォルニア州ではゴルフ場の建設が自然保護につながるが、日本では自然破壊になるということだ。

また、黒川によれば、異質なもの同士が「聖域」を主張するだけでは共生にならず、平和裏に共存するためには中間領域が大きな役割をもつとされている。つまり、双方が「聖域」を守りながらも、共通のルール、共通の理解を可能にする領域がなければならないとしているのだ。この了解的な領域は仮説的であり、流動的なものである。したがって、共生は対立しながらもダイナミックで、緊張感があるものとしている。

そうすると、両極端にある二つの中間領域にさまざまな考え方を見ることができる。この中間的な領域を、「①自然の改造は可能であるか否か」、「②積極的に改造するべきかどうか」という二つの軸で整理すると次のようになるだろう。そして、これらの異なる考え方が互いに排除しないで共存することこそが「自然との共生」であると考えられる。

❶自然の改造は不可能であり、かつするべきではない。「自然順応型」の考えであるが、地球温暖化などの長期的な自然変化、短期的には人間の都合に合わせた改造をしても、結局は自然からしっぺ返しされることを考慮に入れるべきである。

❷自然改造はある程度可能であるが、するべきではない。

❸自然改造はある程度は可能であり、必要に応じてある程度はするべきである。

❹自然改造はある程度は可能であり、できる範囲まで改造するべきである。

❺自然改造は限度なく可能であり、積極的に改造するべきである。

この五つの考え方に対応して、使用する技術によってもその性格が異なってくる。人間はモノをつくるなど何らかの行動を起こすとき、自らの身体、情報や知識、道具・機械を使用することになる。そして、機械の使用が多くなると、自然にかかわる情報や知識よりも機械の操作などに関するものが重要視される。機械を使用すればそれを動かす動力源が大量に必要となるため、化石エネルギーに頼ることになる。また、機械による生産では素材を画一化する必要があるため、自然のものよりも人工物が多くなる。五つの考え方と技術に関する性格の関係を整理すると、次ページに掲載した**表1－1**のようになる。

表内の左端の項目「技術モデル」については、『自然を生きる技術』（篠原徹、吉川弘文館、二〇〇五年）を参照して説明したい。

まず「アフリカモデル」は、自然や社会状態を現状のままにして、あり合わせのもので器用にやり抜くといったものである。言ってみれば「人間の道具化」である。一方、日本モデルは、機能が未分化の単純な道具を、人間の巧みさで多様に、そして有効に使いこなそうとするものであり、より良い結果を得るために人間の労を惜しみなく注ぐことになるため「道具の人間化」と言える。そして、最後の「フランスモデル」は、個人的な巧さに依存せずに、誰がやってもよい結果が得られるように道具や装置を工夫するということである。できるだけ人間以外の道具を使って、しかも大きな結果を得ようとする「二重の人間非存在」を指向するものだと言える。

「プロローグ」で紹介したマーク・ボイル（二九ページ参照）の「無銭経済」は、自然と人間の

## 表1－1　自然への対応と技術の性格

<table>
<tr><td rowspan="2">技術の性格</td><td colspan="5">自然への対応</td></tr>
<tr><td>①</td><td>②</td><td>③</td><td>④</td><td>⑤</td></tr>
<tr><td>身体・知識・道具・機械</td><td colspan="3">身体＋自然知＞道具・機械</td><td colspan="2">身体＋自然知＜道具・機械</td></tr>
<tr><td>生産要素</td><td colspan="3">土地＋労働＞資本</td><td colspan="2">土地＋労働＜資本</td></tr>
<tr><td>品種改良</td><td>？</td><td>原種と改良種の混在</td><td colspan="2">原種と改良種の分離</td><td>遺伝子操作</td></tr>
<tr><td>素材</td><td colspan="3">自然素材</td><td colspan="2">人工素材</td></tr>
<tr><td>エネルギー</td><td colspan="3">自然エネルギー</td><td colspan="2">化石エネルギー、原子力</td></tr>
<tr><td>技術モデル</td><td colspan="2">アフリカモデル</td><td>日本モデル</td><td colspan="2">フランスモデル</td></tr>
</table>

出所：駄田井・浦川［2011］110ページ。一部改変。

海を望む、平戸市根獅子町の棚田。変化に富んでいる自然、ここに山海の恵みをもたらす

**表1－2　無銭経済のレベルと自然への対応**

| 無銭経済のレベル | 自然への対応 | | |
|---|---|---|---|
| | ①・②・③ | ④ | ⑤ |
| レベル1 | A | | |
| レベル2 | B | | |
| レベル3・4 | C | | |
| レベル5 | | Y | |
| レベル6 | | | Z |

深いかかわりに基づいたものである。したがって、彼が想定した無銭経済のレベルは、人間の自然への対応と関連する。たとえば、貨幣を使用しないことは日々の生活を市場に依存しないということであり、生活に必要なものはできるだけ自分でつくることになる。また、それをつくりだす道具や機械、そしてエネルギーも、できるだけ市場から調達しないようにするほか、つくりだす道具も簡単なものとなる。

一方、高度な機械を大規模に使うと、それに必要とされるものを市場に依存するようになる。その関連を表にすると**表1－2**のようになる。グローバル経済は可能なかぎり地球を人間の都合にあわせて人工化しようとするので、自然への対応①のように、自然を改善すべきではないとする立場とは矛盾する。このように、自然への対応のあり方と無銭経済のレベルとは矛盾する場合が生じる。両者が矛盾なく両立できると考えられる組み合わせを選び、A～C、Y、Zの文字を挿入している。ちなみに、A～Cは自然改造を自制するが、YとZは積極的である。

ここで考えなければならないのは、「独立九州国」の国づくりにおいてはどの組み合わせを基本とするかである。とはいえ、人々の感性と考え方は多様であるため、どれを「よい」とするのかについては一概に決められない。ましてや人間は、年齢とともに感じ方や考え方が変わる動物である。たとえば、若いときはY～Zがよいと思っていても、年齢を重ねるとA～Cになるといった可能性がある。したがって、どれかの組み合わせを選んで一つに統一するのではなく、それらが共存する形が望ましいと言える。

考えやパラダイムが対立して異なっている場合、各自がそれぞれの考えに従って行動したとしても、全体として問題がなければ無理に統一する必要はないだろう。その結果、「うまくいくもの」と「そうでないもの」が生ずれば、それを修正していけばよいのだ。つまり、自由裁量の余地を残すべきだ、ということである。

生物の進化もイデオロギーとは無縁で試行錯誤の結果であり、それは自由な競争的市場や楽市楽座の原理でもある。いたずらなイデオロギー論争は、趣味の世界では意味があるかもしれないが、現実には不毛なものでしかない。

A～C、Y～Zのゾーンが「共存」あるいは「共生」するためには、地域ごとに異なった組み合わせをそれぞれが選び、それを地域づくりのパラダイムとして運営し、人々が自由にその地域を選べるようにするべきである。言ってみれば、多様な複数のユートピアがある国となる。した

図1－1　地域間の連携イメージ

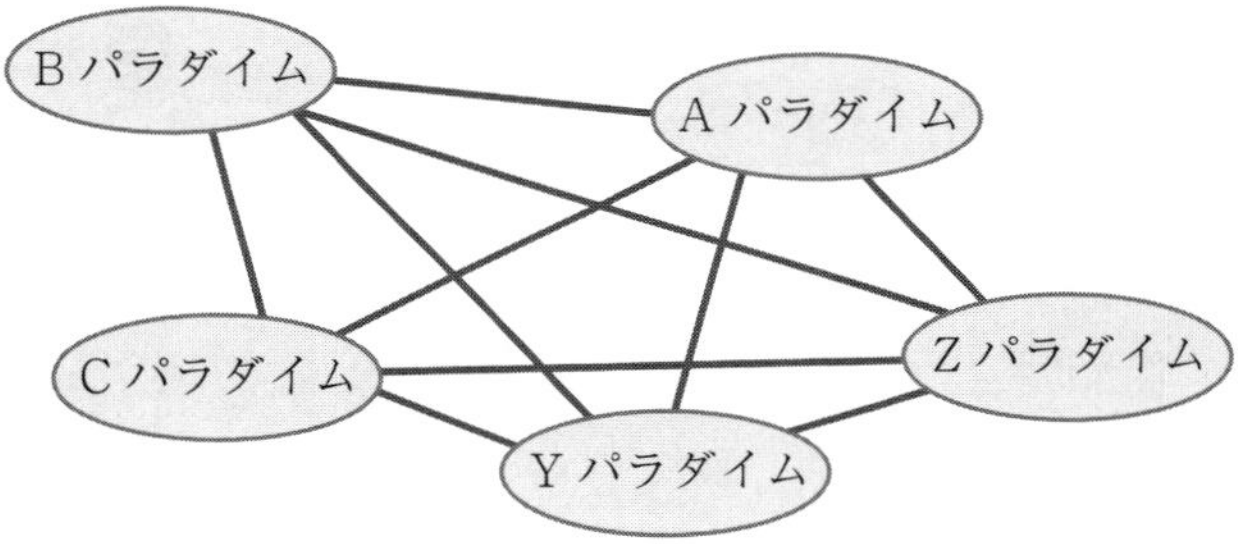


がって、「独立九州国」においては、少なくとも異なったパラダイムに基づく五つの自治地域があり、それぞれが理想とする地域づくりを行う。各地域のパラダイムに反対しないかぎり、誰もが望む地域に住むことができる国となる。そして、これらの地域は互いに連携しており、必要な情報や技術を共有していることが基本となる。

たとえば、仕事場はZパラダイムの地域であるが、ネットによる在宅勤務でCパラダイムの地域に住むことも可能である。また、仕事はYパラダイム地域で行うが、休日はAパラダイム地域に住むことも可能である。

市町村合併の場合は自主決定権がなくなるが、連携の場合であればそれが残る。連携とは、自律しながら自立を模索することである。さらに、ある自律地域のなかにほかの自律地域の「飛び地」が可能になると、連携はよりダイナミックなものになるだろう。そうすると、想像以上の効果が期待できる。この「飛び地」については、第2部において改めて説明する。

# 第２章

# 脱産業社会

本章から八つの「脱○○論」について説明していくが、まずは「脱産業社会」からはじめよう。独立論パラダイムとして、質のよい生活を実現し、地域社会が持続するために守られなければならない三つの原則を先に示したが、それらはあくまでも原則であり、抽象的なものである。具体的に社会や国の制度をどのようにするのか、また個人の生き方として具体的にどうすればよいのかなどについて明らかにしなければならない。そのためにも、われわれは現在どのような社会に生きているのか、世界はどのような状況なのかについて把握しておく必要がある。

われわれが現在住んでいる世界はどのような特性をもっているのかについて的確に捉えておかないと、実現性の乏しいものを提示してしまうことになる。『新約聖書』に「人はパンのみにて生きるにあらず」（マタイによる福音書）とあるが、人はパンなしでは生きられないのだ。また、管仲《かんちゅう》（？～六四五）の言葉に「衣食足りて礼節を知る」とあるように、社会の経済面がわれわれの生活に及ぼす影響は大きい。現在、われわれがかかわっている経済社会がどのようなものであるのかについて見ていこう。

## 1 産業構造の変化

ある国における経済社会の特徴をつかむには、どの分野の産業がどの程度重要な位置を占めているのかが糸口となる。いわゆる産業構造がどうなっているのかを知らなければならない。

ご存じのとおり産業は、「第一次産業」、「第二次産業」、「第三次産業」の三つに分類されている。第一次産業は農林水産業で、自然に働きかけて収穫を得るものである。第二次産業では、第一次産業の生産物や鉱物資源などの原材料を加工して生産物をつくりあげる。そして第三次産業は、第一次・第二次産業以外のものである。

第三次産業は、目に見えて形のあるもの（有形財）を生産する第一次・第二次産業とは違って、「生産する」と言うよりは「提供する」と言ったほうがいいかもしれない。また、目に見えず形のないもののため「サービス（無形財・用役）」と呼ばれている。

有史以来長らく、人類は市場で売買することを目的とせず、もっぱら自給自足が基本となる経済社会のもと、農林水産業を中心にした生活を送ってきた。ところが、約二五〇年前に勃興した産業革命がその様相を一変させてしまった。

蒸気機関を発明して、人類は熱エネルギーから動力エネルギーへの転換技術を手に入れた。これが端緒となり、石炭、そしてのちには石油などの化石エネルギーによって無尽蔵とも言えるエネルギーを使用するようになった。これが機械の使用を促し、汽車や汽船などといった大量輸送手段の開発につながり、第二次産業が発展した。工業化社会の到来であるが、これによって人類社会は本格的に産業社会へと進み、経済、政治、文化のあらゆる方面で大きく変貌することになった。

産業化以前の伝統的な社会では、人々がつくりだしたものは、つくった本人たちが使用するか、特定の人を対象にしたものであった。つまり、つくったものを使用する人の顔が見えていたということだ。たとえば、近隣の人だけとか、君主や貴族の人だけを対象にしてつくられていた。

京都の老舗には、「屏風と商売は広げすぎると倒れる」という家訓があるようで、家業を永続するためにわざと産業化しないという戦略がとられている。産業化とは、顔の知らない不特定多数を対象としたもので、欲しい人には誰にでも販売することを目的としている。したがって、大量に生産し、効率を上げるためにスケールメリットが追求される。言ってみれば、工業が経済の主役になったことで経済社会が産業化したわけだが、それが産業革命である。

ちなみに、本書の冒頭に挙げた『第三の波』の著者であるアルビン・トフラーは、工業化の原則として、①規格化の原則、②専門化の原則、③同時化の原則、④集中化の原則、⑤極大化の原則、⑥中央化の原則を挙げている（七七ページの**コラム6**を参照）。産業化する社会では、工業にかぎらず農林水産業やサービス業も産業化する。さらに、ＩＴ技術の発展がこれを加速する。

工業が発展し、経済が産業化するにつれて、エネルギー・輸送・通信・流通関連サービスの拡大、金融・証券市場の発展、家事代替サービス需要の発生、観光・レジャー・文化活動の活発化、高等教育の進展、インフラストラクチャー（社会資本）の整備に伴う公共部門の拡大などを通じて第三次産業が発展した。第三次産業の成長が著しいことは、次ページに掲載した**表２－１**で確認することができる。

**表２－１**を見れば分かるように、経済先進諸国では第三次産業での就業者数が全産業の八〇パーセントに達しようとしている。おそらく、都市部では九〇パーセントを超えているだろう。繰り返すが、第三次産業の最大の特質は、目には見えない「無形財、用役・サービス」を提供していることである。したがって、都市で働く九〇パーセント以上の人が、形のない、目に見えないものの生産に携わっていることになる。この結果、加工業である工業を主体とした工業化社会とポスト工業化社会は自ずと性格が違ってくる。

「メルボルン持続可能な社会研究所」の名誉所長であるＢ・フランケル（Boris Frankel）は、その著書『The Post-Industrial Utopians（脱工業化ユートピア人）』（一九八七年）で、ポスト工

**表2－1　主要先進諸国の産業構造変遷**

就業者の割合（%）の変化

| | 1950年 | | | 2013年 | | |
|---|---|---|---|---|---|---|
| 国／産業 | 第1次 | 第2次 | 第3次 | 第1次 | 第2次 | 第3次 |
| 日本 | 48.5 | 21.8 | 29.6 | 3.7 | 16.9 | 79.4 |
| アメリカ | 12.4 | 35.3 | 49.7 | 1.5 | 19.1 | 79.5 |
| イギリス | 5.1 | 47.5 | 47.0 | 1.1 | 10.4 | 88.5 |
| ドイツ | 23.2 | 42.2 | 32.4 | 1.4 | 19.6 | 88.5 |
| フランス | 27.2 | 35.0 | 36.6 | 4.1 | 23.7 | 72.2＊ |

出典：日本銀行『国際比較統計』。＊は2004年。

業社会の特色として以下のの八つを挙げている。

❶サービス産業・ソフト産業の増大
❷コンピュータに主導されたオートメーション
❸自然および再生産エネルギーの利用
❹分散的・小規模な企業
❺共同的・非官僚的機関・多様な社会的経済的機構
❻文化的習練
❼プロシューマー[1]、生産と消費の一致、自給自足的側面の重視、職住の一致
❽経済優位性の崩壊

ここで挙げられているポスト工業社会の特色とトフラーの工業化の原則（**コラム6**を参照）を比べると、比較事項の次元に多少のずれが見られるが、工業社会とポスト工業社会の相違が明瞭であり、脱産業社会への芽生えが確認できる。

## コラム6　工業社会の特色

「ポスト近代」という言葉が市民権を獲得しつつあるが、われわれはまだ片足を近代に突っ込んだままである。近代の特質は、政治的には国民国家の成立であり、経済では工業化である。両者はお互いに密接に関連しており、補完関係にあった。したがって、近代社会の特徴は工業化社会の特色にオーバーラップしてくる。

一八世紀、イギリスが発端となった産業革命で人類は工業化社会に向かうことになったが、産業革命の革命たる所以は、生産活動において機械が主力になり、大量生産が効率的になったことである。それは、蒸気機関のように熱エネルギーを動力エネルギーに変換する装置が発明されたためである。

それまで人類は、動力源として人間・馬などの動物、水・風などの自然エネルギーを利用してきた。そんな状態から、石炭などの化石燃料を使用することで強力な動力源を得た。これによって大型の機械を動かし、汽船や鉄道などで大量輸送することで輸送コストを低下させたう

---

（1）（prosumer）アルビン・トフラーが著書『第三の波』のなかで示した概念で、「producer（生産者）」+「consumer（消費者）」を組み合わせた造語。

え、大量生産をより効率化する方向へと導いていった。

本文に記したように、トフラーはこの社会の傾向を、①規格化の原則、②専門化の原則、③同時化の原則、④集中化の原則、⑤極大化の原則、⑥中央集権の原則として表現した。それぞれについて説明していくが、あなた自身の生活様式を振り返りながら読んでいただきたい。

**①規格化の原則**――製品は、バラバラよりも統一されているほうが生産効率は高い。したがって、人々の日常生活もパッケージ化され、好み、趣味なども規格化へと誘導されることになる。ラジオ、テレビ、あるいは新聞、雑誌、書籍などといったマスコミは、人々を規格化するための役割を担っている。学校制度もまた子どもたちを規格化しており、社会が敷いたレールに乗せるという役割を担っている。

**②専門化の法則**――大量生産のメリットを生かすには製品をできるだけ分解して部品レベルにし、その部品も交換可能であるほうがよい。たとえば、使用するネジなどは、製品ごとに規格が異なるよりも統一しておけば大量生産が可能となる。そうすると、ネジの生産に特化する事業が成り立ち、専門化することで質も向上する。要するに、分業化のメリットである。

部品が交換可能なことは、戦時下における武器の補修に効果がある。たとえば、壊れた銃の部品を集めれば完全な銃の再生産が可能となる。これは、アメリカにおける独立戦争のとき、勝利を左右した要因の一つであるとも言われている。部品を交換可能にすることは、コストの低減だけでなく軍事目的でもあったのだ。

分業の細分化によって、その生産に携わる労働者の技能は専門化され、特殊化されることになるが、このような傾向は社会全体および職業の専門化を進展させることになる。

**③同時化の原則**——開発者の名前から「フォード方式」と呼ばれているが、大量生産をする場合、ベルトコンベヤーなどを使った流れ作業が採用されている。作業が細かく分解され、組み立てられる半製品がベルトコンベヤーの上を流れてくる。この作業は、同時的に進行しなければ能率が落ちる。たとえば、作業員が手を休めると流れ作業が止まることになるので、全員が一斉に行わなければならない。

この生産工程における同時化の傾向は、時間どおりに物事をすすめるという社会的な風潮を高めることになった。専門化された社会では、一つのプロジェクトを成し遂げるためには、多分野の専門家が集結して会議を行わなければならない。演劇や音楽のイベントなども「同時化現象」の一つと言えるし、始業ベルではじまって終業ベルで終わるという学校教育も子どもたちを同時化させる訓練と言ってよいだろう。

**④集中化の原則**——大量生産の効率を上げるためには、生産設備が分散しているよりも、可能なかぎり一か所に集中させたほうがよい。すなわち、集積化のメリットである。もちろん、労

働者も働く場所が近くにあるほうがよいし、事実、働く場所の近くに住むようになる。かくして、生産拠点のある都市に人口が集中し、人口が集中したところに生産拠点が置かれる。

⑤**極大化の原則**――大量生産は規模が大きくなればなるほどメリットが多くなるので、可能なかぎり規模の拡大を目指すことになる。イベントなども、できるだけ多くの人を集めるほうが収益増につながるので会場施設も大きくなる。都市人口が多くなるほど集積のメリットは発揮されるため、さらに大きなものを造ることになる。覚えているだろうか、一九六八年に流行した「大きいことはいいことだ」というフレーズを。

⑥**中央化の原則**――分業化や専門化がすすむと各分野の分断化もすすみ、政治・経済・文化などの分野にかかわる重要な情報が中央政府と首都圏に集中してしまう。その結果、個人や組織が社会の部分的な役割を担う存在となるだけでなく、地域も国全体の部分的な機能を果たす存在となる。国全体にかかわる総合的な事項だけでなく、個別的な事項であっても必要以上に規格化され、多機能な分野にまたがるすべてが中央政府の決定事項となる。そうなると、各地域の政治・経済・文化や環境分野に関する総合的な決定能力と権限が奪われることになる。

このように、個人の意志があまり尊重されない社会にわれわれは生きているということを忘れてはならない。

## 2　第三次産業の細分類

従来の分類では第一次産業と第二次産業以外のものが第三次産業に分類されていて、雑多な業種の集まりとなっている。第三次産業の占める割合が小さいときは、雑多な業種の集合体としてそのままにしておいても差し支えはないが、就業者が八割近くともなると経済構造の中身がぼやけてくるので、ポスト工業社会の産業特質と経済構造の変化における方向性が充分に把握できなくなる。第三次産業に含まれる業種の特性に応じて、細分類するべき時期となっている。

その分類について、アメリカの社会学者ダニエル・ベル（Daniel Bell, 1919～2011）が言及している論文(2)の考え方が合理的であるように思う。それによると、第三次産業は以下の三つに分類されている。

**新第三次産業**――家事サービスおよびこれに準じるもの。レストラン、ホテル、理髪、美容、洗

---

（2）Foot & Hatt[1953] "Social Mobility and Economic Advancement," *American Economic Ruview*. 人物紹介は不明・著者。

濯、工芸品の修理・補修などが挙げられる。

**第四次産業**――分業を可能にして効果的にするもの。輸送、商業、通信、行政などである。

**第五次産業**――人間の能力の洗練と強化に関するもの。これと「新第三次産業」との相違は、慣習的な方法で提供するものとそうでないもの、常にイノベーティブなものとそうでないものとなる。そして、医療、福祉、教育、研究開発、レジャー・レクレーション、芸術活動、文化産業と、これらに関連するものなどが含まれる。

このように分類されているわけだが、どのような分類においてもグレーゾーンはある。とくに、新第三次産業と第五次産業の分類におけるグレーゾーンが大きい。

たとえば、ホテルの場合、ビジネスホテルは新第三次産業に分類することができるが、高級リゾートホテルは宿泊だけを目的にしていない。これらはレジャーを楽しむことが主たる目的となっているので、第五次産業に分類できるだろう。さらに、その中間に位置するホテルも少なくないだろう。また、レストランの場合も、学生食堂などは新第三次産業に分類されるが、高級レストランは第五次産業と見なしていいだろう。言うまでもなく、その中間的な存在となる店が数多くある。

ところで、新第三次産業と第五次産業は直接住民サービスにかかわっている。接客がマニュアルどおりの画一的であるか、顧客の事情に応じて臨機応変に対応するのか、要するにホスピタリティの違いが住民サービスの質にかかわってくる。したがって、ホスピタリティが求められる第五次産業の発展は、経済振興に寄与するのは当然として、住民サービスの質が向上するという「一石二鳥」の効果が見込まれる。

現実がどのようになっているのかを見るために、日本経済における従来の分類を再編成して第三次産業の細分類を試みたのが次ページに掲載した**表２−２**である。

この表は総務省統計局の「産業分類範疇」に基づいて仕分けしたものであるため不正確さが残る。たとえば、第三次産業に含まれている観光に関するものは、第五次産業に含まれてもよいものがある。製造業のなかでも、芸術性の高い製品を生産するものもあるし、建設業でも文化財の修復に携わる業者もあるだろう。これらは、第五次産業に含まれるべきものである。

また、農業においてもグリーンツーリズムを実践している農家は第五次産業だと言える。一方、情報通信業を第五次産業に分類しているが、映画・音楽などのコンテンツ産業を除いた通信媒体のみを提供している業者は第四次産業に分類するべきであろう。

このように不正確さがあるわけだが、それでも**表２−２**は一応の傾向を示すと考えられる。この表によれば、新しい概念での第三次産業の就業者の割合は、二〇一六年度で一二・三パーセント、同じく第四次産業は五三・五パーセント、第五次産業のそれは三四・六パーセントとなって

**表２－２　従来の概念での第３次産業の細分類**

就業者数（万人）

| 産業 | 2002年 | | 2016年 | |
|---|---|---|---|---|
| | 実数 | % | 実数 | % |
| 第３次産業 | 479 | 13.3 | 513 | 12.3 |
| 宿泊業・飲食・サービス業 | 301 | 8.4 | 333 | 8.0 |
| 生活関連サービス業・娯楽 | 178 | 4.9 | 179 | 4.3 |
| 第４次産業 | 2,123 | 59.0 | 2,238 | 53.5 |
| 運輸業・郵便業 | 308 | 8.6 | 327 | 7.8 |
| 卸売業・小売業 | 944 | 26.3 | 976 | 23.3 |
| 金融業・保険業 | 161 | 4.5 | 160 | 3.8 |
| 不動産業・物品賃貸業 | 87 | 2.4 | 111 | 2.7 |
| 複合サービス業 | 75 | 2.1 | 61 | 1.5 |
| サービス業（他に分類されないもの） | 330 | 9.2 | 373 | 8.9 |
| 公務（他に分類されるものを除く） | 217 | 6.0 | 231 | 5.5 |
| 第５次産業 | 994 | 27.6 | 1,431 | 34,2 |
| 情報通信業 | 154 | 4.3 | 200 | 4.8 |
| 学術研究・専門技術サービス業 | 153 | 4.3 | 171 | 4.1 |
| 教育・学習支援業 | 247 | 6.9 | 282 | 6.7 |
| 医療・福祉 | 440 | 12.2 | 778 | 18.6 |
| 総数 | 3,596 | 100.0 | 4,182 | 100.0 |

出典：総務省統計局ホームページ。

いる。このなかで、第五次産業は増加傾向にある。

第五次産業はホスピタリティを基調とする産業であり、それが充実すれば「幸福のパラドックス」も解消されて生活の質が向上していくと同時に、地域経済の振興にも寄与する。それでは、どうすれば第五次産業を充実させることができるのだろうか。ここで登場してくるのが、先にも述べた「文化経済学」である。

## 3 文化の意義

「プロローグ」で紹介したように、文化経済学の基本式は「**生活の豊かさ＝経済力×文化力**」である。富を幸福に変換する能力としての文化力については前述したので、ここでは文化資源を経済発展に転嫁するものとしての文化力について述べていこう。

有形・無形を問わず文化資源が経済活動に結び付けられると、資本として認識されることになる。したがって、文化資本は、資本として捉えられた文化資源と言える。また、文化資本の経済効果は、「内部経済」と「外部経済」に分けて考えることができる。

内部経済の面では、第五次産業を発展させることになる。とくに、文化的価値を経済的価値に転換する文化産業および文化関連産業は、文化資本の蓄積なくして成長はあり得ない。この種の産業は、人々の創造的な活動を支援・啓発し、文化力を高めて生活の質を向上させることにつながる。

一方、外部経済の面では、文化資本は都市や地域の集客力を高めて経済効果をもたらすことになる。すでに述べたように、現在の経済構造では、無形の財やサービスを提供する第三次産業が圧倒的な割合を占めている。有形の財を生産している第一次産業や第二次産業の場合は、顧客が生産の場を直接訪れて購入するということは稀である。生産の場から流通過程を経て、顧客の手元に送り届けられている。したがって、第一次産業や第二次産業の場合は、農場や工場が立地する所に顧客を呼び込む必要はない。

それに反して、サービスを提供するためには顧客と直接対面するケースが圧倒的に多くなる。したがって、第三次産業を基幹とする都市や地域の場合、人を引き付ける魅力がなければ経済は振興しない。

都市や地域が人を引き付けるためには、そこが安全・安心感を保障しており、交通の便や環境などといったアメニティが高くなければならないほか、各地域がもっている文化力が重要となってくる。面白くない所に人は来ない。そこを訪れると想わず幸福感に浸れるような所、すなわち文化的ホスピタリティがなければ人は来ないということだ。

このように、文化資本は文化力を高めて人々の幸福感に寄与すると同時に、都市や地域の経済を振興するという「一石二鳥」の役割を果たしている。日常において、文化と経済の関係を意識している人は少ないだろう。しかし、この点を理解しておくと、本書の第２部をより楽しく読むことができる。

## コラム7　文化産業と文化関連産業

文化産業とは、文化的価値を経済的価値に変換する事業を行うものである。文化は、広い意味では人間が生きていくうえにおいて必要な情報のうち、後天的に獲得した非遺伝的情報であるとされている。一般的には、芸術・学術・道徳・宗教などの文化活動を指している。文化と文明を区別する場合、文明には普遍性と累積性があり、それゆえ物的可視的側面において快適・便利さを追求するものとなる。

文化産業と文化関連産業は、その分野や役割に応じてさまざまな呼び方をされている。また、文化活動を支援する文化関連産業は、「前方関連」と「後方関連」に分けることができる。

前方関連とは文化活動を支援するものであり、教育産業や文化活動に必要不可欠な用具・機器・施設（文化ストック）を提供する文化手段産業などが含まれる。一方、後方関連産業には、文化活動によって創造された美などの文化価値（ソフトウエア）を付帯する商品（ハードウエア）の生産と流通にかかわるものが含まれる。また、複製化産業、知的財産権によって保護されている財・サービスの生産（創造）と流通を担っている産業などは、「コンテンツ産業」、「文化周辺産業」、「文化流通産業」などと呼ばれている。

そして、狭義の文化活動にこだわらず、スポーツ、観光、レジャーなどを対象にした場合は「新文化産業」などと呼ばれている。新しく定義された第五次産業は、言うまでもなく、文化産業や文化関連産業に含まれることになる。

ところで、文化的価値は、美学的、精神的、社会的、歴史的、象徴的、オリジナリティーなどにおいて次元の異なる要素をもっているため、一次元的な価値尺度で評価することはできない。もちろん、経済的価値で評価することも困難である。さらに、「祭り」などといった伝統的な行事などは、派生する経済的価値がどこに帰属しているのか明確にすることができない。このような問題に対処する手段として、「文化事業複合体」という考え方が出された。

文化事業複合体とは、文化的価値が高く、集客力があるが、経済的価値に結びつかない文化資源と、文化的価値があまり高くなくても経済的な価値を生みやすい資源とを組み合わせることで採算をとろうとするものである。言葉を換えれば、何種類かの文化産業・文化関連産業・新文化産業などを一か所に集めて相乗効果を引き出し、地域の文化・経済を活性化しようとするものである。サービス・ソフト産業が主力となる都市であれば、都市全体が一種の文化事業複合体であるという考え方が必要になってくる。

秋田県の「ＪＲ角館駅」近くにある「あきた芸術村」(3)は、劇団「わらび座」を核として、レストラン・ホテル・温泉、それに観光農園などが集まった文化事業複合体である。また宝塚市は、ご存じの「宝塚大劇場」を核とした文化事業複合体都市と言うことができるだろう。

これからの都市は、都市全体が文化事業複合体にならなければならない。いや、隣接する地域全体も含めて、そのようになる必要がある。みなさんが住んでいる所の文化的価値にはどのようなものがあるのだろうか。ご存じでなければ、ぜひ調べていただきたい。

全国からファンが押し寄せる宝塚大劇場

（3）　〒014-1192　秋田県仙北市田沢湖卒田字早稲田４３０　TEL：0187-44-3939　FAX：0187-44-3318（予約センター）

## 4 経済の脱産業化と経済優先の崩壊

フランケルが掲げたポスト工業社会の❷～❼の特色は（七六ページ参照）、現実の社会においてその兆候が出はじめている。たとえば、ＡＩやロボット技術の発達はめざましいものがあり、人間の仕事が奪われるのではないかという危機感が現実のものになっている。

地球環境に関する問題意識が高まるにつれて、自然エネルギーや再生産エネルギーの利用がすすんでいる。エレクトロニクスの進展によって、コンピュータに代表されるように小型で優秀な機械がつくりだされ、プラント規模を大きくするというメリットは減少してしまった。

また、電力などのエネルギーについても、分散的に生産することで送電する必要がなくなり、地域ごとの自給自足が可能な時代になっている。しかし、それを阻んでいるものがある。それが法律だ。ライフラインに関する現在の法律は、スケールメリットを前提としているために大量生産大量配分を基本としており、小規模分散型のメリットを活かすことができないのだ。

インターネットなど通信技術の発達によって情報発信コストが引き下げられたことで、商品の広告宣伝についても、新聞、ラジオ、テレビなどといった大マスコミに頼らなくてもよい時代になった。事実、各媒体の広告掲載料がかなり下がっているほか、新聞や雑誌といった媒体においては「広告が入らない」という声が聞かれるようになっている。このような傾向は、中小規模の生産者に大きなメリットをもたらすことになった。また、「プリントパック」などのネット印刷に見られるように、生産者間の連携がすすんだことで印刷価格も大幅に下がっている。

新型コロナが後押しをした形になったが、同じくインターネットの普及によって在宅勤務が推奨されるようになっている。職住が一致することになり、自給自足の暮らしぶりなどを紹介するテレビ番組の人気が高まっているようだが、このような傾向は今後も一層注目されるだろう。まさに、「プロローグ」で紹介したような暮らしが現実になろうとしているのだ。

## 贅沢の創造──一商品一生産

小型で性能のよい機械がつくられるようになると、生産設備を大きくして生産コストを下げるというスケールメリットがなくなってくる。もちろん、スケールメリットが働く領域がなくなることはないが、スケールメリットの活かし方が変わってくる、と言うことはできるだろう。

たとえば、スケールメリットを活かすには画一的な製品を大量に生産するほうがよいため、製品を一つ一つ仕上げていくよりも、パーツに分けてそれぞれを部品として大量に生産し、それらを組み立てて完成品にするという方法がとられる。したがって、企業間の分業形態は、中小企業に部品の生産を任して、大企業が完成品に仕上げるという垂直的な構造になった。

しかし、現在の消費者は、画一的な既製品から顧客の要望に応じた「特別仕立て」のものを望むようになっている。しかも、ＩＴ技術を駆使すれば、「生産費＋流通コスト」で見た最終価格が、既製品のものと変わらないか、それよりも安くなるといったケースも現れている。

洋服のオーダーについて考えてみよう。ＩＴ技術を駆使した洋服のオーダー専門店では、顧客の身体サイズをメジャーで測らず、身体全体をスキャンして映像化している。デザインはと言えば、顧客と相談しながら、コンピュータ画面に映しだされる身体に「コンピュータ・グラフィック」という手法を使って行っている。デザインされた洋服を着た本人が画面上に現れ、それを着て街中を歩く様子まで映しだせるのだ。そして、決まったデザインが電子化されて縫製工場に送られる。「仮縫い」という過程を省けば、一週間もしないうちに完成した洋服が顧客のもとに届くことになる（月尾［一九九三］参照）。

オートメーションで裁断・縫製されたとしても、画一的な既製品を大量に生産する場合に比べると流通コストが下がるため、生産コストが多少高くなっても最終価格では十分競争が可能となる。また、オーダー専門店であれば広い店舗を必要としないし、売れ残りという心配もない。在庫と言えば、多少の生地見本ぐらいである。さらに、オンラインでやり取りをすれば来店する必要さえなくなってくる。

このようなことは洋服にかぎったものではなく、靴とか鞄《かばん》といった身の周り品から家具などのインテリア用品にまで及んでいる。顧客と製造・販売業の信頼関係が、これまでとは違った形で築かれようとしているのだ。

ところで、オーダー商品の場合、顧客の要望やアイディアを取り入れて製品を完成していくために生産者と顧客の共同作業となり、顧客が「プロシューマー」（七七ページの注参照）になっていると言える。つまり、「プロデューサー（生産者）」と「コンシューマー（消費者）」が一体となり、つくる側と提供する側にもかかわる「消費者」になったということである。

素材や部品に関しては、スケールメリットを活かした大量生産の余地が残るが、完成品に仕上げるところはスモールビジネスとプロシューマーの家計が受け持つことになる。したがって、比較的大きな企業が原材料や中間生産物の生産者となり、完成品のところは「スモールビジネス」と「家計」といった領域になる。たとえば、自動車の場合、修理工場が顧客と相談しながらパーツを組み立て、顧客仕様のものを組み立てることになるので、従来のような中小企業が大企業の下請けというパターンにはならない。

「プロシューマー」という造語が存在感をもつようになると、「一商品一生産」のすべての商品がオーダーになるという、究極とも言える到達点が想像できる。このような方向は「生産者と消費者のコラボレーション社会」となり、両者が隔絶されていた立場を前提とする産業社会からの脱皮ともなる。

ちなみに、「オーダー」と言うと贅沢のように感じられるが、実は資源の節約になる。いわば、サステイナブルな贅沢である。

さらに、生産のプロセスに消費者が深くかかわってくると、経営者と労働者の関係も「労使」というギクシャクしたものでなく、スポーツクラブの監督やコーチと選手のような関係になっていくだろう。スポーツにおいては、選手の能力を活かすことによって勝利へ導くように配慮されている。それと同じく、企業でも従業員の個性や事情が尊重されるようになり、働き方が大きく改革され、「労働者」という言葉が死語になるかもしれない。

生産者と消費者を隔絶していた産業社会が、マルクス（Karl Marx, 1818～1883）の描いた「労使が対立する構造」を生んだ。しかし、実体としては生産者と消費者は同じ人間であるため隔絶できないのだ。これまで産業社会は、昼間は会社人間として忠実かつ合理的に行動し、夜は「遊び人」のように浪費して、非合理的に生きることを求めてきた。これが、産業社会がもたらした人間疎外の実体だと言える。

生産と消費の分離、これが労使の対立を生む原因であった。しかし、脱産業社会では、個人それぞれが本当に気に入ったモノを、コマーシャルに惑わされることなく手に入れ、大切に扱い、スポーツをするように楽しく働くといった質の高い生活が可能になる。それだけに、今後の生活を見越した、個人それぞれの見識が問われることになる。

## 「Society 5.0」の光と影

工業の発展が主導することで築かれてきた産業社会は、トフラーが『第三の波』（ⅱページ参照）に位置づけたエレクトロニクス技術によって変質しようとしている。そして、われわれの日常生活を、快適さと便利さにおいて一段高いレベルに押し上げようとしている。日本政府は、来たるべきこのような社会を「Society 5.0」と命名して、経済発展戦略の目玉としている。

「Society 5.0」のコンセプトは、「サイバー空間（仮想空間）とフィジカル（現実空間）を高度に融合させたシステムによって経済発展と社会的課題を両立する、人間中心主義社会」（内閣府『第５期科学技術基本計画』）であり、「Society 1.0」は狩猟社会、「Society 2.0」は農業社会、「Society 3.0」は工業社会、「Society 4.0」は情報社会と位置づけている。そして「Society 5.0」の広報動画を見ると、手塚治虫（一九二八〜一九八九）の作品『鉄腕アトム』に描かれているような未来社会となっている。

何事にも光と影があるものだ。一見すれば理想社会となる「Society 5.0」にも、光と影が見られる。自動運転、ＡＩ・ロボットの活用は、人手不足を解消するだけでなく肉体労働の軽減に役立つ。事実、通信・コミュニケーション技術の向上で、在宅勤務、遠隔勤務やオンライン商談、オンライン授業が現実となった。新型コロナの感染対策に有効であったこともあり、今後、これらが急速に広がると予測できる。

また、通勤・通学ラッシュも緩和され、大都市への人口集中を抑えることで過疎化対策にもつながるだろう。オンラインでの遠隔医療は、病院に出掛ける頻度を下げ、医療環境の整備が充分でない地域に恩恵をもたらすだろう。そして、ＩｏＴで家庭電化製品などがロボット化され、日常生活は一層快適で便利なものになるだろう。しかし……。

## Society 5.0でも「幸福のパラドックス」は生じる

「Society 5.0」は、ひたすら日常生活の便利さや快適さを求める社会である。しかし、それらのレベルが向上しても、それだけでは人間は幸福になれないのだ。当初は新しい器械や設備によって満足感が増したとしても、そのレベルに慣れてしまうと最初に得た感動は薄れてしまい、ありがたみがなくなってくるものだ。そして、レベルが低下すると不満が生じることになる。

この方向での満足感を得るためには、より高いレベルを求め続けることになる。トレッドミル効果（一七ページ参照）が生じて、より便利で快適なレベルを求めるために資金が必要となり、結果的に仕事が忙しくなるという状態が想像できる。そして、趣味や創造的な活動に費やす時間が削られることになる。要するに、所得が増えてもそれに見合った生活の満足感は得られず、「Society 5.0」でも「幸福のパラドックス」は避けられないということだ。

また、情報が豊富に早く得られても、人同士のコミュニケーションが充実するとはかぎらない。

コミュニケーションにとって大事なことは、情報の伝達よりも情緒の共感である。『消費社会再生の条件――日本の消費はなぜ混乱したのか』（ダイヤモンド社、一九九三年）という本を著した熊沢孝（大東文化大学教授）が次のように述べている。

---

コミュニケーションの重要性は、意思伝達というよりも、分かり合えるという情緒の面にある。ディベート（議論、論争）は攻撃的なパーソナリティであれば精神的な満足をもたらすかもしれないが、一般にディベートが嫌われるのは、情緒面のコミュニケーションの方が心に安らぎを与えるからである。かりに、ディベートにならざるを得ない要素があっても、基本的なところでわかりあえているという情緒レベルのコミュニケーションをつくることがなければ、神経病的な世界が出来あがってしまう。（前掲書、一七二ページを要約）

西欧合理主義というよりも、日本人が考える合理主義はこの点を忘れている。まず、情緒のコミュニケーションで仲良くなってから議論するなど、ディベートのやり方には大いなる工夫が必要である。人と人が直接対面する機会がなければ、情緒レベルのコミュニケーションはできないと筆者は考えている。

## 観光振興について

経済成長戦略のなかでは観光振興が重要な位置を占めているわけだが、「Society 5.0」の世界で観光業そのものは成り立つのだろうか。確かに、移動や宿泊の面では便利で快適になるかもしれない。しかし、「Society 5.0」では生活スタイルの画一化がすすむため、その地ならではの文化や生活に触れるという観光の醍醐味が得られないように思える。たぶん、「Society 5.0」の世界にどっぷり浸かる人々が行きたい所は、それとは対極にある世界となるだろう。

徹底した地域資産を活用した、地産地消で地域独自の風土に基づく多様な文化・生活様式・コミュニティを形成することで人々の幸福感は向上し、同時に観光振興に寄与するはずだ。観光とは、本質的には地場産業なのだ。再び、熊沢孝氏の言葉を紹介しよう。

楽しい都市「ハウステンボス」。毎日祭りがある、エンターテインメント性の高い脱工業社会の観光

虚構の経済に導かれずに、信ずる社会・文化の基本的枠組と自然的なものを大切に維持するというタイプのビジネスは、しばしば、地場産業的な企業に発見できる。地場産業とは、特定の産地を形成するような企業をいうのが一般的な用語法である。しかし、ここでの地場産業的な企業というのは、〝地〟という自然を見る能力をもつとともに、社会・文化的な〝場〟の意味を問いかける能力をもつ企業である。広い意味でのこうした〝地〟〝場〟企業こそ、質と持続性をテーマとする。（前掲書、二九八ページを要約）

地域の自然を見る能力、地域の文化的土壌を継承し、現実の社会に位置づけようとする試みは、ひたすら快適さと便利さだけを追求する姿勢からは生まれない。そのためには、多少の「不便」や「不快」を楽しむといった心の余裕がなければならないのだ。

**失業の増大、経済格差の拡大――解決策としてベーシックインカム（個人給付）の導入**

ＡＩ・ロボットの導入でますます機械に依存する生産が行われると、生産における労働の省力化がすすむ。この省力化が人手不足の解消範囲であれば問題はないが、それ以上すすむとＡＩの導入がホワイトカラーの失業に結び付き、大量の失業者が発生することになる。

一方、生産の成果は資本保有者に都合よく配分されるようになるため、経済格差がさらに拡大する。これへの対策として、一人一律、年間一〇〇万円程度を給付すればどうなるであろうか。新型コロナ対策として支給された一人一〇万円でも、社会的には大きな効果があったと思われる。

このようなベーシックインカム（二五ページの注参照）の導入に対して、自由経済主義者であれば、自己責任と受益者負担が基本であるとして賛成しない人がいるだろう。しかし、大量失業が発生したことで無収入の人が増えれば、購買力が低下して生産物が売れなくなり、結果として資本側の分け前も減る。つまり、経済は「負のスパイラル」に突入するということだ。

『エコロジスト宣言』（高橋武智訳、緑風出版、一九八三年）を著したことで有名なフランスの思想家アンドレ・ゴルツ（André Gorz, 1923〜2007）は、『エコロジー共同体への道』（辻由美訳、技術と人間社、一九八五年）という本において、ラルフ・ドーレンドルク（「労働の社会の終焉」*Die Zeit*, No.48, 1982）の言葉を挙げている。

> 失業とは現代社会における労働のはるかに基本的な削減が目に見える形をとったものにすぎない。この傾向は不可逆的だ。それに代わるものとして何が残されているだろうか？　その廃絶は私たちをどこにつれていくだろうか？　（前掲書、巻頭言）

---

失業は、産業社会において必然的かつ恒常的に発生するもので、その結果生じる弊害は、失業

者個人としてではなく社会全体の問題として取り組まなければならない。ウッドワード[4]によれば、「雇用を要求することは、働く意思の表明ではない。国民所得の分け前にあずかりたいという要求なのだ」（『資本主義はゼロ成長でも生き残る』大原進訳、日本経済新聞社、一九七七年、一三三ページ）であり、この要求は権利となる。

共同体の一員であるかぎり、そしてその義務を果たしているかぎり、権利なのだ。その義務の履行は、「働かざるもの食うべからず」というような狭い範疇で捉えずに、組織の一員であるという意識さえあれば果たせる。働かないアリに意義があるように、われわれの社会でも目に見える成果を出していないのに多くのことが労働と見なされており、分け前にあずかっている。

たとえば、アダム・スミス（四三ページ前掲）が「不生産的労働」という範疇に入れたもので、直接的に資本の再生産に寄与していない公務員、教員、医師、テクノクラートなども、全体としては社会の役に立っていると見なされている。家族や採集狩猟民の共同体のように、存在自体が共同体の義務履行になっているため、その一員であれば「分け前」をもらう権利をもつと考えてもいいのではないだろうか。

---

（４）（Herbert Norton Woodward, 1911～2002）コーネル大学卒。シカゴ大学法律大学院を出て法律事務所に勤めたのち、実業界に入る。インターナショナル・サイエンス・インダストリー社の会長であった。

ベーシックインカムを導入する際に問題となるのは財源である。一人一律一〇〇万円とすると、財源として一二〇兆円が必要になる。この財源は、税収の増加と財政支出の削減において可能である。詳しいことは第2部で記述するが、基本的な考え方は次のようになる。

**税収の増加**――給付金を所得税の対象とし、基礎控除や扶養者控除などを廃止すればかなりの税収になる。また、ＡＩ・ロボットに土地や建物と同じように固定資産税を適用すれば税の増収を図ることができる。さらに、ドイツなどのように消費税を上げるという余地もあろう。

また、ガソリン税などを上げる余地もあるだろう。これについて少し補足すると、増税というよりも個人や企業ごとにガソリン使用の上限を決めて、それ以上を消費したいのであれば、使わない人から「使用権」を買うというシステムも考えられる。化石燃料をたくさん使う人は、一方に使わない人が存在するおかげなわけだから、このシステムを導入すれば所得の再配分にもつながる。

**財政支出の削減**――一人年一〇〇万円の所得が保障されれば、児童手当・障碍者や生活保護などの補償は廃止できるし、基礎年金や失業補償も削減できる。そして、雇用を促進するような景気刺激策も不必要となる。茶番となった「ＧｏＴｏキャンペーン」などの経済振興策も不要だし、産業振興補助金も廃止する（産業振興にかかわる政府資金はすべて融資にする）。

これに付随して政府の事務処理が簡略化するため、事務的経費の削減も可能となるほか、二〇二一年に発覚した経済産業省の職員による不正なども防げる。また、貧しさゆえの犯罪も減少することになるので、防犯や裁判、そして刑務所などにかかる経費削減が可能となる。

これらに加えて、基本的な生活が保障されることになるので、人々は積極的に自分が欲する生き方を求めるようになるだろう。そうなると社会が活発化し、必然的に幸福度が上昇する。それでもなおベーシックインカムの導入に難色を示すというなら、給付を受ける資格として、国防・災害・福祉などのボランティア活動への参加や医学・健康管理の講習を義務づけるといったやり方がある。医学・健康管理の講習には、健康を維持することで医療費支出を削減するという効果が見込めるし、効果のはっきりしないサプリメントに頼るといった生活スタイルもなくなる。

何よりも、ボランティアに参加したり、講習を受けることによって国民の教養が間違いなく高まる。すべてを専門家に頼るといった生活から脱却し、自立した国民の形成が可能となる。

# 第３章　脱中央集権

## 1　明治維新と中央集権化

明治維新は、どのような立場に立って考えるのか、どのような視点で見るのかによって評価が変わってくる。つまり、経済、社会、文化、教育、内政や地域など、主題の置き方によって評価が変わるということだ。たとえば、会津藩の立場から言えば、薩長連合の明治政府は押し込み強盗に等しいものとなる。

江戸文化を高く評価している人たちは、明治は「美しい日本」から「醜い西洋化」になる過程である、と言うだろう。一方、日本が本格的にグローバルな世界に巻き込まれ、それへの対応という視点からは、西欧列強の植民地にならなかった点で「合格点」が出ると思われる。

明治政府は西欧列強との経済力と武力の格差を痛感していたので、急速な近代化（西欧化）を促進した。そのため、すべての権力を政府に集中する必要があった。中央集権化は明治以後も一貫して推しすすめられ、経済面では戦時体制と連動して統制経済になっていった。そして約八〇年後、第二次世界大戦での敗戦後、アメリカによる占領政策でこの傾向に歯止めがかけられたが、その残骸は現在においてもしつこく残っている。

中央集権の弊害がもっともよく現れているのが「教育」である。明治政府は、国家の近代化に向けて必要な人材を育成するために、政府側の都合に合わせて学校制度を整備していった。この結果、全国津々浦々まで「画一的教育」が実施され、有能な人材は中央に、あるいは中央と結び付いた関連組織に組み入れられることになった。この事実が流布されたことで、親は子どもをこのレールに乗せて、少しでも高い地位に上らせようと躍起になった。そう、「受験勉強」のはじまりである。

戦後になって教育の内容はかなり変わったが、学校制度そのものはあまり変わっておらず、レールは敷かれたままである。このレールに乗って高い階段を上らないと恵まれた人生は送れないという幻想に支配されて、親だけでなく教師までもが子どもたちに受験勉強をさせている。このような状況が日本人の幸福感を低下させ、同時に過密過疎化を生む原因となった。

## 2 地方自治なくして民主主義なし

国民（選挙民）が政治的決定を行うというのが民主主義の基本的理念である。しかし、あらゆる事項を国民自らが直接決定するというのは非現実的であり、必ずしも望ましい形態でないため、国民の意思を反映した代表者を選んで政治的決定が行われている。とはいえ、国民全体の意向に沿うような政治的決定がされるとはかぎらない。また、一般的に国民は、自らが直接関係しないことには無関心で、熱心に情報も収集しないし、真剣に考えない。そのことは、前述したように、選挙のたびに問題となる投票率の低さに現れている（六〇ページの**コラム5**も参照）。

政党政治体制となっている日本では、政権を獲得した政党は支持母体の意向を重視し、少数の反対意見を抑え込んでいる。何よりも問題となるのは、中央政府が大きな権限をもって全国を画一的に支配すると、地方の意向が無視されるということだ。

さて、中央政府だが、多様性に富む地方のミクロな特殊情報を充分に把握することなく、ある地域の成功事例を代表的なモデルとして地方に対する政策を決定している。言うまでもなく、ある地域で成功したからといって、別の対象地域にその事例を適応しても成功するとはかぎらない。地域ごとに社会的、経済的、文化的事情が異なるし、成功した場合でも、表面には現れない、その地域ならではの特殊な事情がある。たとえば、核となる企業があるとか、キーパーソンがいるとか、ほかの地域では真似のできないような要因があるものだ。

地方のことは地方で決める、という地方自治を徹底しないと、国民が納得できる社会にはならない。さらに、民主主義的な手続きのもとに中央集権的な政府が成立してしまうと、法的に瑕疵《かし》がないので、中央が下す政治的決定に表だって反対もできない。民主主義を標榜する政府は、「平等」という建前から、特定の地方を「特別扱い」することをためらうものだ。

この点に関しては、対馬藩の国書偽造事件（**コラム8**参照）のように、専制政治のほうが融通の利き方にバラエティーがあるように思える。

## コラム8　対馬藩の国書偽造事件（国書改竄事件）

「柳川一件」とも呼ばれている事件である。簡単に述べれば、日朝関係において代々重要な役割を果たしてきた対馬藩において、国書の改竄などの不正をめぐって藩主と家臣が対立した事件である。

対馬藩の領土は農業には向いておらず、昔から朝鮮との貿易によって生計を立ててきた。ところが、豊臣秀吉の朝鮮出兵以降、日朝関係が破綻した。一五九八年、秀吉の死去によって日本への撤退となったわけだが、その翌年から対馬藩主宗義成《そうよしなり》による和平交渉が行われている。

これは江戸幕府というよりは、対馬藩の意向が強く影響していたと思われる。自給自足ができない対馬藩では、貿易がなくなるというのは死活問題である。

一六〇一年、対馬藩主の宗義智《そうよしとし》と家老の柳川調信《やながわしげのぶ》は、朝鮮出兵の際に捕らえた朝鮮人捕虜を返し、日本へ使節を送るように何度か求めたところ、朝鮮から「捕虜をすべて返すなら和議に応じる」という返答があった。そして、一六〇四年、朝鮮から対馬藩に使節が送られてくる。義智はこの使節とともに伏見へ赴き、家康と秀忠に面会した。これにより対馬藩は、朝鮮との交渉を幕府に一任したわけである。

対馬藩の働きにより、一六〇六年に朝鮮から和議に応じるとの知らせが届いたが、朝鮮から出された和議の条件が対馬藩を困らせることになった。その条件とは、日本側から朝鮮に国書を出すこと、朝鮮出兵の際に先王の陵墓を荒らした犯人を見つけて差しだすこと、の二つであった。いずれも簡単なことではない。当時の習わしでは、国書を先に出した国は「降伏宣言」をしたことになるからだ。それに、陵墓を荒らした犯人を見つけるというのは不可能である。

困った挙句、対馬藩は国書の偽造を行うことにした。幕府には知らせず、密かに改竄した国書を提出したのだ。その後、朝鮮から送られてきた返書についても、矛盾がないように偽造を行っている。偽造の事実に朝鮮も気付いていたと考えられるが、再び日本を敵に回すことは得策でないと考え、黙認して交渉にあたったとされる。その甲斐あって、一六〇九年に朝鮮と対馬藩の間に「己酉約条《きゆうやくじょう》」が結ばれた。これは地方独自の貿易協定であり、悲願となっていた貿易がついに再開されることになった。

（参考文献として、松本康史著［二〇一八］『宗義成と柳川一件――暴かれた国書偽造（マンガ対馬の歴史偉人物語）』長崎県対馬市編集、梓書院。鈴木輝一郎［一九九六］『国書偽造』新潮文庫がある。）

---

地域に関することはできるだけその地域で決定するという地方自治の原則が守られないと、民主主義の理念は実質的に担保されない。しかし、ほかの地域との関係において、かなり錯綜した事項が現実には多く発生する。決定事項がその地域で完結する場合であれば問題はないが、利害がほかの地域や国全体に及ぶ場合は複雑になる。このような事項は、より上位の広域を管轄する自治体（県、国）などが調停や決定を行うのが通常である。しかし、民主主義の理念からすれば、関連する地域の代表や自治体が連携して自主的に解決するほうが望ましい。

地域が広くなればなるほど管轄する地方政府の政治決定に住民の意向が反映されにくくなるため、行政運営の効率化からは「広域合併」よりも「広域連携」のほうが望ましい。なぜなら、合併の場合は政策決定の権利がすべて合併後の自治体に属することになるが、連携だとその権利は各自治体に残されたままとなるからだ。また、場合によっては連携からの離脱も可能である。一方、合併した場合は再び分離することが難しい。

## コラム９　地域間の利害対立を四つのテーマで見る

**①交通インフラ**――あまり地域間の利害対立は顕著ではない。長崎新幹線での佐賀県、リニア新幹線の静岡県は例外と言えるだろう。

**②治水・利水対策インフラ**――ダム建設の場合は、ダム建設地（上流）と恩恵地（下流）との利害対立がある。建設反対の背景には、国や県などが初めからダム建設を前提にしていることに対する感情的なわだかまりがある。要するに、ダム以外の代替案を真剣に考えていなかったということである。また、大型のインフラ建設に関しては、利権をめぐるゼネコンと政治家の癒着が理由で反対する国民が多くなっている。

皮肉にも、地球温暖化による集中豪雨の多発により、ダムに頼らない治水や利水を真剣に考えなければならない時代となった。現在、熊本県を流れる球磨川流域では、「田んぼダム（控《ひかえ》堤《てい》）」の設置がすすめられている。

田んぼダムとは、田んぼが元々もっている水を貯める機能を利用して、大雨のときなどに雨水を一時的に貯めるというものである。これによって排水路や河川への流出を抑制し、洪水被害を軽減するというシステムになっている。農家が簡単にはじめられる地域防災の一つで、新潟県村上市（旧神林村）が全国に先駆けて二〇〇二年から取り組んでいる。

**③基地問題**――基地をめぐる沖縄県と日本政府の対立は、中央政府の役割に関して考える試金石となる。国防は中央政府の担う役割であるが、そのことに関して地方（地方自治体）が全権委任しているのか、あるいは全権委任してもよいのか、という問題がある。尖閣諸島、竹島、北方領土などの問題も同じである。

**④原子力発電所**――東日本大震災で改めて浮き彫りになった問題である。この場合、受益者が首都圏で被害者は福島県と、利害の分離関係が明確になった。

道路やダムと違って、原子力発電所の場合は立地が限定されない。したがって、受益者の首都圏内に建設することも可能である。しかし、首都圏内建設という提案もなければ、なぜ建設できないのかについて真剣に考えられたとも思えない。そもそも建設すること自体に問題があるわけだが、中央政府が地方を重視していないという証拠であると言える。

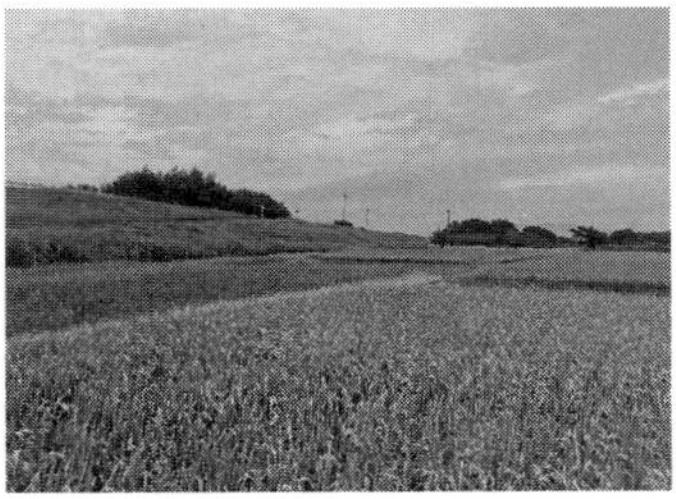

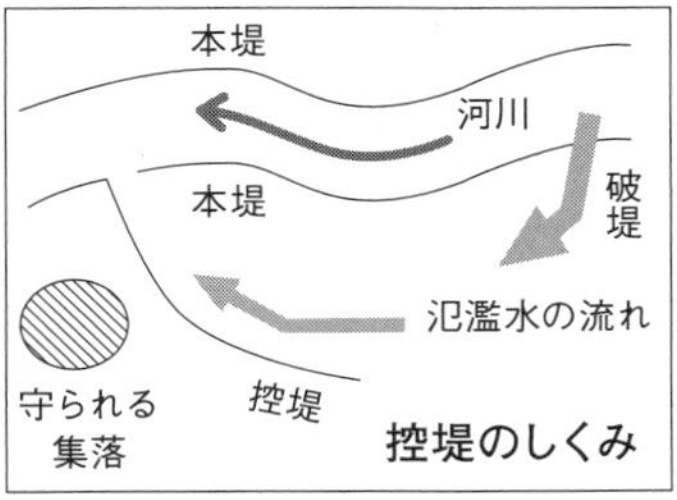


控堤と田んぼダム（久留米市善道寺町）
上流域の洪水を下流に流れるのを食い止める堤防（控堤）。本流の直角方向に造られる。その前の田んぼが、一時的に遊水地（田んぼダム）になる。控堤の下流側にある集落が洪水から守られる。

## 3　脱産業社会と住民自治

民主主義的な政治形態が有効に作用するための要因として、地方自治が絶対的要件であることに加えて、自然環境が生産要素のなかでもっとも希少で重要な要素になるということが挙げられる。そして、脱産業社会を迎えると、その特色から住民自治がますます重要になるという時代的な背景が生じてくる。

### 自然環境の保全と住民主権

経済学の入門書には、生産活動に必要な本源的要素として「土地」、「労働」、「資本」が挙げられている。この三つの要素のうち、再生産できないのが「土地」である（地球の大きさが決まっているため）。

土地には、人間によって住居や農地、工場、道路などに使用されている所と、手づかずのまま残されている所がある。自然のままに残されている所を人間に都合よく開拓（開発）し、経済成長に役立てるべきだという考え方がいまだに根強く残っているわけだが、手づかずのまま残っている自然は、人間が生きていくためのかけがえのない役割を果たしてくれている。

自然環境は、人間の生産活動や日常生活で排出するさまざまな汚染物質を吸収・浄化してくれている。この役割がなければ、われわれの周りがたちまち汚物や廃棄物で覆われてしまい、日常生活において大いなる支障が出る。さらに自然は、人間の心も癒してくれている。一九世紀のイギリスを代表する思想家で経済学者のＪ・Ｓ・ミル（John Stuart Mill, 1806～1873）は次のように述べている。

> 人間にとって、四六時中、人前にいることはよくないことである。孤独になる余地が残されていない世界は、非常にみすぼらしいものである。一人でいるという意味での孤独は、瞑想と人格を深めるためになくてはならないものである。孤独は、自然の美と雄大さを前にしたとき、個人にとってよいばかりではなく、それなくしては社会が病んでしまうという思想や大志の「ゆりかご」でもある。
>
> 自然における野性的な活動を何も残していない場合、仮に世界を買い取ったとしても充分な満足感は得られない。そのような場合、人間の食料を生産するためにすべての土地が耕作されることになる。
>
> 花の咲く野原や自然の放牧場が耕され、人間にとって役に立たない四足獣と鳥は、すべて食料の邪魔になるとして撲滅される。農業改良という名のもとに生垣や無用の木が引き抜か

れてしまい、わずかな土地に雑草として除外されなかった野生灌木や花だけが生き残る。富と人口の増加、しかもそれが単なる量的なものによって手つかずの自然が根こそぎにされ、楽しみを失うならば、後世の人のより良い幸福を保障するためにも、耕さざるを得なくなったはるか前に、定常状態に同意するべきであったと私は思っている。（J.S.Mill, *Principles of Political Economy*, Chapter VI, Book IV, Of the Stationary State, 1848.　筆者訳）

残念ながら、現在われわれは、ミルの意見に同意せざるを得ない状況に置かれている。われわれの精神面だけではなく、温室ガス排出による地球温暖化やプラスチックゴミによる海洋汚染などで明らかなように、自然の浄化能力が限界を超えているからだ。これ以上自然環境に負担をかけるような形で経済を成長発展させると、われわれの生活水準を維持するために計り知れない費用がかかることになるだろう。

身近なところでは、地球温暖化でエアコンの使用が増えて電気代がかさむ。水質の悪化を気にして、浄水器やミネラルウォーターを購入する。そして、大気の汚染に備えて空気清浄機を購入するなどが挙げられる。その結果、耐久年数を過ぎると粗大ゴミが増える。決して安くないこれらのものを購入して、後年さらにお金をかけて廃棄物として処理する必要があるということだ。

このほか、自然そのものに目を向けるとさまざまな費用が見えてくるだろう。一度壊れた自然を元の状態に戻すために、いったいどれくらいの費用がかかるのだろうか。絶滅した種を復活させるのに、どれくらいの研究費がかかるのだろうか。自然はもっとも希少で、重要な生産要素になっていることを今一度踏まえるべきである。

自然環境は、地勢的条件や気候に応じて地域ごとに様相が異なっている。かつて人間は、居住する自然環境に適応するように独特の生活様式や文化を築きあげてきた。そして、そのような生活様式や文化には、その地域の自然環境を保全するという大前提のもと相互依存の関係が見られた。しかし現在、このようなプロセスがなかったかのような様相を示している。

たとえば、輸入木材が増えたことで国産材が使用されなくなり、山林の荒廃につながっている。家屋が土壁でなくなったことで竹が使用されなくなり、放置竹林が増えている。淡水魚が食べられなくなることで河川への関心が薄れ、河川環境が悪化している。食用にならないと判断された動物は、害獣として駆除の対象になる。米の消費量が減少するにつれて水田が少なくなり、洪水時の貯水効果や温度調節機能が低下している。また、水田を餌場にする水鳥が少なくなって山に肥料を運ぶ動物がいなくなり、山が荒廃している。

自給できるだけの米があるのに、わざわざ小麦を輸入してパンを食べなくてもいいと筆者は思うのだが、みなさんはどのように考えるだろうか。

自然環境が多様になれば、言うまでもなく文化や方言も多様化する。文化の多様性を保持することが持続可能な社会の必須条件であり、この多様性の保持には地域の「自律」と「自立」が欠かせない。中央集権やグローバリゼーションの波は、産業主義に主導されて便利さと快適さをもたらす生活様式をあらゆる地域に浸透させるわけだが、その結果、地域固有の文化は衰退し、各地域に残る自然環境に対する関心を薄れさせてしまう。

戦後、ＧＨＱの指導のもとに発せられた「新生活運動」は、伝統的な祭り潰しや伝統文化との断絶を促した。このときにパン食が推進されている。また、教育現場でも、方言の蔑視、標準語使用の強要を行い、地域の文化・習慣への誇りを捨てさせた。今日見られる方言復活という流れが、伝統文化の見直しに結びつくことを期待している。

地域の「オンリーワン」を守ることが地域の誇りであり、ひいては国全体の魅力を高めることになる。したがって、地域の自然環境に関しては、地域住民の意見を第一に尊重するべきであり、その保全・管理に関する権限を与えるべきである。環境に多大な負荷をかけながら便利で快適な生活を都市住民が送れるのも、地方の人がしっかりと自然環境を守ってくれているからである。その人たちに対する感謝と尊敬の念を、絶対に忘れてはならない。

## コラム10　河川法の改正（一九九七年）と河川関連の民間活動の活発化

日本は高度成長期に経済大国として躍りでたが、「四日市喘息《ぜんそく》」や「水俣病」に代表されるように大気や水が汚染され、埋め立てや山を削る高速道路によって美しい自然景観を台無しにした。一九七〇年代、オイルショックも契機となって、社会の持続可能性という観点からこれ以上の環境悪化は長期的な経済成長を不可能にするばかりでなく、人類の存続を危うくすると考えられるようになった。このような風潮を受けて、国土の改造も環境を重視した方向に移行している。

河川の整備にあたっても、これまで治水・利水に偏ったものから環境を配慮するものへと転換が図られ、河川法が改正された。これによって河川行政も、行政の専決的なものから住民から意見を聞いて合意形成を図るものへと転換した。

与えられた条件のもとに、治水・利水を効率化することで河川を整備・管理するのであれば技術的な問題が主となり、河川工学という専門範囲から答えを出すことができる。要するに、住民の意見は参考程度でよいということだ。しかし、河川環境を考えるとなると、技術的な観点だけでは結論が出ない。河川の環境は実に多様であって、その全容を知るためには地域住民に話を聞かなければならない。また、河川環境を良好に保つとなると、行政だけでは手に負えないために住民の協力が必至となる。

河川法の改正後、川から疎遠になっていた地域住民が再び川に関心をもつようになり、河川環境の改善と利活用に関して新しい動きが生まれだした。その動きは流域連携と川の多面的利活用に関係しており、民間の非営利組織（ＮＰＯ法人など）が深くかかわるようになっている。

流域連携で活動する団体が全国の大きな河川流域に出現し、全国水環境交流会(1)のように、それらの団体をネットワーク化する全国組織も出現した。現在、全国で数多くの民間団体がこの連鎖を保とうと活動している。全国団体は、毎年一回ワークショップを開いて相互に情報を交換し、人的交流を行っている。九州においては「九州『川』のワークショップ」としてこのような試みが開催されているが、これは、自然環境がもっとも貴重な資源であるという認識が高まるにつれて住民の自主的活動が活発になり、地域の自治意識に結びついた事例だと言える。

## 技術の小規模化・分散化

中央集権化は、工業の発展につれて、規模の経済性を求めて生産設備が肥大化していくことに対応している。大きな工場が建てられ、そこで大量に生産された製品が全国各地に送りだされる。これを可能にするためには、道路や鉄道などといった交通ネットワークが充実していなければならないが、このインフラ建設は政府の仕事となる。また、輸送網だけでなく通信や水、電気などの供給も必要である。生産過程において規模の経済性が支配するような経済社会では、中央政府の役割は大きくなる一方である。

しかし、コンピュータに代表されるように小型で優秀な機械がつくりだされ、プラントの規模を大きくするというメリットは減少した。電力などのエネルギーも、集中的に発電し、広範囲に送電しなくてもよくなってくる。さらに優秀な蓄電池が開発されれば（リチウムという地下資源を採掘するという問題はあるが）、太陽光や風力発電などを組み合わせることで電気の自家発電、自家消費が技術的には可能な段階にまで来ている。経済面で採算ベースに乗れば、高圧送電線を支える高い鉄塔は過去のものとなる時代もそう遠くはないだろう。

このように小型で効率のよい機械が開発されるにつれて、集中的に大量生産し、全国に発送するという生産・流通システムに代わって、生産設備を地域に分散して生産を行い、当該地域で使用するという「地産地消型システム」が主流となる。地産地消システムをバックアップするインフラは、自ずと全国展開をバックアップするものとは異なる。このインフラは地域の特性を考慮したきめ細かなものが望ましいため、地域の自治体が主導権をもたなければならない。

## 階層的ピラミッド型組織の欠陥

中央集権の政府は、巨大な官僚組織によって運営されている。組織が大きくなると、どうして

---

（1）　〒150-0001　東京都渋谷区神宮前３０１　TEL：03-3408-2400　FAX：03-5772-1608　MAIL：mizukan@mizukan.or.jp

も運営管理の都合上、階層的ピラミッド型のものとなる。この組織は言うまでもなくトップダウンで、ボトムがトップの指令を忠実に実行する形で成果を上げるシステムになっている。しかし、トップが判断を間違うととんでもない方向に向かい、組織崩壊の危機に陥ってしまう。

トップが的確な判断をするためには、兵法書の『孫子《そんし》』にある「敵を知って己を知れば百戦危うからず」のように、外部と内部の情報を把握しておかなければならない。外部の情報はさておき、ピラミッド組織では情報の入り口と出口がかぎられているので、ボトムからの情報がトップに伝わるのにどうしても時間がかかってしまう。また、部下と上司の間に齟齬があれば、情報が途中で途切れるといった危険性もある。さらに、途中で忖度《そんたく》が入り、情報が正確に伝わらないといった可能性も出てくる。

官僚組織は、階層的ピラミッド型に加えて、意思決定のプロセスが長くなるといった特徴をもっている。役割と権限が明確に規定され、指揮系統が縦割りとなっており、小回りが利かず、状況の変化に臨機応変に対応できなくなるのだ。これは民間企業も同じで、大きな組織になればどうしてもピラミッド型の官僚機構のようなものになり、同じような欠陥が現れてくる。そして、経済環境が激動するときに経営危機に見舞われる。

中央政府（国）と都道府県や市町村との関係は、中央集権の体制では**図3-1**のようにイメージされる。しかし現状では、この上下関係の上に、**図3-2**のように縦割り構造が入っている。

図3－1　階層型ピラミッド

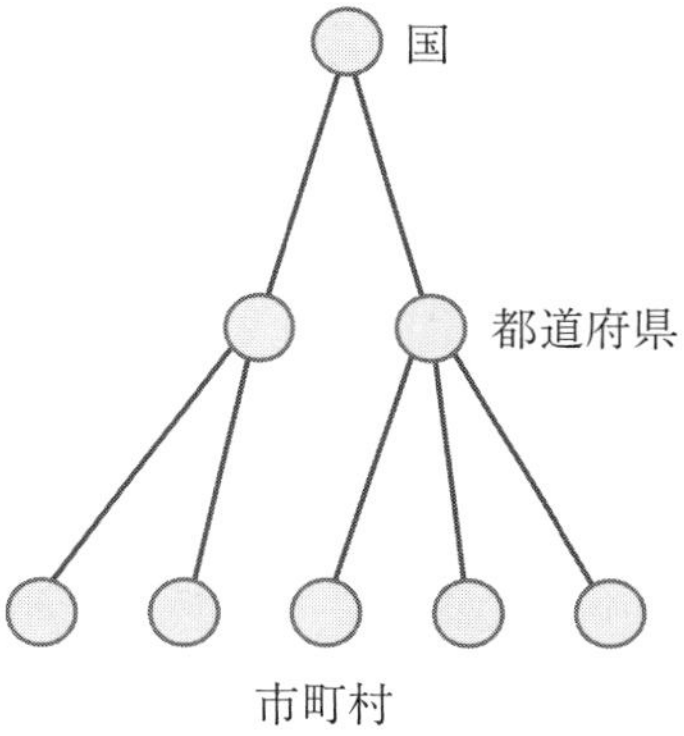


図3－2　縦割型ピラミッド

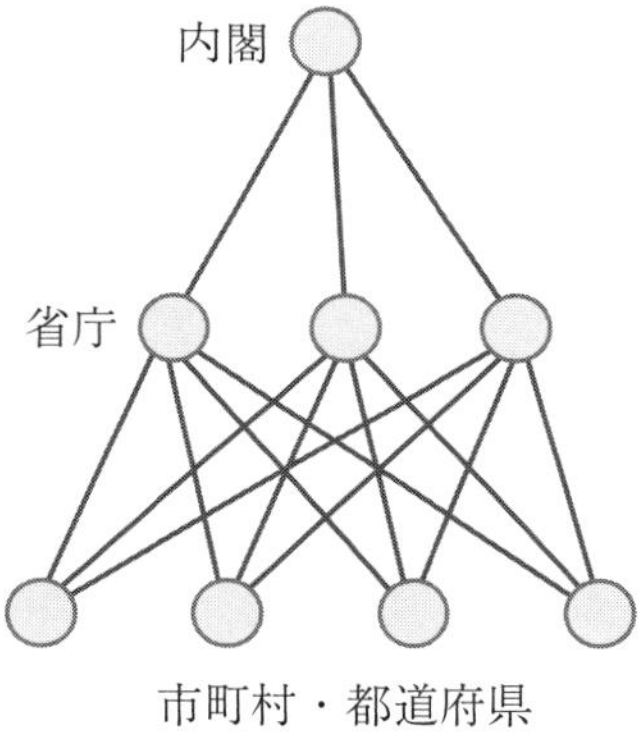


都道府県や市町村とのつながりは各省庁を通じて行われているわけだ。

中央政府の業務は分割され、各省庁が分割された業務を担当する。省庁はお互いの業務に関しては「不干渉」が原則となっているので省庁間の連携はあまりなく、省庁を横断した企画もめったにない（あったとしても、なかなか実行できない）。その結果として、中央政府の縦割り行政が地方自治体の業務に影響を与えることになる。住民へのサービスは各分野が相互に関連しているので一体化されなければならないのに、すべてが縦割りにされてしまっているのだ。

このシステムでは権威（法律、上司）に従うことが優先されており、それぞれが自分の頭で考えなくなる。一番大事なことは何かという判断ができないため「幼稚」なものとなる。とはいっても、当事者としては権威に従うことが出世の条件になっているため、中央官庁（地方

図３－３　アメーバ型ネットワーク

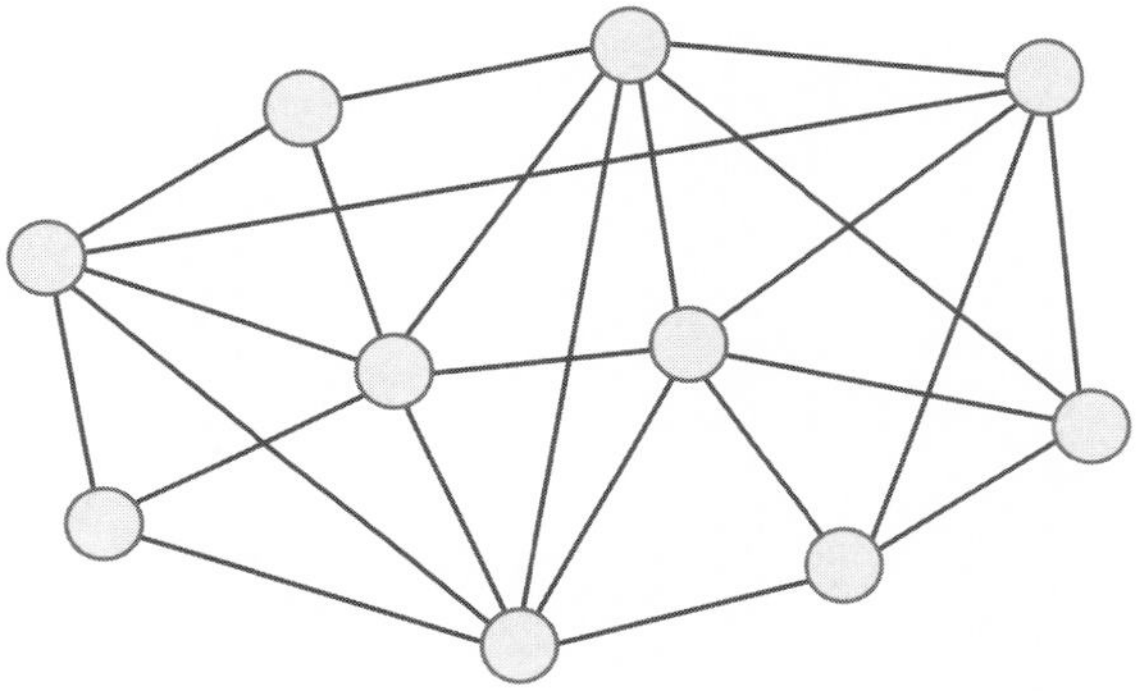

自治体も同じかもしれないが）は有能な人間を無能にしてしまう組織なのかもしれない。しかも、責任の所在が曖昧なため、失敗しても誰も責任をとらなくなる。

**アメーバ型ネットワーク組織**

ピラミッド型の階層組織と対称的なものは、アメーバ型ネットワーク組織である（**図３－３**参照）。この組織には指揮命令系統に上下関係がなく、構成員が自由につながっており、それぞれが自律的に意思決定を行う。もちろん情報も、基本的には全構成員からもたらされる。

意思決定については自律性があるので、事業計画などについても上司などの同意を得る必要がないために単独で企画し、ネットワークを通じて「この指とまれ方式」で賛同者が募れる。そして、事業実施に必要とされるだけの賛同者が集まれば実行に移せばよい。逆に、思ったほど賛同者が集まらなければ実行を見合わせればよい。ピラミッド型の階層組織のように組織全体の合意を必要としないので、実行までのスピードは速くなる。

ピラミッド型の階層組織の場合、トップダウンのため意思決定は速いかもしれないが、ボトムアップには時間がかかってしまう。また、トップが決意したことを実行に移すときも、末端の現場に指令が届くまでに時間がかかるという欠点がある。ゆえに、地方自治を徹底するためには、中央政府と地方政府の関係を、ピラミッド型の階層組織体制からアメーバ型ネットワーク組織の体制へ転換する必要がある。

後者の体制では、中央政府も地方政府も同列となる。中央政府が実行したいと思う政策に、地方政府が参加するかどうかは自由なのだ。また、中央政府の政策は、国会における同意だけでなく、地方政府から一定の賛同者が出なければ実行できない。

このような体制であったら、「アベノのマスク」の配給や小中学校の一斉休校があったかどうかは分からない。また、その政策を実行するにあたって、中央政府からの補助金で誘導するような「姑息なやり方」も認められない（国防、治安、防災などに関する事業を除いて）。基本的には、中央政府から地方政府への資金援助は、返済を義務づけた融資とするべきであろう。そうすれば中央政府の無駄な事業が抑制されるし、財政の節減にもなる。

このような体制がつくられれば、地方政府は地方政府間ネットワークで情報を交換しあい、中央政府の監督のもとではなく、自主的に連携して事業を行っていくようになる。

## コラム11　アメーバ経営

企業（経営体）が大きくなると、組織形態がどうしてもピラミッド型の階層状になる。そこでは、各部署がツリー状につながり、役割が細分化され、明確化されていく。各部署は、与えられた役割を忠実に実行することが職務となり、時計の歯車のように全体を支えている。

このような組織は、安定した経営環境のもとでは効率的に目的が実行され、組織を持続可能なものにする。しかし、経営環境が安定的ではなく変動が日常化する場合、状況変化に応じた対応が難しくなる。なぜなら、上層部の指令がないと、決められた職務を状況に合わせて変更できないからだ。つまり、各部署が把握した状況変化に応じて臨機応変に動けないということである。

規模の経済性に対する最大の障害は、組織が大きくなるにつれて管理費用が増大することだ。『複雑系社会の地域づくり』（海鳴社、一九九八年）という本を著している小倉理一（株式会社西日本流体技研の元社長・故人）は、組織を五〇人より大きくすると実働しない管理者が必要になり、それ以上の規模になるような別の組織をつくるほうがよい、と言っている。ローマの百人隊(2)や「忠臣蔵」の赤穂浪士が四七士であったことも、この考え方を裏付けるものかもしれない。

アメーバ経営とは、企業組織をピラミッド型の階層組織からアメーバ型ネットワーク組織に転換するもので、京セラの創始者稲盛和夫氏の発案による。大きくなった組織を「アメーバ」と呼ばれる小集団に分けて独立採算にすることで現場の社員一人ひとりが採算を考えるようになり、「全員参加経営」が実現される。

## 4 過密過疎という問題

### 限界集落から消滅集落

中央集権化が生みだす最大の弊害は「過密過疎化」である。日本の社会は、少子高齢化と相まって過密過疎化が凄い勢いですすんでいる。「限界集落」という言葉が定着してしまっているように、消滅してしまう集落が今後も激増すると予想されている。そして、少子高齢化だが、過密過疎の原因であると同時に結果でもある。都会では子どもを育てにくいという状況が少子化を加速しているのだ。

(2)　古代ローマ時代、軍事単位としての「百人隊」や政治単位としての「百人組」などが用いられた。ラテン語で「ケントゥリア（Centuria）」と言い、英語のセンチュリー（Century）やフランス語のサンチュリ（Centurie）は、この語から派生したものである。

過密過疎化は、国全体における資源配分の不効率化であるばかりではなく、国全体の幸福感の低下にもつながってくる。日本の田舎（九州もそうであるが）は、自然に恵まれ、風景も美しく、気候も基本的には温暖で雨が多く、農業に適した非常に恵まれた環境である。このような土地に人が住まなくなり、かつて住居となっていた家が捨てられ、肥沃な農地も耕作されることなく放置されている。

一方、都会は、空気が汚染され、過密で、狭い住居に高い家賃やローンを支払っている。仕事があり、お金は稼げるかもしれないが、生活費は高く、子どもの養育費も馬鹿にならないほど高額となっている。もちろん、食料についても好ましい状況になっていない。輸入されたものに頼るか、国内であっても遠くから運ばれてきたものであり、化学肥料で育てられた健康によくないとされているものを食べている。

かつて、宮崎県を国内屈指の観光地に育てあげた岩切章太郎（一八九三～一九八五・宮崎交通グループの創業者）は、過密過疎の状況を人間で言うなら「熱頭寒足」の不健康な状態だと指摘した。国がこのような状態を放置し続けるなら、日本社会の持続可能性を損なうことは明らかである（『自然の美　人工の美　人情の美――岩切章太郎講演集』参照）。

中央集権的に管理された教育制度が、このような過密過疎化を生みだした最大の要因である。明治新政府が富国強兵を目指して有能な人材を中央に集めるための制度が、戦後もそのまま引き継がれているのだ。もっとも、戦後になると富国強兵の「強兵」は曖昧にされたが、「富国」の要として、工業立国を目指して有能な人材を育成することになった。前述したように、戦前に敷かれた教育レールは維持され、そのレールに乗せて高い段階を上ることが現在も推奨されている（一〇五ページ参照）。

その結果、親は子どもをできるだけ評判のよい（入学が難しく偏差値の高い）学校に行かせるためにお金をつぎ込んでいる。また、そのような大学は都会に多く立地しているため、めでたく入学できた子どもは田舎に帰ってこない。言ってみれば、親は地元を過疎化するためにお金を使っているようなものである。

このような制度や慣習も、子どもが多いときには都会に出る若者は一部なので、兄弟の誰かが田舎に残って弊害を免れることができた。しかし、少子化した現在では、残るべき若者がいないために過疎化がすすんでいる。また、裕福な家庭であれば教育にお金をかけるだけの余裕があるので、それらの人が住む地域ほどこの傾向が深刻なものとなっている。

文部科学省が実施している全国画一的な教育は、全国に同じ価値観を一方的に押し付けて、「受験」というレールに若者を乗せて大都市に向かわせている。教科書検定や教育の実施要領指導な

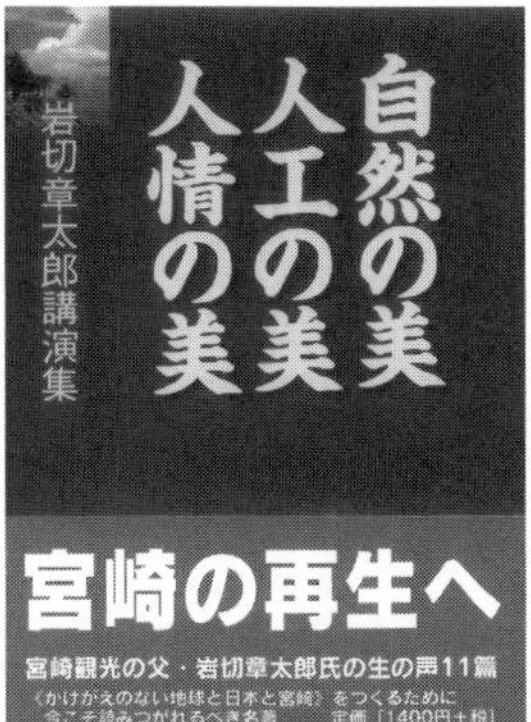

鉱脈社、1990年

どは即刻止めて、学校教育のすべてを自治体に任せるべきである。もちろん各自治体には、「わが市・わが町・わが村」がどれだけ素敵な所なのかを子どもたちに知ってもらい、地元で生きていくための実践的なカリキュラムを教えていく必要がある。そして中央政府は、これに対する可能なかぎりの財源を自治体に委譲すべきである。

## 過疎化の進展

ところで、過疎地域とは、「過疎地域自立促進特別措置法」によれば、財政力指数が0.5以下で、概ねここ三〇年来人口が著しく減少（二〇パーセント以上）している地域とされている。平成二七（二〇一五）年の国税調査によれば、過疎とされる地域は、全国市町村の四七・五パーセント、面積では五九・七パーセントとなっており、全国の約半分が過疎地域となっている。その過疎地域に住む人口は全人口の六・五パーセントとなっているから、国土の半分に九三・五パーセントが住んでいるといういびつな人口分布となっている。

交通が不便な離島や山岳地帯が過疎地域に含まれているとしても、かつてそこには人が住んでいたのだ。過疎対策として政府が実施してきた主な施策は、ライフラインや福祉・医療を全国基準に是正するというものであった。この施策に一九七〇年から二〇一八年までに一一〇兆円をつぎ込んでいる。この額が多いか少ないかは別にして、表面的な生活アメニティを平準化するという政策は妥当なのだろうか。

日本全体が少子高齢化し、人口が減少していくなかで、指数化した表面的な生活アメニティの平準化は意味をなすのだろうか。平準化は、過疎化の対策としてはむしろ弊害になると思える。田舎には田舎なりの生活スタイルがあり、都会には都会なりのスタイルがある。そして、その中間には中間のスタイルがある。どのスタイルを好むかは、人々の選択となる。

このように言うと、過密過疎化は、人々が都会の暮らしを選択した結果であると言う人がいるかもしれない。確かに、都会暮らしを望む人が多く、年々増えているのも事実である。しかしながら、田舎で昔のような楽しい生活ができなくなったため、やむなく都会に出なければならないといった人も多い。多くの人は、できれば田舎で暮らしたいと思っているはずだ。あるいは、両方のよさを経験したいと考えている人もいるだろう。

したがって、大事なのは田舎暮らしの醍醐味が味わえることであって、指数化した生活アメニティの平準化ではない。極端に言えば、ある地域では道路が舗装されておらず、自動車に代わって徒歩か馬を使う。水道がなくても、小川や井戸の水質を保てば充分飲料水となる。要するに、平準化しないで、地域独特の多様な生活空間が成立しておれば、人々はそこで楽しく暮らせるのだ。このような生活空間が形成できれば、過密過疎化がさらにすすんでも大きな弊害とはならない。

## コラム12　流域連携――産官学民のネットワークと過疎対策

治水と利水に環境を加えた河川法の改正に引き続き、農業基本法も農業の経済的振興を目的としたものから、自然環境の保全や防災機能などを含む農業の多面的機能を視野に入れた「食料・農業・農村基本法」へと一九九九年に改訂された。また二〇〇一年、林業の振興を目的とした従来の林業基本法から、森林のもつ多面的機能に着目して「森林・林業基本法」が制定された。しかし、農業と林業の多面的機能は独立したものではなく、河川環境を含めて一体化している。このことから、二〇一四年、水循環に関する政策を総合的かつ一体的に推進し、健全な水循環を維持し、回復させ、わが国の経済の完全な発展および国民生活の安定向上に寄与することを目的として「水循環基本法」が制定され、流域連携の意義が一層高まった。

流域連携に関しては、一九七七年に制定された第三次全国総合開発計画（三全総）において、定住圏の基礎に流域圏が想定されている。理念に深みはあるものの、この構想は具体的な活動や運動に結び付かなかった。

一方、一九九八年策定された第五次全国総合開発計画では、地域連携軸の構想が提示された。これは、市町村が行政の域を越えて連携することで地域の課題を解消・軽減しようとするものである。平成の大合併で市町村の行政範囲が拡大し、自治体が単独で解決できる課題も増加しているが、地域連携の意義はまだまだ高い。新幹線や高速道路網の拡充によって地域間の結び付きがより広範になってきたとともに、グローバル化への対応には、かなり大きな自治体であっても単独では難しい。そして、何よりも、過疎化への対応として地域連携、とくに流域連携は有効である。

河川の上流域は山間部で、一般的に過疎化がすすんでいる。人口の多い都市部は、通常、河川の中下流部に位置している。この人口を育むのは上流からの「命の水」であり、そこで栽培される農産物である。さらに、河川の重要さは飲料水や農業・工業用水を運ぶだけではない。

現在、都市の主産業は第三次産業である。サービスが主体となる都市では、集客力が経済の活力を決定する。都市は、人を惹きつける魅力的な空間でなければならない。都市は人工的な産物であるので自然な空間が乏しい。しかし、都市の住民であっても自然な空間に憧れるものだ。それゆえ、都市を流れる河川に沿う

宮崎県西臼杵郡五ヶ瀬より阿蘇を望む。ここに降る雨が川や伏流水となって広い地域を潤す

エリアは貴重な自然空間となる。

この河川空間を、悪臭を放つ酷いものにするのか、自然との共生空間とするのかによって都市の集客力が大きく変わってくる。パリやロンドンなど観光客を惹きつける都市には魅力的な河川空間がある。また、工業化時代に邪魔者扱いされ、高架道路の下敷きにされた河川を、魅力的な河川空間にすることで集客力を高めようとする試みがされている。福岡県柳川市の掘割復活や、韓国ソウルの清渓川《チョンゲチョン》が有名である。

上流の水源となる山林が荒廃していると豊かな水が生みだされず、ひとたび大雨となれば洪水となって下流を襲う。そうなると、魅力的な河川空間はつくれない。上流の山林が健全であるかどうかは、下流に位置する都市の死活問題となるのだ。上流域と下流域が連携して、環境と経済のウィンウィン関係を築いていかなければならない。その過程では、上流域における過疎化の対応も可能になるだろう。

福岡県柳川市の掘割。掘割の再生で年間60万人が訪れる

さらに、魚介類が育つ豊かな海は、そこに流れ込む川が運んでくる栄養分があってこそ維持される。だから「森は海の恋人」と呼ばれているわけだ。となると、川は「仲人」と言える。「舞根森里海研究所」（宮城県気仙沼市）の所長を務めている田中克《まさる》氏は、『森里海連関学へ

の道』（旬報社、二〇〇八年）という本で次のように述べている。

海が森を豊かにする典型事例は、川で生まれたサケが海へ下り、北洋の豊かな海で栄養をいっぱい蓄えて母川に回帰することとしてよく知られている。産卵場へ回帰する途中でサケを待ち受けているのがヒグマである。

ヒグマはできるだけ多くのサケを捕まえては陸上に持ち上がり、頭部や腹部などの栄養価の高い部分のみを食べ、再び狩りに戻る。こうして陸上に持ち上げられたサケの残骸はキツネやワシの餌ともなるが、大部分はそのまま食べ残され、昆虫や微生物などに分解され、土壌を豊かにする。このような海起原の栄養分を吸収した周辺の木々は大きく成長し、土壌の保水力を高め、常にサケの卵や稚魚が育つ豊かな水を供給することになる。（前掲書、一九ページ）

温暖な九州にはサケやヒグマはいないが、川を遡行するアユやサギといった水鳥がその代わりをしている。また、成長した魚でなくても、カニ、エビなどの稚魚とともに川や池や水田に棲む魚介類、そしてカエルといった小動物が水鳥の餌となり、豊かな森をつくる役目を果たしている。九州では、少し足を伸ばすだけでこのような風景に出合えるのだ。

# 第４章

# 脱学校社会

## 1 学校制度の基本的問題点

### 富国強兵のなごり――画一的価値観を押しつける教育

中央集権は、一元的な価値観のもとに画一化を推しすすめている。しかも、「平等」と「画一」を混同して、「平等化」という名のもとに「画一化」を推しすすめ、その結果として、画一的な価値観や社会のレールから離れた人たちを理不尽にも差別している。その典型が日本の教育制度であって、その弊害は極限の域にまで達している。このままでは、日本は変化する世界情勢に対応することができなくなるかもしれない。

前章でも少し触れたように、戦前の日本では富国強兵が国策の根幹となっていた。ここで述べられる強い兵士とは、屈強であると同時に上官の命令に逆らわず、死地に赴くという従順な人物のことである。上官の命令は、いかに理不尽なものであっても従うこと、そして立てられた作戦が理不尽であるかどうかについても考えることは許されなかった。

当時の学校教育は、このような従順な兵士を育てる役割を担っていた。そして戦後、経済を復興し、欧米社会に追いつくため、企業のために忠実に働く企業戦士が求められた。この移行期、戦前の教育によって育った人からすれば、「強い兵士」から「企業戦士」に変わってもあまり抵抗はなかったであろう。

戦後の教育は、屈強な人材育成（ＧＨＱの方針で屈強な日本人育成は抑制された）は別として、従順な人材育成に関しては引き継がれている。学校では、子どもたちはよい成績を取るために理不尽な勉強を強いられている。評価はというと、学習能力や精神的成長などには関係なく、試験の成績ですべてが決められている。少しでも偏差値の高い学校に、そしてよい就職先を得るために、試験でよい点数を取るために頑張っている。

何故こんな勉強をしなければならないのかと疑ったり、自分の興味のあるもの（試験に出ない分野）を勉強したり、研究に熱中してしまうと、試験でよい点が取れない。自らの好奇心を押し殺し、自分がやりたいことを犠牲にして、試験に挑戦しているということだ。

その試験（テスト）とは、言うまでもなく誰かがつくった設問に答えることであり、他人に評価されることである。したがって、よい成績を取るためには、他人の評価を気にして、よい評価を得るために従順さを全面に出して勉強することが求められる。その結果、決められた仕事をこなすのはうまいが、自分なりに考えて目標設定するのは苦手だという人材が育っている。

日本の学校制度は、明治維新以降、中央政府によって整備されてきた。第二次世界大戦の敗戦で教育内容の方向性はアメリカによって大きく変えられたが、制度そのものはそれほど変わっていない。教育の地方自治を目指した教育委員や教育委員会が設置されたが、年を経るに従って国に従属するような組織になっている。

近年、いじめや不登校など、学校にまつわる問題が噴出している。その最大の原因は、文部科学省が管理する「平等」という名のもとでの画一化である。教育の平等は憲法に保障された権利であるが、「平等」と「画一化」は違う。これに対する混乱が一番現れているのが、今の学校制度である。

国民が望んでいるのは「満足の平等」であって、モノやサービスが均一的に配分されることではない。「平等に扱う」ということと「平等にする」とでは意味が違ってくるのだ。本来は、それぞれの欲求に応じて、その充足と満足が平等化されるべきである。

旅人の身長にあったベッドを宿泊先は供給するべきであって、ベッドにあわせて旅人の足を切ってはならない。熱い飲みものが欲しい人には熱いものを、冷たい飲みものを好む人には冷たいものを提供するべきであり、平均をとって生ぬるいものを提供してしまうと誰も満足しないのだ。熱いものや冷たいものなどを多様にそろえて、好きなものを飲んでもらうようにするというのが「平等」である。また平等は、社会を平和に保ち、人々の共存共栄の協力関係を築く手段と考えるべきであって、目指すべき究極の目的ではない。

現在の学校は、教育の大量生産方式であると言える。大量生産方式の産業社会が求める、能力を均一化する人材育成のための教育である。チャイムに合わせて子どもたちを教室に導くのは、ベルトコンベヤーによる「流れ作業」と同じである。

現在の学校は、上官からの命令に従う兵士を養成しているようなもので、極端に言えば「兵営」や「監獄」のようなものである。しかも、子どもたちは、何も悪いことをしていないのに強制的に入れられている。さらに言えば、現代の入試制度は能力の判定になっていないし、能力の開発にもなっていない。共通学力テストなどは「百害あって得るものなし」と言える。人間の画一化をもたらし、社会の多様性を喪失させるだけのシステムでしかない。

## 自由な遊びの価値

アメリカの心理学者ピーター・グレイが著した『遊びが学びに欠かせないわけ――自立した学び手を育てる』によれば、欧米社会では、一九三〇年代は学校の役割があまり大きくなく、かつ子どもたちが工場で働く必要がなくなったので、自由に遊べる時間がもっとも豊富にあった時期であるとされている。それ以後、継続的に学校が子どもたちの教育に大きな役割をもつにつれて、子どもたちが自由に遊べる時間が減少していったという。

ネズミを使った実験で確認されていることだが、子どもの自由な遊びが減少すると、衝動や感情をコントロールしている脳の前頭葉につながる神経経路が正常に発達しない。その結果、継続して「不安」、「落ち込み」、「無力感」に襲われ、自己中心的になり、自者と他者を隔てる傾向が強まり、他者との双方向の関係がうまく築けなくなる。グレイは、自由な遊びの重要性を次のように説明している。

遊びが学びに欠かせないわけ
自立した学び手を育てる
Free to LEARN——Why unleashing the instinct to PLAY will make our children happier, more self-reliant, and better students for life
ピーター・グレイ著（ボストン・カレッジ心理学教授）　吉田新一郎訳
学びは苦役ではない。
自由な遊びこそ、
子どもの学びの大きな翼になることを、
人類史に遡って解き明かす
築地書館
吉田新一郎訳、築地書館、2018年

> 自由な遊びは、自己選択的で、自主的で、結果よりもその過程が大事にされる活動であり、遊びのルールも参加者のアイディアによって生まれる。したがって、空き地で行われる子どもたちだけの野球は自由な遊びであるが、リトル・リーグの野球はそうではなく、大人に組織され、管理された遊びとなる。その意味では、公式のスポーツの場合、選手に遊び心があ

って も「自由な遊び」とは言い難い。
子どもたちは、遊びたいという衝動が不快や不安を乗り越えることになり、わがままな欲求を抑えて遊びのルールに従うようになる。このような経験を積むことで自制心が養われる。つまり子どもたちは、自由な遊びのなかで自らを教育し、将来、社会のなかで生きていくうえにおいて必要なコミュニケーション能力と知恵を、誰に教えられることもなく自然に身につけていく。(グレイ前掲書、一八三ページを参照して要約)

現実の世界は、スポーツの公式試合よりも自由な遊びに近く、ルールはかぎりなく修正可能となっている。勝者も敗者もなく、「死」という同じ終末に落ち着くことになる。やはり、相手を打ち負かすよりも、よい関係を築くことが大事である。考えてみれば、資本家にとっての労働者は自分の商品を買ってくれる消費者であるわけだから、労働者から過剰に搾取すると商品が売れなくなる。資本と労働の関係は、争うものではなく、よい状態であるに越したことはない。

子どもたちの自由な遊びを規制する理由として、「子どもだけで遊ばせると危険である」という意見がよく挙げられる。しかし、「危ない」とされる遊びの価値は決して小さくない。緊急時にどのように対処したらよいかなど、どちらかというと学ぶところが多い。そして、孟母三遷《もうぼさんせん》の教えじゃないが、子どもは大人を真似て遊ぶものなので、子どもに好ましくない遊びをさせたくないのなら、大人自身が行動を改めるべきである。

ちなみに、教育の専門家は危険について警告することが自分の仕事だと思っているため、学校への依存度を増やそうとする傾向がある。それは、保守と革新に共通している傾向であると、先に紹介したピーター・グレイは述べている。

学校制度は、直接的、間接的、そして気付かないうちに、「子どもは、大人によって指示された課題をし、そして評価をされることによってこそ学べるし、成長する。子どもの主体的な活動は時間の無駄である」（グレイ前掲書、一〇ページ）という考え方を社会にはびこらせて、学校で過ごす時間や大人によって指導される活動の時間を増やし、子どもの自由な遊びの機会を減らしている。多くの親や教育者にとっては、子どもの時代はもはや遊びや学びの時間ではなく、「経歴をつくるための期間」になっている。その経歴づくりのために、子どもを強制的に労働させている状態に等しいのだ。

龍谷大学の名誉教授である経済学者の中村尚司は、『豊かなアジア、貧しい日本』（学陽書房、一九八六年）のなかで次のように述べている。

――――

教育産業繁栄のために朝から晩まで子供を机にしばりつけるのが児童福祉であり、父親と小舟に乗って漁労したり母親といっしょに塩干魚を市場に運んだりするのが、児童労働の搾

取であれば、それは貧富とは別の競争社会の基準を押しつけているのにすぎない。（前掲書、六ページ）

## どのような人材が必要か

ＩＴ技術が発達するにつれて、人間の労働がますますＡＩ・ロボットに置き換えられるようになる。そうすると、ＡＩ・ロボットに置き換えられないものが人間の仕事として残る。芸術、スポーツなどのエンターテイメントをはじめとして、人を楽しく遊ばせることはＡＩ・ロボットには難しい。ロボットが戦うスポーツやＡＩが書いた小説なども考えられるが、果たして人を楽しませてくれるかどうかは疑問である。確かにアルファ碁（ＡＩの碁）は人間の棋士より強いようだが、碁はやはり人間が主体である。台湾の囲碁棋士王銘琬《おうめいえん》（九段）は自著『棋士とＡＩ――アルファ碁から始まった未来』（岩波新書、二〇一八年）で次のように述べている。

人間は囲碁で見果てぬ強さを追いかけてきましたが、強さが最大になれば面白さはゼロになります。（中略）強さの果てには「無」しかなければ、強さは目的でなく、面白さを手に入れる仕掛けだったと考えることもできます。逆に面白さを大事にすることで強さの暴走をくい止める意味が出てくるかもしれません。

ＡＩのない時代は、人間は強さを追求することだけで、強さも面白さも手に入れることができました。しかし強さを極めた時の虚しさがおぼろげに見え始めたいま、その行動パターンを考え直す時がきています。そしてそれは囲碁に限ったことではないと考えています。（前掲書、一六四ページ）

写真というものが登場しても人間が描く絵はなくならなかった。それどころか、絵画の世界においては新しい境地が次々と開かれていった。このように、人間が主体でなければならない分野は必ず残るのだ。そして、この分野を担う人材には、情報量の処理能力や論理的な思考能力よりも、むしろ豊かな感性が必要になってくるだろう。しかし、感性を高め、かつ育てることに関しては、現行の学校制度では絶望的だと言える。

感性を豊かにすることは、ＡＩ・ロボットが普及する社会に必要なだけでなく、人間社会が持続するうえにおいても必要不可欠である。「良心」や「道徳心」は天から授かったものではないし、基本的人権も神が与えたものではない。取り巻く環境に適応していく進化の過程で人間が獲得したものである。したがって、「自然権」の概念に通ずるところが大きい。

またそれらは、理性的に認識するというよりは、人に迷惑をかけたときの気まずさや、人助けをしたときのうれしい感情、仲間と協力して何かをやり遂げたときの達成感など、思わず湧き上がってくるもののなかにある。

となると、座学で行う道徳教育は、よほど慎重にやらないと弊害になるだろう。少なくとも道徳においては、人間が進化のなかで獲得したことや、感性が伴うという事実を教えなければならない。ルールとして頭ごなしに教えるというのは間違いでしかない。さらに言えば、道徳を教えられるだけの教師が日本に何人存在しているのか……非常に疑問である。

## 2 現在における日本の学校の問題点

現在の文部科学省が管理する画一的な学校教育は、さまざまな弊害を生んでいる。現在、最大の課題となっている過密過疎化の原因にもなっているが、学校そのものが、不登校生徒の増大、いじめによる自殺者、教師の苛酷な労働条件と質の低下、学校と教師への不信感などといった多くの問題を抱えており、今や学校を「沈みかけの船」とたとえる人もいる。

現在は教育研究家として活躍している妹尾《せのお》昌俊《まさとし》は、『教師崩壊——先生の数が足りない、質も危ない』（ＰＨＰ新書、二〇二〇年、二三九ページ）という本において、学校の危機を五つに整理して、それらがお互いに関係していると述べている。

**「クライシス1」**——教師が足りない（講師〈正規の教師予備軍〉枯渇、担任が未配置、養成上も問題）
**「クライシス2」**——教育の質が危ない（読解力、創造性、思考力など伸ばせていない）
**「クライシス3」**——失われる教師の命（過労死するほど多忙、子どもの支援ニーズも複雑化、多様化）
**「クライシス4」**——学びを放棄する教師たち（理不尽な指導が改善されない。研鑽しない教師の増加）
**「クライシス5」**——信頼されない教師たち（学校不信の増大、学校・行政は失敗から学ばない）

「クライシス1」で掲げられている教師不足は、団塊の世代の教師が大量に退職したことに起因しているが、教師の仕事が「ブラック企業」に相当するほど苛酷な状態であることが一般に知られるようになってから、教員を志望する人が少なくなっていることも要因の一つとなっている。教師不足が仕事をさらに多忙にし（クライシス3）、研鑽する時間的な余裕をなくし、新任教師の育成にまで手が回らなくなって「クライシス4」の原因となり、「クライシス2」に結びついてしまう。そして、これらのことが教師と学校に対する不信感を増大させ、「クライシス1」へという悪循環を生んでいる。

現在、日本には教師という職業に就いている人は約一〇〇万人（小中高＋養護学校）いるわけだが、この内の約四〇パーセントに当たる教師が一か月に一冊も本を読まないと言われている。また、教育関係書を手がけている編集者によると、このジャンルで間違いなく売れる部数は一〇〇〇部から二〇〇〇部だという。つまり、全教師の〇・一五〜〇・二パーセントしか買っていないということだ。本も読まない、考えることもしない教師が、生徒に「本を読むように」とか「もっと考えるように」といった指導ができるのだろうか。非常に疑わしい、としか言えない。

そういえば、先日ツイッターを見ていたら、「私はこれだけの本を一年間に読んでいます」という自慢のコメントとともに、読んだ本の表紙を写真で紹介している教師がいた。その写真を見て、唖然とした。写っていた本は実用書とか自己啓発ものばかりで（つまり、答えが書かれている本）、おおよそ筆者が言うところの本ではなかった。この教師は、思考するという行為を放棄しているのかもしれない。

日本の学校が抱えているこれらの危機を、どのように克服していけばいいのか。これが大きな課題となる。『学校の「当たり前」をやめた——生徒も教師も変わる！　公立名門中学校長の改革』（時事通信社、二〇一八年）を著した元千代田区立麹町中学の工藤勇一校長（現在は横浜創英中学・高等学校校長）のように、学校内部から改革しようとする動きも出てきているが、学校内部からの改革が全国に広がるわけではない。頼もしいこのような改革が実現するためには信念をもった教師がいなければならないし、保護者や教育委員会の関係者といった多くの人から同意を得なければならない。言うまでもなく、至難なことである。

学校が「沈みかけの船」にたとえられるのは、背負っている荷物が多すぎるからである。そもそも、学校が背負う任務以外のものや、必ずしも学校が背負わなくてもいいようなものが含まれているし、教師がしなくてもいいような仕事も任されており、本来の任務である教育に専念できない状態となっている。学校が本来しなくてもいいような任務はほかの機関に任せて、身軽になる必要がある。

仮に学校が身軽になったとしても、現在の学校制度のもとで、学校教育の目的である「子どもたちが将来社会のなかで生きていくために必要な知識や技能」を身につけられるだけの教育ができるのだろうか。その答えは、やはり「疑問」となる。その理由は、学校や行政は失敗から学ばない組織であり、もし学んだとしても、方向転換までに時間を必要とするからである。ここでも、教育行政が文部科学省による中央集権体制になっていることが欠陥となる。このような体制のもとで、「従順な羊」を育てる教育から「創造性」と「自主性」のある人材育成への転換を果たすことができるのだろうか。

たとえば、従来の詰め込み式のカリキュラムに対する反省から「ゆとり教育」への転換がすすめられた。そして、この「ゆとり教育」に対する十分な検証もなく、また元の「ゆとりのない教育」への転換がはじまった。もちろん、これは全国一斉に行われている。現場の教師や生徒、そして父兄にとってもいい迷惑である。先ほどは現職教師に対して批判的な記述をしたが、この点に関して言えば大いに同情したい。

どのようなカリキュラムを実施するかについては、文部科学省が一斉に指令するのではなく、各学校の自主性に任せて、子ども（親も）が選択できるようにすればいいだけである。選んだカリキュラムに対して、よい結果が出たのか、悪い結果が出たのかを各学校が検証し、それに修正を加えていけばいいのだ。

もちろん、この結果は各地域の事情や環境に基づいたものとなるので、よい結果であればその地域に自然と広がることになる。しかも、この選択の場合、中央集権的な無責任体制とは違って責任の所在がはっきりとするため、関係者による協議も促されるだろう。

中央集権は、そもそも個人の創造性と自主性を阻害する。そのような体制下で創造性と自主性を育てるというのは、「鳶《とんび》が鷹を生む」ようなものである。それでもなお中央集権体制の教育行政に固守している人は、「創造的で自主的な人材は一部のエリートでよく、一般大衆はエリートに従えばよい」と腹の中で考えているのだろう。このようなことが、二〇〇五年に放映され、話題となったテレビドラマ『女王の教室』（日本テレビ、天海祐希主演）で語られていた。

繰り返しておこう。教育の本来の目的である「人生を生きていくために本当に必要なことを教え」、そのために創造的で自立的な人材を育成するためには、中央集権的な教育制度は無論のこと、学校制度そのものの存在意義を根本的に考え直す必要がある。

## 3 脱学校の教育

将来、子どもたちが社会のなかで幸せに生きていくための知識、技能、コミュニケーション能力を習得させるだけでなく、個人差をふまえた教育を提供するべきであることについては前節で強調した。そもそも、能力に違いがあるのに、同年齢に同一の教材を使って教育し、その成果を評価するためにテストという手段をもって「１点」を競わせている。どう考えても、手段と目的をはき違えている。

理解力の違う子どもを一つのクラスにまとめて同じように教えると、理解力のある子どもはすぐに理解するが、劣っている子どもは時間がかかってしまう。もちろん、理解できないまま終わることもある。理解力が中間に位置する子どもに合わせると、理解力ある子どもは退屈し、劣っている子どもは理解できないために面白くない。両者にとって時間の無駄でしかない。となると、能力別に教えるべきとなる。

学科ごと、柔道・剣道・囲碁・将棋の段位制度のように、理解して修得できた子どもは年齢に関係なく上位にすすみ、習得できなかった子どもは習得できるまでそこに留まるようにすれば、このような弊害は克服できる。野球の一軍と二軍の区別、サッカーのＪ１とＪ２、相撲の番付などと同じで、このような制度を「不平等だ」と言う人はいないだろう。同じ年齢だからといって、横綱と幕下を同じ土俵に上げるというのは、平等などではなく「無謀」としか言えない。

成績などは付ける必要はないだろう。学年や年齢にかかわりなく、英語検定などのように到達度や達成度を基準にすればよい。そして、それを高めるための勉強は、ＡＩやインターネットなどさまざまな手段を使えば、学校でなくても塾や家庭など、個々人の能力と志望や希望に応じた学習を実施すればできるはずだ。

もっと枠を広げて、地域が主体となって小さな規模の「コミュニティ・スクール」の運営も考えられる。そこでは少人数になると思われるので、異年齢が混合した教育になり、子ども同士が教えあうといった空気が生まれるはずだ。また、前節でも紹介した自由な遊びの時間もたっぷりとれるだろう。さらに言えば、地域住民と一体になった民主的な運営が可能となるので、教育に関する経費の大幅削減にもつながる。

手厚いベーシックインカム（九九ページ参照）さえあれば、教育の無償化は必要ない。親が自由に、子どもに適した教育機関を選べばよいだけだ。先に紹介したピーター・グレイ（一三七ページ参照）によれば、自由な学校の「サドベリー・バレー」でかかる生徒一人当たりの経費は、

幕末最大の私塾「咸宜園《かんぎえん》」（大分県日田市）。年齢・性別・門地家柄に関係なく、上級の学習段階にすすむ。「鋭きも鈍きもすてがたし、錐と槌に使い分けなば」広瀬淡窓（1782〜1856）

咸宜園に隣接する「咸宜園教育研究センター」では、塾や門下生に関する資料展示を見ることができる。〒877-0012 大分県日田市淡窓２丁目２番18号　TEL：0973-22-0268（直通）

強制的な公立高校にかかっている経費の約半分であるという（前掲『遊びが学びに欠かせないわけ』三〇五ページ参照）。

知識を教える機関としての公的学校が不必要となると、子どもたちの人間関係にかかわる学習はどうすればいいのだろうか。それは、自然塾やスポーツ教室などで培えばよい。美術・音楽・演劇など、文化関連の学校にも大いに期待できる。

何よりも重要なのは、生きていく術《すべ》を教えることである。地域が運営するコミュニティ・スクールや塾など、あるいは企業や農場で働きながら学んでもいいのではないだろうか。地域住民が子どもたちの育成に携われば、地域で活躍できる人間を生みだすことが可能となるし、ひいては過疎化を食い止めることにもつながる。

断片的な知識は、本やネットで簡単に得られるようになった。大事なのは、それを系統立てて考えることであり、結果として行動に移せるようにすることだ。言葉を換えれば「見識」となるが、その能力を育てていく必要がある。とくに、答えのない問題に対して、答えを見いだしていく方法を身につけることが大事となる。

マニュアルで解決できるようなことはそれに従えばよいが、人生や社会にとって重要な問題や課題に関して、答えに至るマニュアルなどはどこを探してもない。これらは、自由な遊びや地域の人たちとの交流のなかで訓練され、習得していくものである。

## コラム13　成績をハックする

子どもたちの学習達成度を見ること、そして学習効果を高める手段として、学校は成績をつけている。通常、それは点数で示されている。これに対して、『成績をハックする』を著したスター・サックシュタインは、学習効果を高める効果はあまりなく、むしろ教育の目的からして弊害のほうが多いとして次のように指摘している（「ハック」についてはｘページ参照）。

・成績は、達成したことを過度に単純化し、成長を妨げる狭い箱の中に生徒たちを押しこめることになるので、生徒が知っていることやできることを正しく伝えるものではありません。

・成績は成長を大切にせず、生徒を互いに対抗させるという、競争に基づく学習文化を生み出します。しばしば、学習に関係ない要素によって成績は誇張されますので、本当に意味のある学びのプロセスをめったに示しません。そのため生徒たちは、テストや通知表でとった点数や記号といった成績が自分の能力を正確に示すものではないということ

成績を
ハックする
評価を学びにいかす10の方法
スター・サックシュタイン
高瀬裕人・吉田新一郎 訳
HACKING
STARR SACKSTEIN
ASSES
通知表
成績なんて、
百害あって一利なし!?
「評価」や「教育」の概念を根底から見直し、
【自立した学び手】を育てるための実践ガイド
新評論
高橋裕人ほか訳、新評論、2018年

とに気づくことなく、ほかの人より自分のほうがよくやった、よく知っていると主張するために利用してしまっています。このような状況では、リスクを冒して、新しいことや難しいことに挑戦する雰囲気はできません。

・成績に関する言葉は、しばしば学びのプロセスを停止するような否定的な意味合いをもちます。教師が生徒に対して間違っていると伝えたり、生徒の作品の横に大きく「×」と書いたりしたとき、どのように感じるか考えてみてください。そんなことをしても、学びを促進することはできないのです。（前掲書、四〜五ページ）

また、本文でも紹介した元麹町中学校長の工藤勇一氏は、学校の成績第一主義は学習をテストのための勉強にしてしまうとして、次のように述べている。

一夜漬けでの学習は、〝テストの点数を取る〟という目的において有効ですが、学習効果を持続的に維持する上では効果的と言えません。テストが終ったら、かなりの部分は忘れてしまうからです。そうしたプロセスを経て獲得した点数・評価は、その生徒にとって〝瞬間最大風速〟にすぎず、それをもって成績を付けたり学力が付いたと判断することは、適切な評価と言えません。（工藤前掲書、二六ページ）

中高時代の定期考査対策で身につけた「一夜漬けで片づけるという悪癖」が身体に染み込んでしまうと、「やっつけ仕事」で片づけるという弊害を生んでしまう。工藤先生も、この弊害に苦労されたということだ。

## コラム14　「異年齢の混合」こそ学校が成功するための「秘密兵器」

本文で紹介したピーター・グレイ（一三七ページ参照）は、「サドベリー・バレー・スクール」（マサチューセッツ州）の創立メンバーであるダニエル・グリーンバーク（Daniel Greenberg）にならって、「異年齢の混合」こそが学校という教育機関が成功するための「秘密兵器」であると主張している（前掲『遊びが学びに欠かせないわけ』二三八ページ）。

サドベリー・バレー・スクールは、子どもたちの自由な遊びと子どもたちによる自主的な学習を基本とした教育実践を行っている学校である。彼は、歴史的な観点と進化論的な観点から、子どもたちを年齢によって分けるのは異常なことであるとし、異年齢混合の利点を次のように述べている（要約紹介）。

**年少の子どもたちにとっての異年齢混合の価値**

①今日誰かの助けがあってできたことは、明日一人でできるようになる。遊びで練習し続ける。

「足場」「誰かの助けがあってできる領域」。
②年長者のすることを観察することで学ぶ。アメリカの子どもたちは非西洋社会の子どもと比べて、周りで起こっていることに関心を示さない。他人の行動を観察して学ばない傾向がある。〈訳者のコメント・本当か？〉
③ケア（気づかい）と精神的なサポートを受ける。一人あるいは二人の教師が一クラス三〇名ぐらいの生徒を、サドベリー・バレーで年長者の生徒が年少者にしているような、直接的なケアと安心安全を提供することは不可能。年長者が年少者をケアするのは、義務感よりもそうしたいからするので、ケアを真の意味のあるものにしている。（前掲書、二四一〜二五六ページ）

**年長の子どもたちにとっての自由な異年齢混合の価値**

①育てたり、リードしたりすることを学ぶ。

1968年にマサチューセッツ州のフレイミングハムに創設された私立校「サドベリー・バレー・スクール（Sudbury Valley School）」（外観と内部）。掲載した写真は、鳥取県智頭町にある「新田サドベリースクール」のスタッフ（長谷洋介）が視察時に撮影したものである。なお、新評論では、「新田サドベリースクール」に関する本を制作中である

②教えることを通して学ぶ。
③年少の子どもたちの創造性が喚起する影響。年少者に対するとき、同年齢に対するよりも余裕があり競争する必要がなく、遊び心で接することができ創造性を喚起する。（前掲書、二五六～二六四ページ）

**異年齢混合のもう一つの価値**

ある領域で同年齢の子どもより進みすぎたり遅れたりしているとき、同じレベルのパートナーを年長者や年少者に見つけることができる。（前掲書、三六五ページ）

## 4　大学のあり方

### 大学の理念とその存在意義

ほぼ世界共通であると思うが、日本の学校制度では、小・中・高等学校までは教育機関として位置づけられている。一方、大学は、教育機関のうえに研究機関であることが使命とされるほか、地域貢献が加わってくる。これが、小・中・高等学校と大きく異なるところであり、大学での教育は次元の異なったものとなっている。

小・中・高の教育内容は、すでに死せる事実である「定説」となっているものが中心になっているが、研究機関である大学では、未解決の問題や定説となっていない論議にも積極的に触れ、学生に対して研究意欲を刺激しなければならない。

学問とは、過去の経験や事実関係を能率的かつ理論的に整理したものである。理論的であることが能率的であるのは、推論によって「一を知って十を知る」ことができるからである。われわれは、人生を生きていくうえにおいて、さまざまな経験を活かしながらその生き方を決めていくわけだが、一人の人間が直接的に経験できることはかぎられている。よって、学問を学べば未経験なことでも自らの経験として受け止められる。

学問の研究とは、過去の経験や事実関係で未整理なものや、日々新たに経験する事実関係を整理し、既存の体系に組み入れることである。あるいは、新たに対象となる経験や諸事実の関係が既存の体系に組み入れられない場合、それらを矛盾なく組み入れられる能率的な整理体系を創造することになる。

科学的な知識、あるいは科学的に証明されるということは、厳密に言えば、経験した諸事実関係を再現する手続きが示されるということである。その手続きにさえ従えば、誰でもその諸事実関係の再現ができるし、体験もできるということだ。社会現象のように再現不可能な事実関係を対象にした分野に、厳密な科学的手法を適用するのは難しい。このような分野では、諸現象を類似したものにパターン化して、同じパターン内では同様のプロセスが生起している状態を示すことになる。あるいは、類似した社会的インパクトが異なった結果をもたらした場合には、なぜそうなったのかを明らかにする必要が出てくる。

比較歴史学のジャンルでこれを試みたのが、『歴史は実験できるのか』（J・ダイヤモンド＆J・A・ロビンソン／小坂恵理訳、慶応義塾大学出版会、二〇一八年）という本である。非常に興味深いことが書かれているので是非読んでいただきたい。

このような経験の体験的整理から、現在解決を迫られている諸問題、あるいは将来生じると予見される問題に対する解決の糸口が見つかる。したがって、学問が悪意をもってある方向に歪められたり、解決を迫られている問題にその歪められた学問を適用すると、期待した結果は得られない。その結果、社会に災いをもたらし、社会の持続可能性を損なうことになる。

ここに、学問の自由、とくに支配的な政治権力からの自由が保障されなければならない理由がある。この自由には、どのような研究テーマを選ぶか、そしてどのように研究するのかといった方法も含まれている。

**学問の自由、大学自治の意義**

大学は「学問の府」と言われ、高度な知識、技能、技術の獲得と開発に従事する人間の集団である。大学は学問を主導し、権威づけることに関与している。このような大学が特定の集団や権力によって支配されると、その集団や権力の都合で、大学における教育・研究が歪められる可能性が出てくる。したがって、このような権力から一定の距離を保つために、大学を構成する人たちによる自治が保障されなければならない。念のために言うが、これは社会からの孤立を意味するものではない。逆に、これからますます社会との交流や連携をすすめなければならないということである。

経済の発展とともに高度な知識と技能への必要性が高まるにつれ、大学での教育の重要性が増してきた。二〇二〇年、大学（四年制）への進学率は五五パーセントを超えている。これらの状況のなかで、学問の自由のための自治を守りながら、教育・研究・地域貢献についてどのようにバランスをとるのか、舵取りの難しい局面に来ている。

## 大学の理念と現実のギャップ

現在、日本の大学はさまざまな問題を抱えているが、大きく分けると①大学の就職予備校化、②大学入試の弊害、③大学自治の危機、の三つに集約できるだろう。

言うまでもなく、この三つは相互に関係している。大学への進学率が五五パーセントを超えると、学問への好奇心からよりも、よい就職先を見つけるために大学に進学するという学生が圧倒的に多くなる。大学のほうも、学生が集まらなければ経営が行き詰まってしまうので、この要望にこたえることになる。一例を挙げると、就職試験の対策講座、公務員試験対策講座や各種資格試験取得のための講座を開設すること、そしてインターンシップなど企業とのマッチングといったサービスを提供している。

また、設定するカリキュラムも、企業が求める人材を育成するためのものになる。学生も「就職を第一」に考えているので、自分が興味あるテーマを掘り下げて研究しようとはせず、要領よく、効率的に単位を取得しようとする。そして、学習時間を減らしてアルバイトなどに精を出す。

J・S・ミル（iiページ前掲）によれば、「（大学教育の目的は）若者たちの社会での成功を準備するものでなく、社会のさまざまな影響に反抗することを可能にする男らしい性格を与えるもの」（「文明論」［一八三六］山一重一訳『J・S・ミル初期著作集3』一二〇ページ）であるが、現在の大学教育は社会に埋没させることを教えているようだ。これでは、社会を改革しようとする気概が生まれない。

大学入試に関して言えば、学生への負担が大きい、公平性がどうなのか、などといった批判があるが、最大の問題は小・中・高等学校の教育を歪めているところにある。教育の中身は別として、よい就職口にありつける偏差値の高い大学に入学できるのがよい高校となり、よい高校に入学できるのがよい中学、その中学に入学できるところがよい小学校となっている。そして、学校教育の内容は、有名大学に入学するための受験勉強になっている。試験（テスト）は学習の達成度を高めるための手段でしかないのに、それを目的化している現在の状況は「本来の教育からの逸脱」としか言えない。

大学が就職予備校化しているのは、産業界の意向が大学教育や研究に及んでいるからである。国も産業界の要請を受けて、企業で活躍できる人材を養成するよう、大学に対して拠出している補助金などで圧力をかけてくる。一般に産業界は、各企業の意向に従って従順に働く人材を好み、批判的な精神が旺盛な人材は敬遠するという傾向がある。本来、大学の教育は、批判的な精神をもち、自主的で創造的な人材を育成することが目的である。大学からそれらが失われるということは、大学の自治を放棄するようなものである。

## 改革への第一歩

大学が自治を確実なものにする第一歩は、入学試験を実施しないで、一斉入学や一斉卒業をなくすことである。現在の入学試験は日本の学校教育を歪めているし、国の指導下で行われている共通テストなどは大学の自治を侵すものである。

前述したように、英語検定などのように制度化された学力検定を各学科で行い、その結果と社会活動などからそれぞれの講義の受講資格を判断する。そして、一定数の必要な単位を修得すれば卒業資格を与える。しかもその単位は、ほかの大学で修得したものでもいいようにする。幸いなことに、他大学との単位互換は現在の制度においても可能となっている。にもかかわらず、これがなかなか普及しないのは、大学自体の閉鎖性にある。

これが実施されれば、偏差値による大学間のランク付けは緩和されるだろう。そして、各大学がどれだけユニークな教育と研究、いかなる地域貢献を行っているのかで評価されるようになる。単に知識を得るといった講習のような教育は行わない。教育は、研究や地域貢献・地域づくりを実践する過程を通じて行う。必然的に教育の場は大学という施設に留まらず、一般の研究所、企業、ＮＰＯなど、大学外の機関を利用することになろう。当然、大学の運営経費も大幅に削減される可能性が高まってくる。

社会の期待に大学がこたえるためには改革・進化が必要であろう。本来、大学の存在は働かないアリのようなもので、その社会的貢献は直接的なものではなく極めて迂回的である。ましてや、量的な指標でランク付けをして評価するものであってはならない。これまでどおり社会が大学に期待するなら、大学の形態は画一的なものでなく多様で、それぞれが異なるものになることを容認しなければならないだろう。

## コラム15 サイコパス（反社会的人格者）との共存

人類は、自然環境に適応する進化過程で集団生活をするようになった。良心や道徳心は、集団での生活を維持し、円滑にする役割を果たしている。もちろん、言語や文字が発達する前から存在しているので、ほかの動物と同じく集団生活を支える感情は本能に根ざしており、脳の構造にインプットされている。ところが、人類のある割合（一パーセント程度と言われている）が、このような感情を生まないか、その感覚が弱いという脳の構造になっている（中野信子［二〇一六］『サイコパス』文春新書、一一ページ）。

このような人たちは、「ルールハック」と言われるゲームのルールや社会の秩序を悪用し、抜け穴を使って人を出し抜くなど、反道徳な行為を行うようだ（前掲書、一〇ページ）。このタイプの人は「サイコパス」と呼ばれており、凶悪な犯罪者に多く、計画的に犯行を実行し、罪の意識は皆無かほとんどないという（前掲書、二九ページ）。

サイコパスのように、集団生活を送るうえで障害になる個体は集団から排除され、進化の過程で絶滅するはずだったが、あいにくと生き残っている。サイコパスは、ウイルスのように、人類の進化にとって意義があるのではないかと見なされるようになってきた。また、サイコパスのうち、暴力的な傾向と衝動性の低いサブグループは一般の人よりも知能が高いという研究結果もある（前掲書、四四ページ）。そして、シリコンバレーの起業者に求められている気質は、次のような点でサイコパスの気質と合致している。
❶変化に興奮を覚え、常にスリルを求め、次々に起こる状況に惹かれる。
❷筋金入りの掟破りのサイコパスは、自由な社風になじみやすく、杓子定規なルールを重視せず、ラフでフラットな意思決定の許される状況を利用する。
❸自分で仕事をこなす技量よりもスタッフに仕事させる能力を重視するリーダー職は、他人を利用することが大得意なサイコパスにもってこい。（前掲書、一八五～一八六ページ参照）

サイコパスあるいはサイコパス的気質の人は、凶悪な犯罪者や独裁的な権力者になる一方で、創造的で革新的な研究や事業を担うことに向いているようだ。中野氏が言うように、「好むと好まざるにかかわらず、サイコパスとは共存してゆく道を模索するのが人類にとっての最善の選択である」（前掲書、二三〇ページ）ことに間違いはない。しかし、それをどのようにして行うかについては、教育のあり方と大いに関係してくる。少なくとも現在の学校教育では、この点について正面から取り上げていないことだけは事実である。

# 第５章
# 脱中央銀行

## 1 お金（貨幣）にまつわる話

### 貨幣の役割

お金（貨幣）とは何か、と人に問われたとき（とくに子どもに問われたとき）、説明するのに困るだろう。「これだ」と実物を示すことはできても、言葉で説明するとなると少々やっかいである。経済学の教科書では、通常、貨幣を説明するのに貨幣のもつ役割（機能）を示し、それらの役割を果たしているのが貨幣である、と説明している。その役割として、①価値の尺度、②交換と決済の手段、③価値の貯蔵の三つが挙げられている。

人々は、日常生活のなかでモノを買ったりサービスを受けたりするわけだが、そのときに交換価値として「値段」が示されている。その値段は、日本では通常「円」が単位となっている。そして、モノやサービスを受け取る対価として、「円」単位の紙幣や硬貨を支払っている。もちろん、紙幣や硬貨を使わず、クレジットカードやスマホで決済しても銀行に預けている「円」預金が使われている。

また、将来に備えて銀行に「円」通貨を預金したり、箪笥《たんす》に「円」という現金を仕舞っておいたりする。このように、「円」単位の紙幣、硬貨、預金は「貨幣」としての三つの役割を果たしている。もちろん、電子マネーや地域通貨も貨幣としての役割を一部担っている。

## コラム16　贈与・交換・決済・貨幣

ほかの人がもっているものを自分のものにするためには、「奪う」、「譲り受ける」、「何か（労力の提供も含め）と交換する」ことになる。現代社会は貨幣経済となっているため、圧倒的に貨幣による交換で必要なモノや欲しいモノを手に入れている。盗んだり奪ったりすることは法律に違反するが、贈与は広く行われている。

貨幣による交換では、詐欺的行為があった場合は別として、交換が終われば人間的な関係は消滅する。しかし、贈与の場合は、むしろ人間的な関係を持続したり、新しく築くために行われている。それには、利害関係や支配従属関係を有利に導くためのものもあるが、慈善活動のように、純粋に豊かな人間関係を目指すものもある。

人間的関係が背後にある交換は「社会的交換」と言われている。政府による社会保障などの移転は贈与のように一方的ではあるが、政府の義務的行為に基づく税の分配なので人間的な関係が希薄なため、社会的交換には含めるべきではないだろう。本書の「プロローグ」で紹介したマーク・ボイルの無銭経済は、まさしく社会的交換の世界である（二九ページ参照）。

近代社会においては、財・サービスの交換を貨幣による経済的交換で済ませようとする傾向にある。そうすると、生活はますます貨幣に依存するようになるとともに人間的な関係が希薄になってくる。また、貨幣は全国どこでも使えるので、地域が国民経済に取り込まれることになり、地産地消が崩れてしまう。その結果、過密過疎化を引き起こすことになり、経済格差の拡大につながってしまう。

---

## 貨幣の社会や人間にとっての意義

貨幣は日常生活を便利にし、経済活動を活発にする役割を果たしてきた。その過程で、貨幣は三つの機能を一層効率的にする方向に進化してきた。現在でこそ貨幣の役割が大きいわけだが、歴史的に見れば、近代以前は経済や社会においてたいした存在感はなかった。近代以前では物々交換が主であったし、納税も物納や賦役《ふえき》が中心であった。また、貨幣を使うことなく一生を終えるという人も少なくなかったと言われている。

それでも、貨幣に関する考察は古くからあり、古代ギリシャの哲学者アリストテレス（前三八四～前三二二）は、貨幣は不自然なものとして、それの獲得に拘泥《こうでい》することはポリス（都市）のあり方を不徳なものにすると考えた。そして、貨幣自体は人間の必要を満たすものではなく、不妊であるとして利子を取ることに反対した。この考え方は西欧中世に引き継がれ、キリスト教の哲学であるスコラ神学では利子をめぐる論争が生じている。さらに、利子に対するこの考え方は古典派経済学者にまで引き継がれた。

利子論争や貨幣の実物経済の影響力などの論争はさておき、貨幣は経済を循環させる手段であり、それがうまく機能しないと経済の発展を阻害する。しかし、貨幣はあくまで手段であり、個人や集団が貨幣の獲得を目的とすると社会に大きな弊害をもたらすことになる。経済学的には、貨幣が死蔵されると流動性の不足が生じ、経済循環が滞って経済そのものが沈滞すると説明されている。

それよりも、元々貨幣で評価できないものを貨幣価値に換算したことで価値観が画一的になり、多様な生き方や文化の多様性が否定されるようになっている。職業についても、生涯で獲得する貨幣所得が多ければ多いほど評価されるという傾向になり、親は子どもに対して自由に職業を選ばせない傾向が強くなり、貨幣所得の多い職業を目指して教育が行われるようになった。その結果、人間関係は「損得勘定」が主となり、何とも味気のない社会になってしまった。

アダム・スミス（四三ページ参照）は「経済学の祖」として有名だが、そもそもは道徳哲学の教授である。『国富論』を著す一七年前に『道徳情操論』（一七五九年）を著している。『道徳情操論』は、ニュートン（Sir Isaac Newton, 1642～1727）の万有引力の法則を社会現象に援用しようとして発想されたものと言われている。それによると、社会を成り立たせている基本的な要素は「理」と「正義」と「情」である。社会を建物にたとえれば、「理」は土台であり、「正義」は骨格で、「情」はインテリアになる。いかに土台と骨格がしっかりしていても、インテリアがよくなければ住み心地が悪いものだ。社会が安定し、裕福であっても、情のない社会では人々の生活は楽しいものにならないだろう。

そしてスミスは、「情」の強さは人と人との生活距離に反比例すると考えた。したがって、家族、同族、同郷、同じ国など、生活空間が離れるほど「情」が薄くなってしまう。このような想定を延長すれば、まったく「情」が働かない人間関係から成立する社会が想像できる。そのような社会では、人々はもっぱら経済的な利害関係だけで結びあっている。そこから「経済人」という理念が生まれたわけだが、これが『国富論』が描いている社会である。

また、スミスは、自由放任の経済社会は貧富の格差をもたらすだろうが、その格差は大きくならないだろうと考えた。なぜなら、「人々の胃袋の大きさに大差がない」からである。毎回の食事において他人の五倍もの量を食べる人はいないだろうし、洋服や靴がたくさんあっても収納しておくのに困るし、家も大きすぎると持て余すだけとなる。「そんなことはない。現実にそういう人がいるじゃないか！」という声が聞こえてきそうだ。確かに、お金の使い方を知らない富裕層などにこのような人がいるだろう。しかし、ここでは一般的なケースをイメージしてほしい。

通常、モノで持てば管理に手間と金がかかるので、必要以上には持とうとしなくなるので経済活動へのインセンティブが下がる。しかし、貨幣はそうではないのだ。いくらたくさん持っていても邪魔にならないし、管理費用がかかるどころか利子を稼いでくれるのだ。さらに、貨幣換算した資産の多さが社会的地位のバロメーターになれば経済活動へのインセンティブは下がらない。これが、経済格差を拡大する心理面の要素である。したがって、**必要以上に財産や金銭を保持する人が社会的に軽蔑されるような環境になれば、経済格差は拡大しない**ことになる。

生活に困らない程度の経済的な余裕があれば、ビジネスで忙しい日々を送るより、自由な時間を楽しむほうがいいだろう。アリストテレスが言うように、「レジャー（閑暇）はビジネスの目的」なのだ。そのような社会風潮が支配的になれば、金儲けにうつつを抜かすような生活スタイルは軽蔑されるわけだが、現実社会は、経済発展を目的として次から次へと必要でもないモノやサービスを生みだしている。そして、それを売るためにテレビ、新聞、インターネットなどの情報手段を駆使して欲望をかき立て、人々を金儲けに走らせている。

このような状況を「悪」とし、貨幣が人間の役に立つものであるためには、人々の欲望をかき立てるものではなく、人々に豊富な自由時間を与えてくれるものにならなければならない。その意味での「時は金なり」であって、お金を稼ぐために一刻も無駄にしないという意味ではない。

貨幣の三つの役割を果たす素材は、「分割可能」で「持ち運び」ができ、「耐久性」があって適度に希少で、その価値が安定していなければならない。それゆえ、貴金属、とくに金や銀が貨幣として使われるようになった。それらを貨幣（表量貨幣）として使用すると、重さを測ったり、品質（純度）を確かめる必要があることから、重さと純度を保証する硬貨がつくられるようになった。そして、国家が硬貨を鋳造し、その保証者となったわけである。

時代を経て、遠隔貿易や都市での商業が活発になるにつれて硬貨が大量に流通し、信用が確保されるにつれて、質や重さに関係なく、刻印された額面価値が硬貨の価値（名目貨幣）として流通するようになった。すると、この事実を利用して純度を落としたり重さを減らしたりして、国家が貨幣量を増やすために改鋳するようになる。「悪貨が良貨を駆逐する」というグレシャムの法則（Sir Thomas Gresham, 1519～1579）は、このような事実から生まれたものである。

両替商は、硬貨の額面価値を信用しない人たちに悪貨と良貨の交換比率を決め、両者が流通する手助けを担った。このような両替商が繁盛して彼らのネットワークができあがると、貨幣はさらなる発展段階に至る。

硬貨は大量になると重くなり、遠くに運ぶとなると費用もかかるほか、盗難に遭うといったリスクもある。そこで、「為替手形」がそのような費用と危険を回避する手段として生みだされた。為替手形の便利さが認識されると、その発展形として「小切手」が生まれ、さらに発展して「紙幣」が生まれた。紙幣は、為替手形や小切手と同様、持ち主に対して銀行（両替商）が正貨を支払うことを約束した証書であり、「銀行券」と呼ばれるものである。これが正貨に交換されることなく流通するようになり、「貨幣の役割」を果たすことになった。

## 2　中央銀行の役割

### 銀行券の発券独占

正貨はその額面が素材の価値に等しい貨幣であるが、経済の発展によって貨幣需要が増加すると、銀行は手持ちの正貨の総額以上に銀行券を発行してその要求にこたえるようになる。このような銀行券が度を超して乱発されると、銀行は正貨の払い戻しに応じられなくなる。俗にいう「取り付け騒ぎ」となって金融パニックになる。このような混乱を避けるために、政府は管理下に置いた「中央銀行」にのみ銀行券の発行を認めることにした。そう、中央銀行による発行権の独占である。

ところで、中央銀行が発行する銀行券（紙幣）の総額が市中に流通する通貨量であるとすると、通貨の供給が経済成長に伴う貨幣需要増大に対して柔軟に応じられなくなる。実物経済の拡大・収縮に応じて貨幣量も拡大・収縮しないと物価は安定せず、それが実物経済に悪影響を及ぼすことになる。この不都合を補完するのが、預金準備制度による市中銀行の信用創造である。この制度を通して市中銀行は、理論上、預金準備率の逆数倍の信用創造が可能になる。仮に法定準備率が一〇パーセントなら、最大一〇倍の信用創造となる。預金通貨は法定通貨ではないので、受取を拒否することができる。したがって、この信用創造を、違った名前と単位の銀行券の発行で代替しても問題はない。

金本位制度のもとでは、中央銀行の銀行券は額面と等価の金との交換が保証されていた（兌換紙幣）。しかし、金本位制を離脱してからは、中央銀行の銀行券は金との交換を停止し、不兌換紙幣となった。そして、金との交換を停止した銀行券の信用を保証するために法定通貨（法貨）としたわけである。

法定通貨とは、モノやサービスの対価として、また債務の決済として使用されるとき、受け取りが拒否できない通貨である。すなわち、額面に等しい財・サービスを受け取ることが保証され、国家権力を背景として、実質的に「正貨の位置」に着いているものである。

日本では、国が発行する硬貨と日本銀行券が法定通貨である。市中銀行の信用創造の産物である預金通貨は法定通貨ではないので、本来なら、預金残高で決済するクレジットカードや電子決済は受け取り拒否ができるのだ。しかし、現実は……。

このように貨幣の発行や流通ならびに金融制度に国家が強く干渉するのは、国民経済の安定と繁栄を願うという建前もさることながら、国家、とくに中央政府の権限を強化することが狙いとなっている。中央銀行制度は、中央銀行を唯一の発券銀行にし、その銀行券を法定通貨に指定して、貨幣の地域的多様性を阻止し、地域の事情にあった貨幣・金融システムの構築を妨げている。その結果、地域経済を全国的市場経済に、ひいてはグローバル経済に強制的に組み込み、地域経済が自立できないようにしている。

日常の生活においては考えることのないこのよう事実、みなさんはどれだけ踏まえているだろうか。さまざまな「気づき」によって社会システムの変革は可能である。それは、貨幣経済においても同じなのだ。学校では教えられなかった「貨幣」の話、一人でも多くの人に「目から鱗」と感じていただきたい。

いずれにしろ財政面においては、中央銀行制度によって中央政府が地方政府（地方自治体）に対して絶対的優位となっているわけだが、言葉を換えれば、政治の中央集権化を貨幣・金融面が支えているということになる。このことは、国債に関する問題で明らかであろう。

「中央銀行は政府の政策から一歩離れて、独自の政策目標を実行するべきである」という主張が時折聞こえてくるが、法定通貨である銀行券の発行特権や中央銀行の役員人事が政府に属している事実を考えると、これをめぐる議論は「茶番劇」としか言えない。

## 日本の国債はどうなる

消費税が一〇パーセントに増税されたとき、日本の国債残高が一〇〇〇兆円を超えることから、「国家の財政危機だ」とか「国の破綻」などと盛んに言われた。しかし、最近は、経済学者の松尾匡《ただす》（立命館大学教授）が著した『反緊縮！宣言――人びとにもっとカネをよこせ』（亜紀書房、二〇一九年）のように、「日本の国債残高はあまり問題ではない」と主張する人が増えている。念のために言うが、筆者は以前からこうした考えのもと、さまざまな本や論文を発表してきた。ただ、残念なことに、それらの研究報告が社会に対して影響を与えなかったというだけである。

道徳や個人間の義理などを別にして、そもそも本来の社会のあり方からして、返済しなくても困らない負債は何ら問題がない。日々の生活に困らない以上の資金や財産は社会や人のために使うのが本筋であって、そうしないで貯め込むほうが問題である。もちろん、返済しないと困るという人からの負債は返済しなければならない。これが、道徳や道理の世界である。

したがって、国の借金も、返済しなくても困らないところからの借金にすればよいのである。

現在、国債残高の五〇パーセント近くを日本銀行が保有している。日本銀行は、手持ちの国債を返済してもらわなくても一向に困らない組織である。おまけに、日本銀行に支払われた国債の利子のほとんどが国庫に返ってくるのだ。

日本銀行は、特殊な形態の「資本金一億円の株式会社」である。国の出資は五五パーセントで、あとの出資者は明らかになっていない（なぜだろう？）。日本銀行の利益は額面の五パーセント、したがって毎年五〇〇万円を株主に配当し、残りは国庫に入っている。極論すれば、すべての国債を日本銀行が引き受ければよいということだ。現在のところ、法律によって日本銀行は国債を直接政府から引き受けることができない。市中にある国債を公開市場操作で売買しているわけだが、法律を変えて、「直接引き受け」を可能にすればいいだけなのだ。

歴史的に見て、中央銀行の国債引き受けは珍しいことではない。もちろん、違法でもなかった。ただ、中央銀行の国債引き受けがあまりにも多額になるとさまざまな弊害が出る。その最たるものが激しいインフレーションの発生である。これは多くの国が経験している。そのため、国債を無制限に日本銀行が引き受けることについては反対意見が多いのだ。

ところで、国債引き受けやＥＴＦ（株式の買い付け）などで異次元の金融緩和が実施されている日本の経済はどうであろうか。激しいインフレーションどころか、日本銀行が政策目標とした二パーセントの物価上昇も起きていない。異次元の金融緩和で増加した流動性は実需要（消費需要や投資など）には向わずに、株式市場や金融市場に流れているようだ。

株価の上昇は、年金基金の運用においてはプラスになる。また、内需が増加して供給が不足しても輸入で対応すればインフレにならない。輸入増で貿易収支が悪化しても、海外資産からの貿易外収入が多いので総合収支は赤字にならない。少子高齢化が理由で人手不足となるほか新型コロナの影響が心配ではあるが、原理的には失業率は上昇しないことになる。

今のところ、「物価の安定」、「失業の解消」、「国際収支の均衡」という三つのマクロ経済指標のパーフォーマンスは問題なく、残る「財政収支の均衡」だけが課題となっている。この課題を解決するために、緊縮財政や増税、そしてインフレ政策が考えられているが、弊害のほうが多いと言える。しばらくは国債の日本銀行引き受けで財政赤字を無害化するほうが得策のように思うが、みなさんはどのように考えられるだろうか。

さて、目を地方自治体の財政に転じよう。地方自治体の財政は「三割自治」と言われるように、運営に必要とされる経費の、平均して三割しか自前の収入がない。あとの七割は、国からの「交付金」と「地方債」で賄っている。ほとんどの自治体は財政面で困窮しており、国への依存度を高めているというのが現状である。

ご存じのように、地方自治体の負債である「地方債」を日本銀行のような銀行に引き受けてもらうといった芸当はできない。地方自治体には、管理下にある発券銀行がないからである。この事実からも分かるように、中央銀行制度は国だけにそのような特権を与えている。その結果として、地方自治体は中央政府への依存度を高めることになる。地方自治体の首長に「元官僚」という人が多い理由にはこのような背景があるわけだが、ここに記したことから、貨幣金融の基本政策は以下のようでなければならないと筆者は考えている。

## 3　貨幣・金融政策の基本的原則

まずは、基本的な原則を詳しく説明しておこう。

**原則1**——貨幣の役割は、あくまで実体経済の運営を円滑にするものであって、その逆ではない。貨幣の蓄積に実体経済が従属してはいけない。貨幣の貯蔵が個人や集団における行動の目的とならないように、貨幣政策の誘導がなければならない。

**原則2**——貨幣・金融制度は、地域の経済的自立を促すものでなければならない。

この基本的な原則から次のような具体策が生まれてくる。

①脱法定通貨——法定通貨の廃止
②脱中央銀行——銀行券・通貨の発行自由

③無金利またはマイナス金利

**具体策①と②**

「具体策①」に挙げた法定通貨の廃止で特権的な通貨をなくし、気に入らない通貨は受け取り拒否ができるようにする。そうすると、通貨を発行する機関同士の競争が生じ、自らの通貨価値を高めようと努力する。それが全体として通貨価値が下落するのを防ぎ、インフレの防止となる。

これと同時に、矛盾するように思えるが、絶対安全な通貨はないということで特定の通貨への偏りがなくなる。資産の保有形態として、円を信用しない人がドルなどの他国通貨を保有するケースと同じである。複数の通貨や株式などの金融資産、そのほか実物資産で保有することになるため、資産管理に時間と費用がかかるようになる。このような傾向は、貨幣で資産を保有する動機の抑止になるし、実体経済に関心が向くことにもつながる。

同時に、「具体策③」が実施されれば、その傾向が一層強まることになる。資産管理に煩わしさを感じるようになると、人々は必要以上に資産を保有しようとは思わなくなるだろう。楽しみを蓄財に求めず、別の方向に求めるようになる。また、ベーシックインカム（九九ページ参照）の導入や資産（固定資産、金融資産）への課税強化は、この方向を一層強めることになる。

さらに資産への課税を強めて、所得税を廃止するというのも一案である。所得より資産のほうが精確に捕捉《ほそく》することができるからである。使う前に所得から税として取られるよりも、使ったあとで取られるほうが納得できるものだ。この案が採用されれば、消費税の増額は自給自足を促すことになるので全体としてはよいかもしれない。

### 具体策②——銀行券・通貨の発行自由

具体策①と③は、主として「原則１」にかかわるものであるが、具体策②は主として「原則２」にかかわってくる。

世の中には、法定通貨ではない通貨が数多く流通している。それらは、法定通貨と同じ名称の単位（円）を使用しているので紛らわしいものとなり、人々は法定通貨またはそれに準じる通貨のように錯覚している。筆者としては、それらを「疑似法定通貨」と呼びたいぐらいだ。

本来は、名称と単位を区別するべきである。誤解している人が多いと思うが、銀行預金などは法定通貨ではない。デフォルト（債務不履行・銀行破綻）のときには、一口座当たり一〇〇〇万円までしか法定通貨に交換されないということを知っているだろうか。とはいえ、現実には法定通貨の何倍もの「疑似法定通貨」が流通している。少なくとも、単位は「円」のままとしても名称は変えるべきであろう。最近流行している「ペイペイ通貨」が「一ペイ＝一円」としているように、預金通貨の場合も、電子貨幣と同じような単位名称を使用するべきである。

ただ、以下で説明する「地域通貨」は、地域の自立と振興を目指して発行する地域限定のものであるため疑似法定通貨とは趣きを異にする。それゆえ、名称や単位も法定通貨と区別する必要がある。

各機関が独自に通貨を発行する場合、その通貨の価値を保証するため、通貨一単位につき一定量の単数または複数の商品提供を義務づけることにする。いわば「商品バスケット本位制」である。もし、地域の特色を活かすのであれば、日常生活に必要とされる基本的な生産物が、その通貨で安定的に得られる「地場産品本位制」として採用するのもいいだろう。そうすれば、一定単位の地域通貨があれば基本的な生活が保障されることになる。

中央政府と同じように地方政府（地方自治体）が通貨を発行するようにすれば、住民の地域経済に対する意識も変わってくるだろうし、地域経済への貢献度も高くなる。その場合、その通貨は税の査定基準と納税手段として使用できるようにして「権威づけ」を行う必要がある。

一方、銀行には、商品バスケット本位制や地場産品本位制を採用してもよいが、預金を集めることができるので特定の通貨を支払準備として発行できるようにする。その場合は、政府発行の通貨を支払準備として用意するのが妥当だろう。

中央政府も地方政府も、それぞれが管理下に置く銀行を設置すれば中央銀行と類似した役割がもてる。したがって、地方政府の銀行も、日本銀行が国債を引き受けるように、地方債を引き受けることが可能となる。そうすれば、地方政府は財政を弾力的に運営できるほか、自主的な事業の実施が可能となる。

こうなれば、とくにインフラ整備などを積極的に行えるようになるだろう。インフラ整備の資金調達で発行した地方債は、国債で言えば「建設国債」に相当する。それは負債と同時に資産の形成ともなるので、国富を増大させることにつながるのだ。資産の増大に見合った負債は、企業で言えば資本である。したがって、この部分は、株式のように元金を返済しない「負債（永久債券）」にしてもよいことになる。

## コラム17　地域通貨とコミュニティ銀行

地域通貨とは、国の法定通貨である円やドルと違って受け取り拒否ができ、限定された地域で使用される通貨のことであり、「補完通貨」とか「エコマネー」と言われている。

地域通貨の歴史は長く、有名なものとして、世界恐慌時の一九三〇年代にドイツ人のシルビオ・ゲゼル（Silvio Gesell, 1862～1930）がスイスで提唱した「劣化する通貨」がある。時間の経過とともに価値が下がる貨幣で、使うことを促進し、経済活動を活発にしようという試みで発行された。この試みは成功を収め、地域経済が活性化し、失業者も大幅に減少した。しかし、スイスの中央銀行が権限を奪われることを恐れて潰してしまった。

郵便はがき

料金受取人払郵便

新宿北局承認

5974

差出有効期間
2022年3月
31日まで

有効期限が
切れましたら
切手をはって
お出し下さい

169-8790

260

東京都新宿区西早稲田
3—16—28

株式会社 新評論
SBC（新評論ブッククラブ）事業部 行

| お名前 | 年齢 | SBC 会員番号<br>L　　　番 |
| --- | --- | --- |
| ご住所 〒　　— TEL | | |
| ご職業 E-maill | | |
| ●本書をお求めの書店名（またはよく行く書店名）<br>書店名 | | |
| ●新刊案内のご希望　□ ある　□ ない | | |

## SBC（新評論ブッククラブ）のご案内

**会員は送料無料！各種特典あり！詳細は裏面に**

| SBC（新評論ブッククラブ）<br>入会申込書 | ※✓印をお付け下さい。<br>→ SBCに 入会する□ |
| --- | --- |

# 読者アンケートハガキ

●このたびは新評論の出版物をお買い上げ頂き、ありがとうございました。今後の編集の参考にするために、以下の設問にお答えいただければ幸いです。ご協力を宜しくお願い致します。

本のタイトル

●この本をお読みになったご意見・ご感想、小社の出版物に対するご意見をお聞かせ下さい
（小社、PR誌「新評論」およびホームページに掲載させて頂く場合もございます。予めご了承ください）

## SBC（新評論ブッククラブ）のご案内
### 会員は送料無料！各種特典あり！お申し込みを！

当クラブ（1999年発足）は**入会金・年会費なし**で、会員の方々に弊社の出版活動内容をご紹介する**月刊 PR 誌「新評論」**を定期的にご送付しております。

**入会登録後**、弊社商品に添付された**読者アンケートハガキを累計 5 枚**お送りいただくごとに、全商品の中からご希望の本を**1 冊無料進呈**する特典もございます。

ご入会希望の方は小社 HP フォームからお送りいただくか、メール、またはこのハガキにて、お名前、郵便番号、ご住所、電話番号を明記のうえ、弊社宛にお申し込みください。折り返し、SBC 発行の「**入会確認証**」をお送りいたします。

●**購入申込書**（小社刊行物のご注文にご利用下さい。その際書店名を必ずご記入下さい）

書名　　冊

書名　　冊

●ご指定の書店名

書店名　　都道府県　　市区郡町

現在の地域通貨のもとになっているのが「LETS（Local Exchange Trading System・地域交易制度）で、一九八三年、カナダのバンクーバー島で広まったものである。日本では、一九九〇年代後半から全国各地で地域通貨の実験や導入がはじめられ、その数は全国で二〇〇以上にも及んだが、いつのまにか下火となった。しかし、電子決済システムを利用できるようになったことで、最近また脚光を浴びている。

地域通貨のメリットとして、次のような点が挙げられる。

❶取引的動機で保有する法定通貨の節約ができる。

❷地域限定的であるので地産地消を促進し、地域の活性化につながる。

❸市場価値をもたないもの（法定通貨での取引の対象にならないもの）、たとえば中古品、傷物、ハンパ物なども地域通貨を使えば交換対象にできる。

❹ボランティア活動などのお礼としての使用が考えられ、その活動を推進することになる。また、地域通貨を引き受ける商店などは、間接的にボランティア活動に参加したことにもなる。

普通の銀行は一般の人から預金を集め、それをさまざまなところに融資して利益を上げているわけだが、その融資先は預金者が望むところとはかぎらない。たとえば、ダム反対者が預けた預金がダムを造る建設会社に融資されるかもしれないし、戦争に反対する人の預金がアメリカの国債購入に回されれば戦争遂行に加担したことになる。

また、原子力発電に反対している人でも、お金を預けた銀行が電力会社の社債や株式を購入しておれば、結局は原子力発電を推進していることになる。もっと身近なところで言えば、商店街に店があり、大型ショッピングセンターの進出で困っている人の銀行預金が、その大型ショッピングセンターに融資されているかもしれないのだ。こんなことも考えながら、取引銀行とは付き合ってほしいものだ。

その一方で、環境保全に尽くしている企業が、なかなか銀行から融資が受けられないというケースが多い。そのため、融資目的を明確にして、預金者の意向に沿うようにしようとするのが「コミュニティ銀行」や「NPO銀行」である。近年、脚光を浴びている「クラウドファンディング」も同様の趣旨のもと、小口の資金集めを行っている。地域通貨の発行とNPO銀行、それにクラウドファンディングが連携すると、地域振興に対して大きな力が発揮できるようになるし、関係者のモチベーションも高まる。

筑後川流域で使われている地域通貨（カッパマネー）

# 第6章

# 脱専門家社会

## 1 分業の進展と専門化

経済の成長発展は、財・サービスの生産が単に量的に拡大することではない。必ず財・サービスの種類が増え、質も向上する。これを技術的に可能にしたのが、分業とその分業を成り立たせている社会経済システムである。分業は人類の初期段階である狩猟採集時代にも見られ、弓・矢などの道具づくりに従事する仲間がいたようだ。彼らは、狩りに出なくても、狩りで得た収穫の分配にあずかるという権利を保持していた。

「分業は生産性、生産物の量と質を向上させ、分業の進展は市場規模に依存する」は、アダム・スミス（四三ページ参照）の言葉として有名であるが、すでにプラトン（前四二七〜前三四七）、アリストテレス（一六八ページ参照）など古代ギリシャの哲学者も分業に言及しており、その弊害についても指摘している。

プラトンは、分業がすすむと物資が豊かになり、贅沢品も出回るようになるにつれ、人々は日常生活の必要を充足するだけでは満足せず、かえって欲望を募らせることになるとしている。これが社会（ポリス）を混乱に導き、戦争にまで発展するとして、「軍人」という専門職を生むとともに戦争の要因になる、と指摘した。

産業革命以前の段階では人間が仕事の主役であり、道具は人間の仕事を補完したものでしかなかった。この場合の分業は一つの仕事に専念することであり、その仕事に習熟する形で人間の身体的・知的技能が発達していった。そして、生産性を上昇させた。しかし、産業革命以後は、機械が人間の生産能力を凌駕し、モノを生産する仕事は機械が主となって、人間は機械を動かすという「補助」の役割をするようになった。また、蒸気機関による輸送革命が市場を拡大させたため、機械化による大量生産は産業間の分業をますます進展させることになった。

大量生産の効率を上げるために製品は規格化され、同じ型のものがつくられるようになり、つくり手の創造性が配慮されなくなり、生産方法も各工程が単純な作業になるように細分化され、それぞれの作業に従事する労働者が配置されるようになった。

生産工程の細分については、アダム・スミスの「釘をつくる工程」が有名である。この工程は一人の職人で分割が可能である。たとえば、最初の一時間で針金を切り、次の一時間で先を尖らせ、最後の一時間で頭をつくるようにすれば、一本一本を仕上げていくよりも効率がよいだろう。これに対して、大量生産方式をすすめる工程では、各段階に専従する労働者が割り当てられることになった。こうして、誰が行っても同じ結果が出るようになり、熟練した技能が不要になる。つまり、労働者も機械化されたということである。

工場における労働者の作業が単純になる一方で、機械などの生産設備が大掛かりになり、複雑化して高度化していく。大量生産のためには材料の均一化が必要で、人工素材も開発されるようになるほか、これに対する技術も高度化して専門化する。ますます生産工程が複雑・精緻化し、専門家しか分からなくなる。言うまでもなく、専門外の消費者や顧客にとっては生産工程がブラックボックスになる。となると、生産物の品質の判断は生産者のプロパガンダと専門家の意見に従うしかなくなる。そして、資格制度がこれに追い打ちをかけることになった。

大量に生産された商品の価格は、生産コストが下がって競争原理が働くために絶えず低下を続ける。したがって、瞬く間に普及し、市場が短期間で飽和状態になってしまう。さらに大量生産を続ければさらに生産コストが下がるので、供給過剰が常態化するようになる。

供給過剰状態を解消するためには消費者に気前よく買ってもらわなければならず、あの手この手を使って宣伝・広告し、ローンやクレジットなどといった販売促進のツールが開発される。この分野でも、広告業やマスコミなど専門業種が派生し、デザイナー、コピーライターといった専門家が活躍するようになるわけだが、それでも市場はすぐに飽和状態となる。

こうなってくると、業績をアップするためには新製品の開発に期待するしかない。しかし、開発された新製品の市場も同じようにすぐ飽和状態となるので、継続して新製品を開発していく必要が出てくる。継続してイノベーション（革新）できるかどうかが、企業が生き延びるための条件になる。資本主義が、「機械主義」と同時に「イノベーション主義」と言われる所以である。

経済の成長発展を求めるかぎり、社会主義の体制であってもイノベーションは必須である。問題となるのは、資本主義と社会主義のどちらがイノベーションに有利なのかということである。先進的経済にキャッチアップする段階、すなわち何をどのようにつくればよいかがおおよそ分かっている場合は、社会主義的体制のほうが有利であろう。しかし、回路（設計図）がなければ資本主義のほうが適している。なぜなら、資本主義体制下のイノベーションの発生メカニズムは、適者生存という生命進化のプロセスに似ているからである。

イノベーションには、経営的手腕に加えて専門的な知識・技能が求められるのは言うまでもない。かくして社会は、単純な労働に従事する労働者という集団と、イノベーションや複雑・高度化した生産設備の製造・操作、そして高度な情報操作を駆使して販売戦略にかかわる専門的技能者（テクノクラート）集団に二分化されることになった。そして、この二分化が経済格差を広げる要因となった。経済格差が教育格差につながり、この格差が固定されてしまうという現象は、日々生活をしている周りを見わたせば分かるだろう。

## 2 知識の細分化

知識は「光」と「果実」を与えてくれる。われわれが生活をしている社会は、さまざまな「謎」に満ちている。この謎を解きたいという衝動は本能的なもので、好奇心がそうさせるわけだが、謎が解明できないと人々は不安に陥るものだ。とくに、生活や生命を脅かす地震、雷、水害といった天変地異や疫病の流行がなぜ起こるのかについては、それなりの説明がつかなければ安心できないし、それを予測することができれば災害から逃れられると考える。

長らく人間は、科学的な説明でなくても、神話や伝説に基づく説明である程度納得してきた。言ってみれば、これが知識の「光」の部分である。一方、得た知識を生活に活かせようとすると「果実」を求めたくなる。知識を果実に結び付ける役割を担っているのが技術なのだが、技術は道具と同じで、使い方を間違えば社会に害をもたらす。

ところで、現在社会においてもっとも信頼を置いている知識分野と言えば科学的なものであろう。科学的に実証されないものに対して、人々は全幅の信頼を置かないという傾向がある。この信頼の根拠は、科学的に説明された現象は因果関係が理論的に説明され、かつ実証されていることにある。実証とは、理論が導く手続きに基づけばその現象を再現できるということだ。その手続きに従いさえすれば、誰がやっても同じ結果が得られる。ただし、そのためには対象とする範囲を限定しなければならない。言ってみれば、厳しい条件設定のうえに科学的な知識は成り立っているということだ。

この再現性が義務づけれていることが、科学の研究分野を細分化している。再現性を確実にしようとすればするほど攪乱要因を排除するために条件付けが厳しくなり、適用できる範囲を狭めるからである。研究分野の細分化は、業績を上げるために研究者をますます専門分野に閉じ込める。当然、機会費用が発生するため専門以外のことにほとんど興味を示さないし、仮に興味があっても時間的余裕や知識の壁が大きいため研究対象に加えなくなる。年々膨大な科学的知識が蓄積されているわけだが、各知識は分散していて統一感がないと言える。

## 3　専門知・専門家をハックする（xページ参照）

このように科学的知識は、精確さを求めれば求めるほど対象分野は細分化され、専門化されていく。精確さを求めるのは「果実」を期待するからであり、誤った知識を適用すれば「果実」が得られない。一方、「光」を求める場合は、それぞれの人の好奇心を満足させたり不安を解消することが目的となるので、多少の不精確さは問題とはならない。時には、精確さよりも仮説の斬新さや面白さが歓迎されることもある。

日本大学芸術学部教授の山本雅男氏が『ヨーロッパ「近代」の終焉』（講談社現代新書、一九九三年）という興味深い本を著している。この本のなかで山本氏は以下のように述べている。

〝科学的〟の名の下に、厳密性を追求したから、いかに多くのものを排除してきたか。想像力の自由な拡張を〝科学的〟の一言で抹殺することがまかり通ってきた。なにより自由度の高い思考法は、近代科学が依存してきた因果の法則を拒否し、縦横無尽に飛躍する発想から始まるからだ。（前掲書、一二三ページ）

知識が細分化して精確になること自体は悪いことではない。知識の細分化で問題となるのは以下の三つである。

❶専門化しすぎて、門外漢には理解困難となり、正しいかどうかが判断できなくなる。

❷細分化しすぎて、分野間のつながりが見えなくなる。

❸知識の道具化に伴って、何に使われるのかが分からないために不安となる。つまり、使用目的

が適切なのか、あるいは目的間の整合性はどうなのかということである。一方で火をつけて、一方で消しているようなケースにならないかという疑問である。

知識や技術が専門化し、門外漢にとって理解し難いものになると、知識や技術が適切な分野や目的に使用されているかどうかが分からなくなる。つまり、知識や技術の適応の仕方が、社会的観点から見て妥当であるかどうかの判断が難しくなるということだ。

また、知識や技術が精確さを求めるようになると、前述したように目的が限定的になる。専門家は自分の分野については詳しいが、ほかの分野については無関心である。その結果、ある目的を達成しようとするとほかの目的と矛盾することになり、思いもかけない副作用を生む場合がある。

とくに、知識や技術が産業分野に使用され、産業主義に奉仕されるようになると弊害が大きくなる。なぜなら、私的利益と社会的利益が一致するとはかぎらないからだ。これが軍用として使用される場合は、もっと大きな弊害が出ることは分かるだろう。広島や長崎への原爆投下やベトナム戦争における枯葉作戦を見ても分かるように、勝利のために副作用などは無視されるのだ。

専門家も人間であるから、自分が獲得した知識と技術を自らの経済的利益あるいは社会的評価につなげようとする。そのため、自分が追究する分野と知識の存在意義を意識的にも無意識的にも高めようとする。したがって、専門家の発言は世間の注目を喚起することになり、一般の人々は専門家の意見に対して過剰反応してしまう。

同様の理由で、専門家はもっている情報を公開することに対して公平かつオープンになるとはかぎらない。政治家も、政治目的を正当化するために専門家の意見をつまみ食いしているし、専門家の意見を広げることを使命としているマスコミもまた中立的ではなく、報道する情報もかぎられたものとなっている。ご存じのように、マスコミの経営が広告に依存している以上、スポンサーの意向に逆らうことはできないのだ。

専門家の意見は尊重しなければならないが、注意が必要である。厳密に条件付けされた科学的知識も仮説にすぎず、新しい事実が発見されればすぐに修正される。ましてや、厳密に科学的方法を適用できない社会現象や日常生活のことになると、専門家の意見は万能とは言えない。よって、鵜呑みにするのは危険である。自分自身の価値基準をもって、専門家の意見と対話するといった姿勢が大切である。そのためにも教養を高める必要があるわけだが、残念なことに、現在の教育システムではそれが教えられることはない。

さて、経済活動が広がるにつれて、夥しい商品やサービスが提供されている。そのなかからどれを選択するかという判断に苦慮するケースが多いわけだが、それは、まがいものや低水準のものが紛れている可能性があるからだ。この点に関しては、公的機関による認可や資格制度がある程度意義をもっていると言えるだろう。

しかし、認可や資格の基準や制度は専門家の意見や要望が反映されているので、専門家の立場を擁護し、彼らの利益になるように設計されるという傾向がある。つまり、ギルド的性格をもつようになり、競争の制限が質の向上につながるのかどうかが問題となる。そして、資格を得るための講習・教育ビジネスが繁栄し、資格があっても実質の技能が伴わないペーパードライバーのようなものが生まれるという現象を生みだしている。

逆に、充分な技能があっても、公的な資格がないためにその業務に携われないというケースも起こっている。必要以上に認可や資格制度を拡大し、規制を強化するというシステムは社会的コストを引き上げることにつながるし、多様な生き方の選択肢を狭めてしまう。

さらに問題なのは、現在の産業主義経済が、イノベーションの源泉を科学的知識と技術に求めていることだ。よって、科学的知識と技術は企業利益に奉仕し、産業の発展に寄与すべきものだと見なされている。

大学における産学連携は、学生運動が盛んであった五〇年前では学問の独立性を危うくするとして批判的であったが、現在では国を挙げて推進されている。その結果、研究予算は産学連携のプロジェクトに配分され、基礎的研究が冷遇されるという事態となっている。ましてや、科学知識の根底にかかわる性質や社会的意義についての哲学的な考察が疎かにされている。アンドレ・

ゴルツ（一〇〇ページ参照）は、先に紹介した本『エコロジー共同体への道』において、「科学が、意味や目的や真実に対する配慮が姿を消してしまった、操作的な技術のがらくた化とした」（二三九ページ）と述べている。少し誇張はあるが、この傾向は無視できない。

操作の対象となった自然は、「不完全な工場であり、生物は不完全な機械設備であり、労働者は不完全なロボットであるかのように」（前掲書、二四一ページ）見なし、「私たちの文化は生物的なものにたいして機械的なものを優先させ、多次元の複雑さに対して還元志向の単純さを、自己決定の能力をもつ生物にたいして厳密にプログラム化された人工的な機械を優先させる」（前掲書、二四〇ページ）ことになる。

ゴルツは、このようなパラダイムに導かれた科学を「死をまねく科学」と呼び、次のように述べている。

---

「死をまねく科学」は、産業主義のイデオロギーを伝播し、延長する。このイデオロギーは、自然と同時に人間を支配しようという熱狂の中で、人工的な機械のうちに普遍的な規範体系《パラダイム》を見ている。つまり生は「生物的機構」と同一視され、植物は化学工場と同一視され、ロボットは人間を説明する役割を果たし、コンピュータは記憶を説明する役割を果たす。（前掲書、二四〇ページ）

繰り返すが、企業のイノベーションによって生みだされる生産物やサービスは、企業の利潤や産業の発展に寄与するが、必ずしも社会や地球全体にとって望ましいものになるとはかぎらない。そして、長期的には、企業や産業にとって「負の遺産」になるかもしれないのだ。

企業がグローバルに活動する現在では、これらに関する監視と規制は国際的に実施されることになる。しかし、その対応は後追いになりがちである。この問題は、現実に逼迫した状況となっているので、国連などの対応に頼ってはいられない。政府は、自国だけが先進的な取り組みをすれば経済的に不利益となるので、産業界の顔色をうかがって二の足を踏むことになる。

また、自国のやっかいな産業廃棄物を発展途上国に押しつけたり、国内では都会で生みだされた産業廃棄物を過疎地に運んでいる。前述したように、都会が使う電力のために原子力発電所などを過疎地に建設している。安全であると確信するなら都会の真ん中に造って送電コストを節約すればいいだけなのに、そうすることは絶対にない。

現在、被害のしわ寄せを直接受ける地域住民が、自主的に対応するといった必要性が生まれている。グローバル化がもたらす負の影響を、地域の自立と自律で防御しなければならないということである。

分業の進展と専門化がもたらす国の画一的な規制や資格制度は、地域の事情にそぐわないケースや、地域の自律と自立を促す地産地消や自給自足的経済の基盤を妨げる大きな要因となっている。その理由として以下の五つが挙げられる。

❶多くの生産やサービスの体制が、全国あるいはグローバルな規模で展開されているため、地域の消費者が支払った代金の一部、あるいはかなりの部分がその地域に残らない。とくに、利益の大部分が地域外に出てしまい、地場産業を振興する投資資金が地域に蓄積されない。

❷規制や資格が厳しいと、地域の零細な事業者が参入できない。たとえば、ダムや高速道路などといった大規模なインフラ事業に地元企業が参入できず、末端の下請けに甘んじる状態となっている。

❸全国画一的な規格・規制、そして資格が地域の事情に合わないため、資源の有効利用につながらない。かつて、校舎をコンクリート建築に統一したことで、地産の木材が使用されなくなったという事例からも明らかである。

❹学校の統廃合などを画一的に実施すると、過疎化に拍車をかけることになる。

❺役割の専門化をますます細かく強制している。家庭内に集約されていた生活の広い諸側面（仕事、遊び、教育、福祉、健康）が、ますます専門家の機関（企業、学校、医療福祉機関）に取って代わられている。

医師や介護の資格など、地域に合った多様な資格制度があってもいいのではないだろうか。診療所、病院、介護施設、保育所などの設置基準も、地域の事情に合わせた柔軟で多様なものにするべきである。特定技術の使用を脅迫や瞞着《まんちゃく》（ごまかす）などの形で他人に強要するのは、人権に対する最大の侵害である。また、不特定多数の人間や将来世代の生存と生活に影響を及ぼすような技術使用は、多数決で正当化されるようなものではないだろう（エントロピー学会編『地域自立を考える』［エントロピー読本Ⅳ］日本評論社、一九八八年、一八～二〇ページ参照）。

地域独自の、その地域ならではのものが必要なのだ。第3章で取り上げた教育制度のみならず、医療や介護、福祉などについても地域独自のものが必要である。たとえば、僻地における医療などに都会の医療と同じ資格や規制を当てはめると、ますます僻地の医療は衰退する。資格を前提とするならば、僻地独自の医療資格と制度を考えるべきである。また、遠隔医療を充実させるために、そのための専用資格があってもいいのではないだろうか。

高齢化が理由で医療費の高騰が話題になっている。日本の健康保険制度では、医療サービスが過剰気味であることも一因である。新型コロナの影響で受診者がかなり減少していることがそのことを物語っている。

医療費を削減するためには、まず病気にならないことが第一である。そのためには、自身の健康管理は本人が主体的に行わなければならない。国民全員が医師になったつもりで取り組まなければならないわけだが、いったいどれくらいの人がそのことを自覚しているだろうか。

癌に効く温泉と知られている「大川温泉」の外観と露天風呂。なぜ癌が治るのか不思議であるが治る。医者は「説明できない」と言うが、説明したくないだけかもしれない。

〒831-0013 福岡県大川市中八院241-１
TEL：0944-88-0026
日帰り温泉で、宿泊はできない。定休日は、第２、第４火曜日。

癌の場合に多く見られるが、医療でも素人の実験的な試みが実効性をもつことがある。子どものときから医学的知識を身につけて、病気にならないように心がけるといった習慣を育てる必要もあるだろう。それこそＡＩを活用して、それをプログラム化すれば効率的になるはずだ。そのためにも、医療に関する情報公開を進め、たとえば「医師一級」、「医師二級」などといった段階別の資格を設定するべきであろう。もちろん、介護などにおいても同様である。

ＡＩやロボットなどの技術がすすむにつれ、専門家の一部領域へ素人が参入しやすくなる。もちろん、機械の操作が簡単・容易になるからである。自動車の運転もかつては専門職であったが、今は誰もが乗れるようになっているし、近い将来、自動運転になるだろう。コンピュータも、余程の高度な技術を必要とするもの以外はすべての人が使えるようになっている。

プロフェショナルは技能と情報収集の面で優れているが、このうち情報はインターネットとＡＩの発達で誰にとっても身近なものとなる。このようなことが、有用な情報が一般に知らされなく、かつ都合の悪い情報が隠蔽されるといった弊害や、資格制度によって仕事の分野を専門職が独占するといった弊害を防ぐことにつながる。

## コラム18　産業主義に奉仕する技術の弊害

人類の叡智を結晶した高度な技術が、主に産業界の利益だけのために使用され、社会や世界全体の福祉と幸福への貢献が二の次にされているというのが現状であろう。そして、私的利益の追求が社会全体の利益につながるという神話がこのことを後押ししている。誰が言いだしたのか知らないが、これは成長神話とともに危険な神話である。

工業における大量生産方式が農業生産にも適用され、それが産業主義の目的に従うと事態はさらに大きな弊害を生むことになる。農産物は人々の健康に直接かかわり、土地を最重要な資源として使用するために環境への影響も大きい。そして、産業主義の目的は利益であるため、人々の健康や環境は無視されることになる。これについて、非常に興味深い本を見つけた。『ファーマゲドン――安い肉の本当のコスト』（フィリップ・リンベリー＆イザベル・オークショット／野中香方子訳、日経ＢＰ社、二〇一五年）に次のように書かれていた。

先進国はその工業力によって農業の大量生産化を図り、食料と田園都市を様変わりさせ、意図的ではないにせよ、重大な結果を招いた。それは質より量が重視されるようになったことだ。農家は最高のものを作るのではなく、市場の最低基準を満たすことを奨励された。狭い場所に家畜をぎっしり詰め込むことで生じる病気を抑え込むために、抗生剤が投与を許可された。抗生剤には成長を早める働きもあり、ホルモン剤とともに、家畜を早く太らせて肉にするのに役立った。（前掲書、八〜九ページ）

農薬の大量使用が生態系を狂わすことは、一九六五年、レイチェル・カーソン（Rachel Louise Carson, 1907～1964）が著した『沈黙の春』（青樹簗一訳、新潮文庫、一九七四年）においてすでに指摘されている。その三〇年後に出版された『失われた未来』（コルボーン、ダマノスキ、マイヤーズ／長尾力、堀千恵子訳、翔泳社、二〇〇一年増補改訂版）では、それが性ホルモンのように作用し、生殖能力を破壊するとされている。

先ほど紹介した『ファーマゲドン――安い肉の本当のコスト』によれば、さらに健康への被害が深刻である。このような事実について次のように指摘している。

人間や動物に抗生剤を与えるたびに、耐性菌が育つ機会を増やしているのは確かだ。その危険性が最も高くなるのは農場でしているように、人間や動物に低用量の抗生剤を与えることだ。細菌にとってそれは、微調整をして耐性を獲得するのに理想的な環境であり、そうやって生まれた強力な細菌が動物から人間に移る可能性はいくらでもある。「ワン・ワールド・ワン・ヘルス」のスローガンが、会場（二〇一一年ガーナのアクラで開かれたガーナ獣医学会）の獣医の間で大いに交わされ、「動物と人間の健康は深く関わりあっている」という結論に至った。（一九三ページ）

農薬・化学肥料・抗生物質・ホルモン剤などを大量に使用する工業型農業が環境と人間の健康に弊害をもたらすことが、かなり一般的に知られるようになった。それに加えて問題なのは、工業型農業では供給者（化学肥料、農薬、機械の生産者）の収入や収益は増えるが、農家の収益が増えないことである（前掲書、三九四〜三九五ページ参照）。

工業型農業は、農業の生産性に影響する外部経済効果を活用しないばかりか、生態系を狂わすために外部経済を外部不経済に転換してしまう。その例を挙げると、農薬散布が理由で自然のハチがいなくなり、その埋め合わせとして、受粉のハチを貸すという「ハチビジネス」が繁盛している。また、農薬による昆虫や水棲生物の消滅が鳥類を消滅させている。

鳥類は森に帰って糞をするわけだが、その糞が樹木の肥料となるので、鳥類がいなくなると森や林の荒廃につながる（一一五ページも参照）。荒廃した森や林は、災害の原因となるとともに、栄養に富む水が川に流れないために田畑が肥沃でなくなる。それが理由で肥料が必要となる。さらに、災害復旧や圃場整備の外部不経済のコストを負担しないで政府に負担させている。それが、生産物の価格を安く設定することを可能にしている（つまり、偽装価格になっている）。

また、人間の食料になる穀物を人間が食べないで家畜に与えて工場式農場で肉に変えるというのは、お金にはなるが、地球資源の保全から考えると非効率で、持続可能とはならない。人間が初めて羊や牛を飼うようになったころ、人間が食べられない草をそれらが食べて、人間が食べられるものに変えてくれていた（前掲書、二二一ページ）。ちなみに、豚の場合は人間の食料と競合している。それが、イスラム社会で豚を食べない理由の一つとなっているが、残飯や人間の排泄物なら競合にならない。

カナダのマニトバ大学の計算によると、牛肉一キロに二〇キロの飼料、豚肉は七・三キロ、鶏肉は四・五キロが必要で、集約的な養鶏場の例では、八九二平方メートルの土地で一五万羽の鶏を生産している。その餌となる穀物を育てるのに九〇ヘクタールの農地が必要である。この農場整備に、政府からの補助金が支出されている。

そのほか、農業振興の名目で出される補助金や、工場型食肉工場がもたらす環境汚染（その修復は公費で賄われる）などを考慮すると、四ドルのハンバーガーが一〇〇ドルになるという試算もある（前掲書、三二〇ページ参照）。

魚の養殖も同様で、魚を浪費するだけで真の利益を生みださない。「投入する魚」対「得られる魚」という大ざっぱ比率から見ても、かぎられた資源の極めて非効率的な利用法である。小魚を捕って餌にして養殖すると、天然魚を減らすことになる。また、養殖場は海の汚染にもつながる（前掲書、一一七～一一九ページ）。

専門家による養殖技術の開発は、ますます人工的食料の生産につながってしまう。言うまでもなく、良好に保たれた生態系から得られる収穫を減らすからだ。外部経済と自由財を減少させ、外部経済から得られる恩恵を消滅させることになり、とくに貧しい生活の人々を直撃する。人間の健康にもっとも責任がある医療分野にも、産業主義の影が覆いはじめている。先に挙げた『エコロジー共同体への道』という本でアンドレ・ゴルツは次のように述べている。

（医療制度の）象徴的な機能は「健康な人びとのために、治癒のショウの公演を組織する」ことであり、このショウは「個人の消費の構成要素」となっている。（前掲書、三七ページ）

この治癒あるいは健康さえも、他のものと並んで商品になった。この商品は専門家たちによって小売りされ、薬品産業と医療産業によって大量販売されている。社会保障によって解決された唯一の問題は、この商品を買うことができるものになったということである。疾病の社会的原因は、疫病的には往々にして古くから知られていたものであり、それを除去することは明らかに可能であるにもかかわらず、無視されているものである。（前掲書、三七〜三八ページ）

今日私たちの生命は、私たちの生命を脅かすものによって脅かされているばかりではなく、科学と医療という私たちを守るものによって脅かされている。（前掲書、二四一ページ）

癌の治療をめぐる問題がこの典型であるかもしれない。抗癌剤の効果についてはさまざまな議論があり、専門家のなかでも意見が分かれている。同じ症状であっても、抗癌剤を使用した人ほど早く死に、拒否した人が生きながらえているという事例が多くある。それにもかかわらず、抗癌剤をすすめられる人が多いと聞く。なかには、「抗癌剤を売るための陰謀である」と話している人もいるぐらいだ（『どんなガンでも自分で治せる！』川竹文夫著、人間出版、二〇一八年参照）。

もちろん、降圧剤についても同じようなことが言える。年齢を無視した形で血圧の正常値範囲を設定すると降圧剤の需要増加につながる。このような現状を見ると、患者が産業主義の犠牲になっているとしか言えない。企業や専門家は、消費者や患者に正確な情報を知らせるべきである。また、これにはマスコミにも大きな責任がある。産業主義に基づく情報が氾濫すると消費者は判断できなくなり、自らの問題を自分で解決できる分野が狭くなってしまう。その結果、企業や専門家に従属せざるを得なくなる。

## 4　対話型専門知

前節ではさまざまな社会的矛盾を述べたわけだが、われわれの日常生活は、専門的知識と技術に支えられていると言わざるを得ない。そして、実際、それらに頼らざるを得ない日々を送っている。

問題となるのは、それらにどのようにアクセスするかであり、どのように活かすかである。つまり、専門家と一般市民との対話をどのようにすすめていけばよいのかということである。このことはコロナ禍で鮮明になったが、従来から、新幹線建設、原子力利用、河川改修、地球温暖化などにおいて、専門家の意見と社会の要望をどのように調節するのかが課題となっている。

専門家、とくに科学者と対話するには、科学とはどういうもので、どのように発展してきたのかをイメージしておく必要がある。通常われわれは、科学は一つの確定した知識体系で、揺るぎない正しい知識に満ちたものであると考えがちである。これは「硬い」科学観あるいは「事後の科学」と呼ばれるもので、このような立場に立ってしまうと、問題を解決するためにその確固とした知識を応用しようとしてしまう。

そうすると、新型コロナによる社会問題などのように多岐な専門分野にかかわっている場合は、専門外から提示された新しい事実や課題に対応することができず、専門分野を超えた対話がすすまなくなる（平川秀洋「専門知の『柔らかさ』とどうつきあうか」〈世界〉No.936、二〇二〇年九月号、岩波書店、二五三～二五七ページ参照）。

物理学者のアインシュタイン（Albert Einstein, 1879～1955）とインフェルト（Leopold Infeld,

1898～1968）が著した『物理学はいかにつくられたか』（石原純訳、岩波書店、上下巻、一九六三年）では、科学知識の発展過程が頂点のない山登りにたとえられている。

山を登り、だんだんと高くなるにつれて、時には樹木やちょっとした下りに遮られるが、視野は広がっていく。科学知識も同じで、試行錯誤がありながら徐々につくられていく。山登りと違うところは「頂点」がないということである。このような科学観の「つくられつつある科学」や「柔らかい科学」では、知識の妥当性境界はダイナミックに構築されるか、あるいは再構築されることになる。未限定の答えのない現実社会の問題解決には、このような「柔らかい科学観」に立つ必要がある。

専門家と一般市民との対話によって閉鎖的な専門主義と一般社会が歩み寄り、誰に対しても公開される「専門知の公共知化」が可能になる。このような対話がスムーズにすすめられるためには、専門家の閉鎖的な共同体の外部に、両者の橋渡し役となる「対話型専門知」の領域が必要となる。対話型専門知とは、専門家共同体が生みだす貢献型専門知には貢献しないが、その分野の暗黙知を含めた言語能力を有し、専門用語を使いこなし、ある分野の専門家とそれ以外の人たちがもっている知の橋渡しとなるものだ。

一方、貢献型専門知とは、その分野の暗黙知を獲得し、その分野における知識の蓄積に貢献できる専門的能力に関するものとなる。ここで言う暗黙知とは、ある実践に習熟することで得られ、その実践を遂行できるものなら誰もがもっているが、それ以外のものには言語では伝え難い能力で、体で覚えた知識能力、外部化できない能力、そして専門家がもつ特有の勘といったものである（平川［二〇二〇］前掲書、『専門知を再考する』コリンズ，H．＆エヴァンズ，R．／奥田太郎監訳、和田滋・清水右郷訳、名古屋大学出版会、二〇二〇年参照）。

コロナ禍や地球温暖化など、社会のさまざまな領域にまたがる課題に対応するためには、「公共知化した専門知」のプラットホームをつくって、それを支える個人や組織のネットワークが必要である。そして、貢献型より対話型の専門知を駆使して、このネットワークにおいて諸分野を翻訳し、伝達する「知識ブローカー」といった役割を担う人材と、それを育成するためのシステムをいかに確保するかが重要となる。

さらに、このネットワークを持続しながら、有権者・納税者・市民の責任として「つくられつつある科学」に向き合い、専門家との対話を通して、提起された問題に関して結論または一定の方向性を導く方法論や手段を確立しなければならないだろう。先に紹介したゴルツは、次のようにも述べていた。

「私たちにもっとも不足しているのは、私たちが知らないことにたいする知識ではなく、私たちが知っていることを考える能力である」（ゴルツ［一九八五］『エコロジー共同体への道』辻由美訳、技術と人間社、二四二ページ）

## コラム19　コンセンサス会議とシナリオ・ワークショップ

専門家との対話を通して提起された問題に関して、結論または一定の方向性を導く手段となる「コンセンス会議」と「シナリオ・ワークショップ」を紹介しよう。

コンセンサス会議の包括的な定義は、「コンセンサス会議とは、政治的、社会的利害をめぐって論争状態にある科学的もしくは技術的話題に関して、素人からなるグループが専門家に質問し、専門家の答えを聞いた後で、この話題に関する合意を形成し、最終的に彼らの見解を記者会見の場で公表するためのフォーラムである」となっている。したがって、コンセンサス会議で言うところの「コンセンサス」は、日本の行政が主催する「審議会」や「諮問委員会」で理解されているような意味ではない。そこでは、あらかじめ問題に対する解決策が事務局より提示されており、主催者が選んだ委員が検討する。

コンセンサス会議で主体となるのは、公募で選ばれた市民パネルである。市民パネルは多様な専門家の見解を聞き、それに対して、市民パネルだけで「鍵となる質問」を作成し、再度その質問に答えるにふさわしい専門家と対話を行い、最終的には市民パネルだけで提言を行うことになる。

ここでの合意には、設定された問題に一つの見解を生みだすだけでなく、市民パネルのなかでも多様な見解があることを互いに認め合うことも含まれている（『環境共生型社会のグランドデザイン』月尾嘉男監修・NTTデータ経営研究所 I-community 戦略センター編、NTT出版、二〇〇三年、四八～四九ページ参照）。どうやら、裁判における陪審員制に似ているような感じだ。

参考までに述べておくと、コンセンサス会議は世界各地で実施されてきたという歴史をもっているが、日本では、「遺伝子組換え農作物」（二〇〇〇年の農水省の委託事業。その後、形態とテーマを変えつつ二〇〇三年まで継続）、「ヒトゲノム研究」（二〇〇〇年の科学技術庁の委託事業）や「安間川河川整備構想」（二〇〇一年の静岡県）などとなる。

一方、「シナリオ・ワークショップ」は、地域の問題に四つの異なったシナリオを提示し、リスク・コミュニケーソンを通して合意に至るという方法である。したがって、四つのシナリオのなかには、現状維持のままではどうなるかを分析し、予見したシナリオが必ず含まれることになる。

シナリオ・ワークショップは、以下の三点でコンセンサス会議とは異なる。

❶市民が政策決定者や専門家、企業の責任者とともに政策決定プロセスに参加する。

❷地域の持続可能な開発をテーマにその地域の問題を取り上げ、解決策の合意に至ることを目的とする。参加者も地域の人々に限定される。

❸あらかじめ焦点の異なる四つの政策シナリオが提示されていること。そして、市民を含めた四つの立場の異なる二五人から三〇人が集まり、四つのシナリオについて批判や意見を交わすプロセスを経て共通のビジョンを共有し、最終的には四つの政策シナリオから一つを選択するのではなく、新たなシナリオをみんなでつくり上げていく。

シナリオ・ワークショップは、リスク・コミュニケーションとして有効である。そのためには次のことが重要となる。

❶何もしない現状維持のケースを含めて、可能なかぎり多様なリスク評価に基づく複数の政策オプションを住民に提示する。

❷専門家が解釈するための前提となる情報ベースを管理し、最新情報を常に地域住民が即座に取りだせるようにしておく。

❸地域住民は、自分に降りかかるリスクについて境界設定ができず、混沌とした情報からリスクを判断せざるを得ない。また、ほとんどの地域住民はそのリスクについて第三者に説明する技術をもたないので、行政や専門家は地域住民の懸念するリスクを理解し、その領域についての情報を収集して提供する。

一九九一年、デンマークで開催された「都市環境：持続可能な住居と未来の生活」におけるシナリオ・ワークショップのシナリオは次のようになっている。

❶インテリジェント・ハウス――高度に技術に依存した住宅。環境問題も技術で解決。

❷ソーラーハウス――自然エネルギーを活用した住宅。自給自足の生活。

❸高層マンション――高層マンション。地域で一体となり、協働で環境問題に取り組む。

❹超過密・低層住宅――現代の都市部の住宅。環境への対応も現状維持。

（月尾前掲書、四八～五三ページ）

ここで紹介した二つの方法は、科学者や行政担当者などの専門家と市民の対話として実に効果の高いものであるが、残念ながら日本ではほとんど実施されていない。新型コロナ対策のように緊急を要する場合は、時間の関係でこのような方法は適切とは言えないだろうが、原子力発電所や治水におけるダム建設の問題などは、じっくりと市民との対話を必要とするだけに、この方法を採用するべきだと筆者は思う。

では、採用されない理由は何であろうか？　まだまだ知られていない「裏の事情」があるのかもしれない。

# 第7章
# 脱労働社会

## 1 「仕事」、「遊び」、「学び」と労働

人間の活動における「仕事」とは、生産活動のように生きてくうえで生活を成り立たせ、充実させるものである。「遊び」は、仕事のような目的意識に直接結びつけることなく、ただ楽しい時間を過ごすことで、自由であればあるほど楽しい。「学び」は、仕事であれ遊びであれ、それに必要な知識や技術を意識的に、あるいは無意識的に獲得することである。

幼児の段階では、「遊び」と「学び」は区別されることなく行われる。大人の大半の行動様式においても、「仕事」、「遊び」、「学び」を意識的には区別していないだろう。おそらく、仕事と学び、そして遊びが分離するように強く意識しはじめたのは、目的合理性を要求する近代になっ

てからではないかと思われる（『働くことの哲学』ラース・スヴェンセン／小須田健訳、紀伊国屋書店、二〇一六年、二一～二二ページ参照）。

さて、労働（labor・労苦）だが、これは強制された仕事である。強制と言ってもさまざまあるが、暴力、脅迫、法律、契約などによる場合が多い。近代社会になって、労働は契約に基づいた金銭など経済的報酬の見返りとして行うものとなり、暴力や脅迫による強制は違法となった。それでも契約の順守には法的な強制が伴うため、何らかの苦痛（labor）がついて回ることになる。

古代ギリシャ人が労働を軽蔑したことは知られているが、それは他人の命令に従って働くからである（前掲書、三二ページ参照）。自主的に働くことは広い意味でレジャー（余暇）に属し、学問や政治活動、あるいは戦争も貴族にとってはそうであった。アリストテレス（一七〇ページ参照）が言うように、「事業は目的でなく、レジャーのための手段」であった。

従属的に働くのは人間的なものではなく、奴隷のレベルであると考えた。したがって、ここで言うレジャーは、リラックスやレクリエーションとは異なり、幸福や人生の目的を実現するための自由な時間となる。

スコラ哲学は中世のキリスト教神学を構成しているわけだが、ギリシャ哲学を基礎としている。しかし、労働観においては、ギリシャ哲学の考え方を踏襲しないで、労働はキリスト教徒としての「徳」を高めるのに役立つとした。これはヘブライ（古代イスラエル人の文化・思想）の伝統を引き継いだもので、「富む」ということは神に認められた証であった。つまり、富むために精進しなければならないということだ。

富むためには、無駄な消費を省き、事業への投資を増やさなければならないし、日々勤勉に働く必要がある。この精神は、「富とは徳にかなった行動の産物」とするプロテスタントに引き継がれて、職業倫理を宗教に基づかせるのではなく、仕事それ自体を宗教にした「天職」という概念に結びつく（前掲書、四四～四五ページ参照）。

一方、カトリックはこれとは違うようである。レジャーを大事にするギリシャ思想の影響が強く、フランスやドイツなどにおいて夏季に長い休暇をとるという習慣はこの伝統に由来しているようだ。

日本人の勤勉さは世界が認めるところであるが、それは何に由来しているのだろうか。イザヤ・ベンダサンというペンネームで知られる評論家の山本七平（一九二一～一九九一）は、「道」の精神にあるとした。「道」は、人間が理想とする人格に至る修行の普遍的な表現である。われわれ日本人は、「剣術」とか「柔術」とは言わず、「剣道」とか「柔道」と言っている。剣術・柔術は人を殺傷し、自らを守る技術であるが、剣道・柔道はそれらの技術を習得するためのプロセスを通して人格の陶冶《とうや》を目指すものなのだ（『勤勉の哲学――日本人を動かす原理』山本七平、ＰＨＰ研究所、一九七九年参照）。

日本人は、何事においても「道」を求めるのが好きである。日本の野球は単なる「ベースボール」ではなく、「野球道」を目指していると評する人もいる。また、江戸中期の石門心学《せきもんしんがく》[1]では「商人道」が説かれている。「商い」は単なる金儲けではなく、人格形成の修業の場であり、「三方よし（自分よし、奉公人よし、周りよし）」といった社会的な貢献が必要であるとしている。

ところで、今述べた「天職」と「商人道」はあくまでも「仕事観」であって、「労働観」ではない。言うまでもなく、一般の労働者にとって現実の職場は「労働の場」であるため、「天職」や「商人道」の対象にはならない。

## 2 賃金について

契約に基づく労働は、雇用主と労働の提供者（労働者、被雇用者）の間において、契約内容が公平であるか、そして交わした契約どおりに履行されるのかが社会的な関心事となる。契約内容での最大の関心事と言えば、労働の対価となる「賃金」である。

---

（1）思想家の石田梅岩（一六八五～一七四四）を開祖とする倫理学の一派で、平民のために平易で実践的な道徳教を説いた。

賃金がどのように決まり、その水準はどうなっているのかについては、経済学の一分野を構成している。賃金の水準に関しては、どの水準であるべきかということと、現実にどの水準に決まるのかは別の問題である。生産物の価格が労働価値に依存することを主張している労働価値説をめぐる議論の混迷は、この区別がないことに原因がある。しかし、両者は関連しているのだ。

労働者あるいは労働者側は、その水準がどうあるべきかという観点から賃金を雇用主に要求する。一方、雇用主側は、可能なかぎりそれを引き下げようとする。これが理由で、賃金水準は両者の「綱引き」において決まることになる。したがって、賃金の相場は両者の交渉力に依存し、その交渉力には、両者の団結の強さと労働市場の需給関係が影響してくる。

労働者にとっての賃金の最低水準、すなわち「これ以下だと労働の提供を拒否する」というラインは生活の水準に依存している。要するに、これ以下になるとまともな生活ができず、働かないほうがましであるとする水準である。

古典的な表現では、労働力の再生産可能水準（自然賃金率）である。この水準は固定的なものではなく、時代によって、経済の発展段階に応じて変動してきた。福祉国家を標榜する政府は、この水準と順守を法律などによって決めている。

経営者側が支払の拠り所とする賃金基準は、労働の生産性と生産力である。つまり、労働がどの程度生産物に価値を付加し、利潤に貢献するかである。企業の生産活動と利潤に労働が大きく貢献してくれるなら、それだけ高い賃金を支払ってもよいと経営者側は考えている。

たとえば、プロスポーツ選手の年俸はこの考え方で決められている。人気の高い選手ほど多くの観客を呼び込み、所属球団やクラブの経営に貢献すると判断して高い年俸を払っているわけだ。しかし、年俸にあっただけの貢献をしているかどうかは定かではない。他球団や他クラブの有名選手を獲得する競争で、バブル現象のように、実際の貢献度以上に年俸が吊り上がっている場合もある。そして、その分だけ、ほかの選手が貢献度のわりには低い年俸での契約となっているかもしれない。

大量生産方式に見られるように、複雑な工程を単純な工程へと細分し、ルーチン化・マニュアル化すれば、誰がやっても同じ結果が出るようなる。したがって、ルーチン化・マニュアル化された単純な労働は、労働の生産性に関して言えばあまり差が出なくなる。また、肉体的な労働についても、人間の体力には何倍もの差がないので、労働の生産性に差が出るケースは少ない。

一方、知的労働については生産性の個人差が大きくなる。特種な技能や専門的な知識については特別の待遇がなされ、プロフェッショナルな業務やテクノクラートには高い報酬が支払われている。

ＡＩ／ロボット技術の進歩によって、肉体的な労働ばかりでなく知的労働にもそれらが導入にされると、肉体労働と知的労働の賃金格差が縮小するだろう。一方、ＡＩ／ロボットの開発や製作、ソフト開発などといった特殊技能と必要とされる知識分野は残るが、それに従事する人数はそれほど多くない。最先端部分に携わる少人数を除き、大部分の労働はマニュアル化されて単純になり、部門間や産業間、それに地域間の賃金格差は縮小される。その結果、生産の成果は資本に多く配分されるようになってしまう。

ところで、ＡＩ／ロボットは電力を使うかもしれないが、労働者のように衣食住にまつわる製品やサービスを消費することはない。もちろん、住居も不要である。このことが、ＡＩ／ロボット時代における最大の経済問題となる。要するに、生産の成果がますます資本に配分されて労働者の取り分が減少すると、消費需要の冷え込みで経済が成り立たなくなるということだ。となると、このジレンマを解決する必要が出てくる。

このジレンマへの楽観的な見方にトリクルダウン理論(2)への期待がある。簡単に言えば、資本所得を得る高所得者層の需要が増えると、それが低所得者の雇用につながるというものである。

少し古い本だが、アメリカの経済学・社会学者ソースティン・ヴェブレン（Thorstein Bunde Veblen, 1857~1929）が一八九七年に著した本がある。邦訳書では、『有閑階級の理論』（小原敬士訳、岩波書店、一九六一年）となっている。有閑階級とは、財産をもっているために生産的な労働に従事することなく、閑暇《かんか》を娯楽や社交などに費やしている階級のことである。

この本で示されているように、高所得者層の需要が洗練された文化を創造し、芸術品や芸能など文化的需要と文化産業の発展に寄与すると期待しているのがトリクルダウン理論である。それらがＡＩ／ロボットでは生産できない人の手を必要とするモノやサービスへの需要につながれば、先に挙げたジレンマの解消につながるかもしれない。しかし現在、その効果は疑問視されている。その理由は、以下の三つに要約できる。

❶現在の文化消費を支えているのは中間所得層であり、ＡＩ／ロボットの普及は中間層に打撃を与えることになる。中間所得層が没落すると、有閑階級としての高所得層が生みだした文化的な需要は広がらない。

❷高所得者層の需要はグローバルに広がるので、地域や国内への刺激は部分的になる。

❸ヴェブレンが想定した貴族的な有閑階級とは異なり、現在の高所得者層は産業主義が生みだしたものであるため、産業主義そのものに毒されている。よって、かつての有閑階級が生みだしたような質の高い文化の創造に寄与できるかどうかは大いに疑問である。つまり、高価で贅沢かもしれないが、産業主義が生みだす品のない文化の消費者でしかないということだ。

（２）（trickle-down effect）「富める者が富めば、貧しい者も自然に豊かになる」とする経済に関する仮説で、一八世紀の初頭にイギリスの精神科医が提唱し、その後、古典派経済学に影響を与えた。

このジレンマの解消には、地域の自立が欠かせない。地産地消の場合、地場で働いている人の待遇がよくならないと地場の需要が増えない。一方、全国展開やグローバルな市場を相手にしている企業などは、地場の経済がどうなろうと関心がないのかもしれない。

彼らは、地域経済が振るわなかったとしても、労働市場が買い手に有利となれば賃金を抑えられるので短期的には問題視することはないだろう。しかし、長期的にはそうならない。地域経済が停滞し、社会インフラが整わないと従業員の定着率が悪くなり、企業の長期的な戦略遂行に影響を与えることになる。一方、地場に足場を置く賢明な企業であれば、この状況を経営戦略に加えるだろう。

## 3　雇用と労働

自ら事業を展開するための手段となる土地、資本、情報、技術がなく、またあっても自分で事業をする意志がない場合は、誰かに雇われて労働者となり、賃金を得て生活の糧にするという道を選ぶことになる。産業革命以前は、わずかな資金とちょっとした技術・技能があれば自立した職人になれたし、飲食、宿泊などといったサービス業の主《あるじ》となっていた（屋台の経営は、もっとも資金が少なくてすむ起業の一つである）。

産業革命以後は大量生産方式が支配的となり、とくに製造業の場合、規模の大きな生産設備が必要となるためにこの分野への参入障壁が高くなった。さらに、成功した大企業が労働者に高い賃金と安定した雇用を保証するようになったため、多くの人が起業するよりは「就職」という選択肢を選ぶようになった。

したがって、福祉国家を標榜する政府は、人々が安定した生活を送れるように、雇用の確保、失業の解消を政策の主要目標に置いて、そのためのさまざまな経済政策を実施する。それらは、短期的でマクロ経済の観点からの総需要創出による「景気浮揚政策」と、長期的な観点から経済構造を強化する「産業政策」に分けられるだろう。とはいえ、前者については、成熟した経済社会ではその効果が疑問視されている。

### コラム20　雇用第一主義政策の問題点

マクロ経済政策の有効性については、医療効果と対比すると分かりやすい。医療分野においては、人の健康維持に対してはなかなか明白な効能が出ないが、悪くするのには極めて有効となる。同じく、経済政策にも経済をよくする決め手はないが、経済を悪化させることには驚くほど有効である。よって、経済政策の第一原則は、政府の政策が経済を悪化させないこととなる。やってしまうと必ず悪くなる政策、たとえば急激な緊縮財政や金融引き締めなどの「禁じ手」

を行わないことである。

また、病気になると医師の治療が必要かつ重要となるが、医者の治療効果があったのは全体の一五パーセントぐらいで、あとは医者にかからなくても自然に治るか、医者にかかっても仕方のないものである、という報告がある。

経済においても、不況時の総需要政策はカンフル注射のように効果はあるが、そうでない場合は効果がない。ましてや、先進国の経済は水膨れしており、いわば肥満体質である。つまり、これ以上栄養剤を与える必要はまったくなく、するべきことは体質改善なのだ。経済格差が拡大すると社会基盤が弱体し、人間で言えば足腰が弱くなる状態である。さらに、過密過疎化といった状態は、頭ばかりに血が回り、足が冷えている「足寒頭熱」の状態であると言える。

もう一つたとえれば、植林の杉のように頭ばかりが大きくなって根が張っていない状態であり、ちょっとした激しい雨風に遭うとすぐに倒れてしまう。地球環境の悪化はこのような体に毒を注ぐ行為となるので、免疫力を低下させてしまい、感染症にかかりやすくなる。

マクロ経済理論において問題となるのは、一国の経済を巨大装置のように考え、効率的に運営されており、資源が有効に配分されている、と想定している点である（『絶望を希望に変える経済学——社会の重大問題をどう解決するか』アビジット・V・バナジー、エステル・デュフロ／村井章子訳、日本経済新聞社出版、二〇二〇年、二七四ページ参照）。しかし、現実の経済には不効率な分野や資源の配分に問題がある。そのままの状態で経済全体が拡大すれば、不採算部分を温存し、資源の配分はますます歪んだものになるだろう。したがって、ミクロ経済に視点を当てた産業政策の補完が必要となる。つまり、経済を成長させる主な目的は雇用の確保であるとして、雇用確保を所得分配の手段とすることが問題なのだ。道義的な意味において、もっともふさわしい手段をもってそれを考える必要がある。

ウッドワード（一〇一ページ参照）が『資本主義はゼロ成長でも生き残る』（大原進訳、日本経済新聞社出版、一九七六年）という本を著している。この本のなかでウッドワードは、先の記述を「雇用第一主義」と呼び、「雇用第一主義は、所得配分のための不細工でムダな方法であるという以外に、何の役にもたっていない」、そして「雇用を要求することは、働く意思の表明ではない。国民所得の分け前にあずかりたいという要求なのだ」（前掲書、一三二～一三三ページ）としている。

国民所得の分け前にあずかる要求は、共同体の一員であるかぎり、そしてその一員である義務を果たしているかぎり「権利」となる。その義務の履行は、「働かざるもの食うべからず」というような狭い範疇で考えるのではなく、雇用されているかどうかに関係なく、組織の一員であるという意識があれば果たせるものである。働かないアリに意義があるように、存在自体が義務の履行になっていると考えるべきだろう。

経済構造を強化する産業政策は、経済社会を取り巻く環境に適応し、社会が要望する方向と両立する経済構造を実現していくことである。それは持続可能で、質の高い生活を実現する経済構造であるべきであろう。具体的には、地球環境をこれ以上悪化することなく改善に努力し、人々の生活を維持・改善して、国内的にも国際間でも経済格差を是正し、世界平和と両立する経済構造のことである。

それを実現するための基本的な考え方として、第一には、労働時間の短縮を経済政策の目標とする。労働時間を設定して、その労働時間を達成した場合、経済全体にどのような影響が出るかをシミュレーションし、弊害に対する対策を考える。経済成長がなくても雇用が確保される方策、たとえばワークシェリングなどを採用する。

第二には、働きがいのある仕事を増やす。やりがいをもてば熱心に仕事をするようになるし、仕事が楽しくなる（ウッドワード［一九七六］一五六ページ参照）。

やりがいのある仕事の一つとして、社会的に意義のあるものが挙げられる。人々は、仕事が単に金儲けの手段ではなく、その仕事が社会に貢献するものであればやりがいを感じるものだ。たとえば、環境と経済のウィンウィン関係を創出する仕事、文化産業のように文化創造やその普及にかかわる仕事、健康関連産業のように人々の健康増進に寄与する仕事、そして平和に貢献するといった仕事などである。

しかし、社会的に意義が高いはずの公務員の労働意欲はあまり高くない。どうも一般社会では、「お役所仕事」に関してあまり評判がよくない。その理由は、各公務員の資質よりも、組織のあり方に問題があるからだろう。

第三に、働きやすい職場づくりである。業務が上司からの命令服従によるのではなく、裁量の余地が大きく、自主的に責任をもって仕事ができるといった職場づくりである。

労働者と雇用主の利害が一致しないと管理を必要とするわけだが、逆に一致するなら管理の必要性は減少する（スヴェンセン［二〇一六］一四二ページ参照）。それには、社員と上司の協力体制と、平等な立場で仕事について話し合う、ボトムアップでもないオープンワークが欠かせないだろう（『仕事と家庭は両立できない？――「女性が輝く社会」のウソとホント』アン・マリー・スローター／関美和訳、ＮＴＴ出版、二〇一七年、二三〇ページ参照）。

先に挙げた稲盛和夫の提唱する「アメーバ経営」（一二四ページ参照）は、自由裁量のあるオープンワークの職場を目指していると言えるかもしれない。このような職場であれば、本人の意向が反映され、時間設定が柔軟なフレキシブル勤務や在宅勤務が容易に実現する。よい経営者は、労働環境を楽しい場所にする設計方法を心得ていると言われている（ウッドワード［一九七六］一六四ページ参照）。

第四には、女性が働きやすい職場づくりである。労働条件や仕事に関する男女の差別をなくすことだ。これに関しては、次章の脱性別社会で詳しく触れることにする。

第五には、職業のマルチ型、つまり兼業が評価されることだ。異なるキャリアが組み合わさるポートフォリオ型キャリアのマルチ型人間の働き方が一般化するように目指す（スローター［二〇一七］二〇九ページ参照）。すでに半農半Xや、単一の雇用主のために一定期間働く代わりに、独立した職人やフリーランスの請負人が必要に応じてサービスを提供するオンデマンド経済が市民権を得ている。言うまでもなく、オンデマンドサービスは「共有経済（シェアリング・エコノミー）」につながる（前掲書、二二七～二二八ページ参照）。

第六として、一定期間職場を離れるコミットメント期間を制度化する。一定期間（たとえば一年間）の休暇を取って職場に復帰するという仕事のインターバルがとれれば、従来の仕事に新たな意欲やアイディアが生まれるとともに新しい事業への挑戦や準備が可能となる（前掲書、二二七ページ）。

一代で全国展開の家具メーカーを築き上げた「関家具」（福岡県大川市）の関社長。「楽しくなければ仕事ではない」が社訓

第七に、総じて言えることだが、「仕事」と「遊び」と「学び」が一体化すれば、楽しく働き、仕事も充実する。大事なことは、労働者自身が産業主義の呪縛を解き、仕事をする場合、金銭で買えないものがあると自覚することである（ウッドワード［一九七六］一六一ページ参照）。

筆者は大阪の出身だが、大阪には「おもろくないのは正義でない」とする精神風土がある。それと同じように考えると、「楽しくない仕事や労働は正義ではない」となる。

## 4　脱労働社会

生活保護や新型コロナで実施された一括給付やベーシックインカム（九九ページ参照）などに反対する理由として、「働く意欲を削ぐ」といったことが挙げられている。現在のところ、そのようなことにはならないというのが一般的な見方であろう。それどころか、起業に関しては、セーフティーネットがあるからこそ積極的になれるという意見もある。

最近はコマーシャルにも登場するようになった古市憲寿（社会学者）が著した『国家がよみがえるとき――持たざる国であるフィンランドが何度も再生できた理由』（トゥーッカ＝トイボネンとの共著、マガジンハウス、二〇一五年）には次のように書かれていた。

> 福祉の充実した国（フィンランド）だから、事業で失敗しても、職業訓練を受けるなり、大学に行くなり、福祉を利用して再チャレンジできる。セーフティーネットがあるからこそ、気楽に起業に挑戦することができる。（前掲書、一六九ページ）

ここで問題にしなければならないのは、「働く」という意味である。それが労働を意味するなら、「意欲を削ぐ」と言えるかもしれない。生活の保障がある程度得られるなら、多くの人は「嫌な仕事＝労働」はあまりしたくないと思うだろう。働かなくてはならない場合でも、ある程度生活に余裕があれば、嫌な仕事は辞めて、できるだけ自分にあった楽しくて働きやすい職場を探すだろう。また、そのような職場を見つけることができれば、人々はやりがいのある仕事に積極的に励み、生産性も上昇するはずだ。

ベーシックサービス（ＢＳ）やベーシックインカム（ＢＩ）などでセーフティーネットが充実し、人々は労働の質を求めてより良い仕事に就く機会が増えれば、過酷な条件で人々を働かせている「ブラック企業」と呼ばれる経営者たちが困ることになる。このような状況は彼らに労働条件の改善を求める機会となり、できなければ撤退の憂目に遭うだろう。言うまでもなく、社会的に考えれば好ましいことである。

経済を成長と発展に導く原動力はイノベーションである。イノベーションによって、新しい製品やサービス、そして生産方式やシステムが次々と生みだされて、われわれの生活を便利で快適なものにしてくれる。とはいえ、精神的な満足や幸福を高めてくれるとはかぎらない。

究極的な価値としての資産は、物的なものよりはよき人間関係であり、自由な時間（余暇）をもてることだと言われている。そうすると、幸福になる働き方とは、よき人間関係をつくりながら自由に時間を使う、というものになる。言い換えると、仕事のなかに「遊び」と「学び」が分離されることなく渾然一体化している状態であろう。これは、プロスポーツ選手、芸術家、学者・研究者、よき職人、あるいは「成功した人」など、すべての人に当てはまる。

プロ野球の選手にとっては、野球が好きだからその道を選んだわけであり、怪我やスランプで苦しむときもあるだろうが、楽しいから続けられるし、努力もできる。その結果、仕事として成功に至る（もちろん、挫折する人もいる）。一方、ノーベル賞を受賞した研究者も、研究は苦しいものではなく楽しいものであり、彼らにとっては遊びであるかもしれない。そして、芸術家や職人の作品も、そこに「遊び心」があるから創造的なものになり、鑑賞する人の心を和ませ、楽しませている。

成功した人とは成功するまで続けた人である、とよく言われる。幾たびかの挫折を乗り越えてやり遂げた人、ということである。人の何倍も努力を重ね、意識的であるかどうかは別として、心の底では楽しんでいるところがあるから続けられたのだろう。したがって、これからの課題は、誰もが「遊び」と「学び」と「仕事」が一体化した働き方ができるように環境を整えられるか、となる。そのためにどのような制度設計をする必要があるのだろうか。幸いにも、経済環境はその方向に向かっている。

第1章で述べていたように、経済構造のなかでサービス業が圧倒的な割合になっていることからもそれは証明できる。サービス業のなかで「第五次産業」と呼ばれる人間の能力を量的に強化し、質的に洗練された産業が重要になる。

また、人間と人間がかかわる分野ではホスピタリティが重視されている。誰が考えても明らかなように、あらゆるものがＡＩ／ロボットで代替できるかどうかは未知数なのだ。義務感だけで対応されたときのことを想像してほしい。顧客からすれば楽しくないだろう。顧客と一緒に楽しむという遊び心がなければ、顧客が望んでいることは分からない。

未来の世界においては、われわれが「労働」としているものがますます自由裁量の領域になり、現在は「遊び」や「レジャー」と呼ばれているものに似た状態となるだろう。もちろん、筆者はそれを願っているし、そうなることをイメージして本書を著した。

## コラム21　便利になるほど忙しくなる――自由な時間がもてなくなる?

便利になれば、時間が節約されて暇になるはずなのに、逆に忙しくなっているように思える。

たとえば、今までだったら不便なために訪れなかった所に行けるようになり、時間がかかってあきらめていたことができるようになると、ついそれを実行しようとしてしまう。便利になると、活動範囲や行うことが増えるということだ。また、メールなど、情報が豊富に入ってきて欲望が刺激されてしまうということもある。

その結果、やりたいことや対応しなければならない仕事が増えてしまい、余計に時間をとられてしまう。そして、便利なツールを手に入れるためのお金が必要になる。それを稼ぎだすために忙しくなり、結果として自由時間が減るといったケースが考えられる。

生活での充実感を促すために快適さや便利さを求めるというのは悪いことではないが、時間に追われてストレスがたまり、健康を害するといったリスクも生じる。宣伝・広告などに惑わされず、自律性をもってむやみに必要以上を求めず、「足る」を知って自由時間を楽しむことが肝要である。

便利さや快適さの追求をどの次元で止めるかは、それぞれの人の「美意識」に依存する。インスタント食品は便利ではあるが美的ではない。プラスティック、ペットボトル、紙コップは便利ではあるが美的ではない。便利さにかまけて日常生活をこれらに依存していると、生活に潤いをなくしてしまう。機能的であり、便利なものであっても、美的でないものは飽きが来て、長く使うことはないだろう。

使い捨て文化もほどほどにしておかないと、資源の浪費になるばかりか生活における文化的な質を低下してしまう。自由な時間があれば、料理をつくったり、メールをやめて毛筆などで手紙を書く、またできるだけ歩いて移動するなど、不便を楽しむといった余裕を生みだしてほしいものだ。

一九世紀の半ば、ジョン・スチュアート・ミル（iiページ参照）、そして二〇世紀の半ば、J・M・ケインズ（iiページ参照）も、技術の進歩によって人類は生活に必要なものを生産する労働への従属から解放される、と予言していた。しかし、現代の様子を見ると、大多数の人が自由な時間をたっぷりと楽しんでいるようには思えない。

もっとも、自由時間が増えて、「小人閑居して不善をなす」（中国の四書『大学』の第一章）にならなければよいが……。

# 第８章　脱性別社会

## 1　男と女

　なぜ、生物に雌雄があるのだろうか。その理由は、遺伝子の保存に関係しているという説が有力である。遺伝子は、その情報を伝えるために何回となく複製される。複製されるごとに多少のずれが生じ、最終的には元の情報を伝えることができなくなる。それで、その情報を元のままに残すために、複製されないように遺伝子を二つに分けて保存するようになった。そして、合体することで複製を再開する。

　二つに分けられた遺伝子は、それぞれ「精子」と「卵子」に保存されるが、精子をつくる個体は雄で、卵子をつくる個体は雌である。精子は遺伝子のみからなるウイルスのような存在であるが、卵子は大きな細胞でミトコンドリアを含み、精子と合体後に細胞分裂しながら成長する。ちなみに、卵子より精子のほうが圧倒的に多い。

生命はできるだけ多く自分の遺伝子を残すように、すなわち自分の種族を残すように行動すると考えられる。精子のほうが圧倒的に多いので、卵子と合体できない精子が出てくる。そうすると、卵子を求めて精子の競争が生じる。雌を奪い合って、雄同士が争うわけである。体が大きく、力が強いほうが争いに有利なので、自然淘汰によって雄は体が大きく力強くなる。

一方、雌は争わないので必要以上に大きくなる必要がない。エネルギー効率から最適な大きさがある。それが理由で、一般的には雄のほうが雌より体が大きい。そうだからといって、雄が雌を支配しているわけではなく、それぞれ役割があって、どちらが「上」でどちらが「下」ということではない。ライオンの雄は家族の縄張りを守るのが役割となっており、狩りは雌が行っている。しかし、人間の雄と雌、つまり男と女は、野生動物とは多少事情が異なるようである。

先進国の仲間に入る国は「一夫一婦制」の婚姻制度が基本となっている。現在ではかなり崩れてきたが、生産と消費が分離した産業社会では、家計は主に消費の場であって、夫が働きに出て生活の糧《かて》を稼ぎ、妻は家庭に残って育児や家事を担当する。民族学者の梅棹忠夫《うめさおただお》（一九二〇～二〇一〇）が著した『女と文明』（中公文庫、一九八八年）によると、日本では封建社会の武士の家計にこの原型があるとなっているが、これが近代社会のステレオタイプである。男女共同社会の実現に向かって、女性側から差別であるとして、このステレオタイプに反乱の烽火が上がっている。

一夫一婦制は、できるだけ自分の遺伝子を残すという生命の本能を抑制し、遺伝子の配分を平等化する。なぜ人類はこの制度を発明し、普及させたのだろうか。どうやら、進化の過程で合理性があったと思われる。男性が女性を獲得するための争いを抑制し、その分、経済活動や子育てなどに精力を使うことになったとされる。また、幼児が成人に育つ確率を上げることにもつながる。鳥類に雌雄一対が多いのも、子育てに都合がよいからだろう。

そして、社会の産業化と一夫一婦制の定着が男女の差別を助長した。自給自足的な経済が崩れ、生産の機能が家族・家計から分離し、仕事の場が空間的にも家庭から遠くなると、夫婦のどちらかが働きに出て、一方が育児・家事を分担するという分業が選択される。そして、妊娠・出産という女性の宿命により、自然と女性が家庭に残るケースが多くなった。

産業社会のなかで生活の糧を稼ぐには、新しい知識や技術・技能を獲得しなければならない。家庭外に出た男性はより良い生活と社会的地位を求めて、雌を獲得する争いとは違った競争にさらされる。ご存じのように、「男が家を出ると七人の敵がいる」という諺もある。

一方、育児や家事は長年にわたって各家庭で蓄積されてきた知識や技能・技術があるので、女性はそれらを家庭において「オンザジョブ」で修得することができる。とくに、両親と同居の場合は都合がよい。したがって、教育にかかる投資はどうしても男子に集中されてきた。これが、法的に男女平等が確立しても女性の社会進出を遅らせている原因である。

ところで、一夫一婦制が定着すると、男性はやたらと自分の遺伝子が残せなくなる。では、遺伝子に代わって何を残そうとするのであろうか。

一般的な生物は、環境に適応した遺伝子を残すことで種族を保存してきた。一方、人類の場合はどうだっただろうか。遺伝子を残すこともあるが、ほかの生物に比べると、圧倒的に非遺伝的な情報である文化を継続進化させることに費やしてきた。文化の形成進化が、言ってみれば人間繁栄の源である。そうすると、文化の継続進化への貢献が自らの存在を後世に刻印することになる。

人間は、自分の遺伝子を多く残す代わりに、自らが刻印できる文化への貢献を目指していると言えるのではないだろうか。そして、このことは、歴史的に文化の維持形成に深くかかわってきた聖職者の結婚が禁じられてきたことにも関係している。

## コラム22　婚姻制度の多様化

先進国では一夫一婦制が支配的であるが、世界を見るとそうでもない国が多い。イスラムの国では四人まで妻をもつことが許される一夫多妻制であり、逆にチベットでは、兄弟で一人の妻を共有する一婦二夫制となっている。また、中国の雲南省では女系家族の通い婚が残っているという。

現在では、異性婚が基本となっているが、同性婚も増えている。また、正式に結婚しないでパートナーに留まるカップルも増えているし、結婚しないで子どもをつくらないという男女も増えてきている。このような状況が出生率を確実に低下させているわけだが、これらについてどのように考えたらいいだろうか。

動物の集団には群衆効果（crowed effect）があり、個体群密度が高まると増殖を抑える行動に出ると言われている（日高敏隆『動物にとって社会とは何か』至誠堂、一九七六年参照）。たとえば、トノサマバッタは幼虫の生息密度が大きくなると、翅も肢も長く発達して群衆相のバッタになって移動する。米や麦につくコクゾウムシは、個体群密度が低いと盛んに交尾するが、個体数がある限度を超すと交尾回数が急速に低下する。そして、キンバエの一種のツジキンバエは個体群密度によって産卵数を調整している。一方、家ネズミは非情な個体調節を行っている。ある範囲の地域に住むネズミは、その個体数が増えるとほかの地域に住むネズミに攻撃を仕掛けるが、個体数が減ると元の平和な状態に戻る。

前掲した『動物にとって社会とは何か』によると、人間社会も動物と同様に本能的な個体調節作用をもつとされている。しかし、人間は食料を生産する能力をもち、かつ決定的な天敵もいないので、人間社会の群衆効果は甚だ不完全なものであるとしている。

周知のように、イギリスの経済学者マルサス（Thomas Robert Malthus, 1766～1834）は、人口の増加に対する妨げを、死亡率に関係する「積極的妨げ」と出生率に関係する「予防的妨げ」に分類した。前者は疾病・飢饉・戦争などによる妨げであり、後者は避妊・堕胎や宗教・風習・習慣などといった道徳や制度による妨げである（『人口論』永井義雄訳、中公文庫、一九七三年参照。原典は一七九八年刊）。

世界の総人口が八〇億人に達しようとしているが、無制限な人口増はどう考えても可能ではない。八〇億が限界であるとか、一二〇億まで大丈夫だとかいろいろな説があるが、上限は必ずあるので、人類は何らかの手段で人口を調節しなければならない。しかし、この調節を、積極的な妨げによることだけは絶対に避けなければならない。とくに戦争は、一つ間違うと人類の破滅につながってしまう。

したがって、人口の調節は予防的妨げに期待しなければならい。それも、無理がなく、苦痛を伴わないほうがよい。そのためには、性の多様性を認め、柔軟な結婚制度のあり方を模索しなければならないだろう。現在のところ、社会の趨勢は確実にその方向にすすんでいるように思える。そして、社会制度の設計は、人口の増加を前提にするのではなく、維持あるいは減少を前提にしたものでなければならないだろう。

## 2 男女の平等化

社会環境の変化に伴い、男女が置かれている状況の違いが薄れてきている。体力もしかりで、男が腕力を鍛える理由がなくなったため男女の格差がなくなってきている。事実、幼児期は女子のほうが体力的に勝っている。それ以後の差は、鍛え方の違いで出てくる。この点においては、さらに平等化するための遺伝的要因の変化を待たなければならないので、長い時間がかかるかもしれない。

一方、知力については体力ほどの差はない。女性が教育を受ける機会が確保されるにつれて、まったく差がなくなってきた。むしろ、学校の成績は一般的に女性のほうが上である。また、情報処理能力やコミュニケーション能力も女性のほうが優れていると言われている。子育てや介護に従事することでその能力が養われ、それらが遺伝的に継承されているからだろう。

現在のような知識・情報産業の発達が理由で、女性の活躍する職場が大きく開かれている。それをふまえれば、日本社会も男女が平等になる社会に向かっている、と言うことができる。とはいえ、「男女平等社会」といってもさまざまである。

国によって、男女平等社会の歴史的な成り立ちからして違いがある。日本やヨーロッパなどは、男性社会から徐々に女性の地位が向上して男女平等になってきた。これに対してタイなどは、初めから男女平等社会であるという。女性の社会的進出も、北欧諸国などと比べても決して見劣りしないのだ。この国の文化的特色として、男女平等が実現しているのである。というよりも、女系家族の文化で、男女の区別をあまり意識しない文化であると言える（梅棹忠夫［一九八八］参照）。もっとも、日本やヨーロッパなども、歴史の初期段階では母系社会であった。それが、何かの歴史的な事情で男性社会になったわけだ。

なお、男性社会・女性社会といっても内実は複雑である。家庭内の地位と家庭外の社会的地位とは必ずしも連動していない。この観点に関しては、①家庭内⇓男、社会的⇓男、②家庭内⇓男、社会的⇓女、③家庭内⇓女、社会的⇓男、④家庭内⇓女、社会的⇓女、という四つのケースが挙げられる。しかし、家庭内の権力構造はそれぞれの事情があって多様であり、②のケースは、個別的にはあっても社会全体がそうであることはないだろう。

男性社会から男女平等社会に移るのは、①のケースから③のケースに移って、徐々に女性の地位が向上してくる形態である。とくに、家庭内の実権を女性が握ると、建前的には男性社会であっても実際は女性社会となる。商品なども女性が好むものでなければ売れなくなり、観光地も女性が来ない所は人気が出ない。したがって、外で働く男性の仕事の中身は、どうすれば女性が好むモノやサービスができるか、となる。そして、稼いだ給料は妻の管理下に置かれることになる。

女性の社会進出では、日本は先進国のなかで最下位のほうに位置しているが、内実は女性がかなり実権を握っていると言えるだろう（筆者の家を見てもしかりである）。よって、女性の社会進出の度合いを数量的に判断することにはあまり意味がなく、実態がどうなっているのかを検証すべきである。

## 3 ケア経済

夫婦のどちらかが外に出るにしても、育児、子育て、家事を誰かがしなければならない。その一部を機械化や外注によって軽減できるとしても、仕事と子育て・家事を両立させるのは決して簡単なことではない。そして、シングルマザーやシングルファーザーの場合は、この両立から逃げることができない。トラやクマの場合、雌と雄が出会うのは発情期だけで、生まれた子どもは雌のみが育てている。シングルマザーやシングルファーザーは、トラやクマにならないといけないようだ。

この問題を解決する第一歩は、育児・介護・家事を社会的に重要な仕事として認め、少なくとも外で働く仕事と同等あるいはそれ以上に評価することである（アン・マリー・スローター［二〇一七］参照）。子どもたちが立派に育たなければ世代が断絶するので、育児は社会が持続するために欠かすことのできない仕事である。もちろん、家事も育児と切り離せないので、健康な生活を送るためには重要な仕事となる。

言うまでもなく、介護という仕事も同じである。人間の幸福にかかわっており、人間社会の尊厳を守るといった重要な仕事である。つまり、ケア（育児・介護・家事）という分野は社会が成り立つための基本的なインフラであり、社会の持続化を目指すなら、経済活動における最初の目的として掲げなければならない。しかし、産業主義社会では、家庭の外で華々しく働くほうを上位にあるものとして評価している。すべての人が「そのとおり」と納得すると思われるが、その理由を考えたことはあるだろうか。

その理由の一つは、ケアの大半の仕事が自給自足経済の枠に入り込んでいて、市場価値がついていないからだ。一国の経済活動の成果を測るモノサシの代表としてＧＤＰが使用されているが、このモノサシでは、基本的に市場価値がついたもの（売買されたもの）しか計算されない。たとえば、自分の子どもの面倒を見ても市場価値がつかないので、ＧＤＰには計算されないということだ（「プロローグ」および二四六ページの**コラム23**を参照）。

しかし、同じ人が保育所で他人の子どもの世話をすると賃金が支払われるため、ＧＤＰに含まれることになる。同じ育児でも、一方はＧＤＰに含まれるが片方は含まれないということだ。このように、産業主義社会ではＧＤＰに貢献しないものは評価しないということが通例となっている。

もう一つの理由は、育児や家事、そして介護には際立った特殊技能を必要とせず、誰でもその気になればできると思われているところである。しかし、実際やってみると分かるが、経験や熟練・技術をかなり必要とする。そうであるからこそ、育児や介護の仕事に就く際には資格が要求されているのだ。

考えてみれば、世の中にある大半の仕事は技術的には容易で、誰でもできるようなものかもしれないが、誰かがしなければ社会が成り立たないほど重要な仕事もあるのだ。特殊な技能でなければ成し遂げられない仕事や物事は、水とダイヤモンドのパラドックスと同じで、希少であるがゆえに交換価値が高いだけで、有用性という点ではそれほど高い価値はない。

仮にダイヤモンドのようなものがなくても、社会の成り立ちにあまり影響を与えないだろう。たとえば、一〇〇メートルを一〇秒以下で走ることが人間社会にとってどれほど必要なことなのか、ゴッホが描いた『ヒマワリ』の絵は人間社会にとって不可欠なものか

久留米で女性の自立を支援する企業「キャリアリード」の佐藤有里子社長。本業の女性のための職業斡旋と並行して、「NPO 法人わたしと僕」、「umau 合同会社」を運営している。子ども食堂や学習支援などで、シングルマザーが自立するのを助けている。

などについて、誰も明言はできないだろう。『老子』（老子道徳教）の一節に「六親和せずして孝子有り、国家混乱して忠臣有り」とあるように、偉大な才能や英雄が現れて活躍するときは、平穏で幸福な時代ではないのかもしれない。

ケア経済の重要性を認識さえすれば、女性が男性と同じことをする、逆に男性が女性と同じことをする、といったような現象に対する偏見はなくなる。

## コラム23　ＮＮＷ（Net National Welfare・国民福祉指標）

一国の経済活動の成果を測るモノサシとしてのＧＤＰについては、国民の生活の豊かさを表すものとしては無論のこと、経済活動の成果を表すものとしても欠陥のあることは従来から指摘されている（駄田井正・冨元國光［一九八九］参照）。その欠陥は、計算の基礎を市場価格に置いていることから生じている。

国民の生活に役立つ活動は、家事やボランティアなど市場価格をもたないものがある一方で、公害や災害復旧、新型コロナに代表される感染症対策など、発生しないことが望ましいものへの支出に関しても、市場価格をもっているものはＧＤＰに含まれている。そのため、ほかの条件が変わらなければ、平年より夏が暑く、冬が寒い年のＧＤＰは、そうでない年よりも上昇する。

ところで、ＧＤＰの算出にあたっては、警察・消防・国防など公的サービスは一般に売買されないために市場価格をもたないが、国民生活に大切な役割をもっているため、支出経費をもって市場価格として疑似的に計算（帰属計算）されてＧＤＰに含まれている。この疑似計算の考え方を用いれば、家事などを評価することも可能である。

一九七〇年代に、ＧＤＰの欠陥を補う試みがアメリカなどで行われた。日本でも、一九七三年に「経済審議会ＮＮＷ開発委員会」においてＮＮＷ（国民福祉指標）が算出された。そこでは、家事に要した時間に平均賃金を掛けた額を家事の活動成果として評価している。たとえば、主婦が一日に平均して五時間家事に携わるとして、時間給が八〇〇円だとすれば一か月で一二万円になる。

参考までに、ＮＮＷは以下の九項目から構成されている。

❶ＮＮＷ政府支出。ＧＤＰの項目から司法・警察、一般行政費などを控除。
❷ＮＮＷ個人消費（個人消費支出）。耐久消費財購入費、通勤費、個人事業経費を控除。
❸政府資本財サービス（生活関連社会資本）。プラスの疑似評価。
❹個人耐久消費財サービス。プラスの疑似評価　個人消費から耐久消費財購入を除いたことへの対応。
❺余暇時間。プラスの疑似評価　労働時間短縮に伴う福祉の向上を評価。
❻市場外活動（主婦の家事労働）。プラスの疑似評価。

❼環境維持経費。マイナスの疑似評価。
❽環境汚染。マイナスの疑似評価。
❾都市化に伴う損失。マイナスの疑似評価、通勤の経費など。

一九七〇年代に盛んになったＧＤＰ（当時はＧＮＰ）の見直しという機運は、通貨危機など世界経済の後退が影響して、一時、下火となった。それには、ＧＤＰでなければ雇用や税収につながらないことや、女性の社会進出促進などといった背景があった。

しかし、近年、「幸福のパラドックス」が認識され、経済成長とは別に豊かさとは何かに関心が寄せられはじめたことや、持続可能な社会を目指し、自然環境の重要性が表面化してきたことなどが理由で再び新しい指標をつくる動きが活発になってきた。その結果、国民経済計算（ＳＮＳ）のなかに、家事やボランティア活動などの非市場部門の評価や、自然環境の評価が「サテライト勘定」として組み込まれた。また、ＳＤＧｓ（Sustainable Development Goals・持続可能な開発目標）と関連させることや、県民幸福度指数の計算などが多くの地域で試みられている。

# 第9章 脱国籍社会・脱自由貿易・グローカル

## 1 人類の進化と戦争

人類が歩んできた道をたどると、激しい抗争を伴いながらも、協力関係の範囲や共同体としてのまとまりが拡大してきたことが見られる。そして、同朋であると見なす領域が「家族⇓氏族⇓部族⇓民族⇓国家⇓世界」へと広がっていく方向にある。もっとも、同朋としての領域は、平和的に移行してきたというよりも、征服戦争や帝国主義による植民地化など、大量の血を流しながら拡大してきたという背景があるため、この方向を「進歩」とか「進化」と呼べるかどうかについては議論の余地があるだろう。それでも、アメリカの外交政策が国際協調と単独主義との繰り返しであるように、多少の後戻りがあったとしても趨勢は不可逆的であることは間違いない。

この趨勢の背景には、人類が道具や機械を発明し、生産能力を高めたと同時に、道徳、倫理、法律、社会体制など、社会を秩序づけるためのソフトウエアが整えられてきたことがある。生産能力は戦闘能力と密接に関係しているし、大砲の発明が城壁を無意味にしたように、戦闘能力の向上は共同体の拡大と関係している。

現在の状況では、人類の開発した武器・兵器は、核兵器、化学兵器、生物兵器など殺傷能力が極めて高いものが多く、まともに使用されたら恐らく地球上の人類はほとんど生存できないだろう。そのあとの人類のありさまは、ＳＦ小説などの格好のテーマとなるだろうが、「空想の世界である」と一笑に付すことはできない。

核兵器や化学兵器などを使用した戦争がはじまったら、人類社会は存続できないほど悲惨な状態になることは、これらの兵器を保有する国の指導者も、偏狭なナショナリストであったとしても想像しているだろう。そして、その想像は現実のものになるかもしれないと思いながらも、国益という呪縛から逃れることができず、武力を外交手段として用いている。

国益とは、自国の国民を外的から守り、健康で文化的な生活を実現することである。しかし、政治家が「国益」を言うときの中身は、一部の階級や集団・組織の利益であり、権力をもつ者がその既得権益を維持するためにこの言葉を便宜的に使用している。

戦争を回避し、平和を維持することは人類の破滅を防ぐために欠かせないわけだが、それに留まらず、平和の維持は人々の福利厚生を増大させる。武器を生産する能力と資源を日常生活に必要となる物資の生産につぎ込めば、人々の生活がより豊かなものになることは間違いない。また、現代世界が抱えている深刻な貧困問題も解決できるはずだ。

戦争を回避し、恒久的な平和の実現には、世界の人類全体が同朋であること、いわば「宇宙船地球号」の一員であるという同朋意識を涵養しなければならない。それがあって初めて、軍縮や攻撃的武器の放棄が可能となる。そして、ＥＵの実践や東アジア共同体構想のように国民国家を超えた共同体の形成も可能になるし、国連のような国際機関の戦争抑止政策が実効性をもつことになる（第２部第６章を参照）。

近代は、国民国家の成立をもってはじまる。近代主権国家の形式的な特徴は、①領域性、②官僚制、③常備軍であるとされている（田中明彦『世界システム』現代政治叢書19、東京大学出版会、一九八九年、二五ページ参照）。その特徴は、戦争技術の進展のもとでの、効果的な戦争遂行のための組織であるとも言える。

人類の歴史にとって、この国民国家の成立も人間社会の進化がもたらしたものである。世界で最初の国民国家は、北欧のスウェーデンやイギリスであると言われているが、それらの国々が中央集権的国民国家の体制を整えた背景は、恐らく明確な意思があってのことではなく、その時代の状況を生き延びるためであって、試行錯誤による適応の一過程であったと考えられる。

一八世紀から一九世紀にかけては、絶対的な主権を主張する国民国家はある程度有効に作用し、意義をもったが、二〇世紀になって二つの世界大戦の勃発により、その意義が怪しくなってきた。国民国家の絶対的主権を制限する必要が出てきたわけである。

第一次世界大戦までの外交政策は、イギリスに代表されるように「バランス・オブ・パワー」であった。有力な国民国家のどこかが現状の均衡を破って他国を侵略したり、新たな植民地の獲得に乗りだしたり、覇権を目指すことのないように牽制した。この「バランス・オブ・パワー」がほころびた結果、第一次世界大戦が勃発した。

勃発の当初は、どこの国も大々的な世界戦争になるとは予想していなかったし、また望んでもいなかった。戦争の勃発には、さまざまな偶発事件と事実誤認、それに誤った判断などが重なるものである（ジョン・G・ストウシンガー『なぜ国々は戦争をするのか（上・下）』等松春夫監訳・比較戦争史研究会訳、国書刊行会、二〇一五年参照）。

そして、第二次世界大戦は、ドイツへの多額な賠償、領地の割譲などといった第一次世界大戦の戦後処理の失敗、さらに東アジアでの日本の台頭とそれへの欧米列強の警戒心が起因している。復興ドイツを含めた新興勢力に対して、既得権益を守ろうとする勢力の争いである。

第一次世界大戦の教訓から、国際連盟の発足など世界大戦を避けようとする努力を行ったにもかかわらず、両勢力の妥協が成立せず、ドイツと日本が暴走へと追いやられ、戦火が拡大していった。その裏には、第三二代アメリカ大統領フランクリン・ルーズベルト（Franklin Delano Roosevelt, 1882～1945）の陰謀があったとする説もある。つまり、日本を暴走させたという見方である（藤井厳喜・稲村公望・茂木弘道『日米戦争を起こしたのは誰か――ルーズベルトの罪状・フーバー大統領回顧録を論ず』勉誠出版、二〇一六年参照）。

第二次世界大戦の結果、勢力地図に変化が現れた。アメリカと旧ソ連が抜きんでた実力をつけ、欧米列強の植民地が独立して新興国家となった。そして、旧ソ連とアメリカの東西両陣営が、新興の独立国を自分の陣営に取り込むといった争いとなった。俗に言う「冷戦の時代」である。これ以降、大国が宣戦布告して互いに直接戦火を交えることはなくなったが、朝鮮半島、ベトナムなどをはじめとして世界各地で代理戦争が行われてきた。

冷戦は、社会主義と自由主義、統制経済と市場経済など、イデオロギーと体制の相違をめぐる抗争として捉えられている。その観点は否定できないが、イデオロギーや体制は表面的であり、大義名分であっても覇権争いが実態である。また、代理戦争であると見られているベトナム戦争がそうであったように、植民地からの独立という様相をもっている。

冷戦がイデオロギーや体制の違いによるものとするなら、旧ソ連と中国、ベトナムと中国の「にらみ合い」を理解することはできない。工業化を推進するキャッチアップの段階で発展途上国が社会主義体制を採用する理由の主なものは、インフラ整備など政府による経済計画が不可欠なためである。しかし、サービス業中心のポスト工業社会では様相が大きく異なってくる。

世界全体が一つの共同体のようになれば世界平和は実現するわけだが、なかなかそうならないのが現実の世界である。いつの日か「地球共同体」に至るかもしれないが、そうなるまで、ＥＵやＡＳＥＡＮが目指すように、国家主権を制限した地域的な共同体が形成されることだろう。そして、それら地域共同体を連合する機関が生まれると思われる。

そのような機関は、国際連合のように国民国家を構成要素とするものとは異なった様相になると想像される。共同体は、世界帝国のような中央集権的な上部機構をもつようなものは好ましくない。地域の自立と自律が確保された集合的なネットワーク組織が望まれる。画一化された強制は平和を攪乱する要素となるので、文化的多様性を保持しながらの共生が望ましい。

とにかく、世界から戦争をなくさなければならない。先ほど挙げた『なぜ国々は戦争をするのか（下）』の著者で、元国際連合の政治部副部長であったストウシンガー（John G. Stoessinger）は次のように述べている。

筆者は戦争とは病の一種であると確信している。それは人類の「死に至る病」かもしれない。恐ろしい伝染病は、身をさらすこと、痛みや危険を冒すことを避け、細菌を無視していては撲滅できなかった。人間の理性と勇気がしばしば発揮された結果、疫病でさえも克服された。猖獗《しょうけつ》を極めた黒死病も今や遠い過去の記憶に過ぎない。

戦争を病に喩えることに対する批判があるのは百も承知である。戦争とは病ではなく、攻撃性と同様、人間本性の克服しがたい一部門であるという主張が流行してきた。筆者はこの主張に同意しない。攻撃性は生来のものかも知れないが、戦争とは習得された行動であり、それゆえに習得を拒めば遂には放棄することもできるはずである。人類は、かつて克服できないと考えられてきた慣習を克服してきた。たとえば、人々が孤立した小集団で暮らしていた氷河期には、近親相姦はまったく普通であった。しかし、現在では近親相姦は世界中でほぼ完全に禁じられている。人肉食はもっと極端な事例であろう。何千年も前には人類はお互いの肉を喰らい、お互いの血を飲んだ。それもまたいわゆる「人間本性」の一部であった。百年と少し前には、何百万の米国人は、白人が自由で黒人が奴隷になるように神がお定めになったと信じていた。さもなければ神は人類を異なる皮膚の色にお作りになったはずがない。しかし、かつては人間の本性の一部と考えられてきた奴隷制度が廃止されたのは、人間が成長する能力を証明したからである。成長は大いなる苦しみの後で、ゆっくりとやってきた。だが確かにやってきたのである。人間の本性が変化したのである。奴隷制度や人肉食と同様に、戦争もまた人間の恐怖の武器庫から廃棄することができるのだ。（前掲書、二八七〜二八八ページ）

## コラム24　世界システムの三つの類型

国家や地域の総合的かかわりの形態（世界システム）は、左の図のように大きく三つのタイプ、「世界帝国型」、「針葉樹林型」、「熱帯雨林型」に分けられる（前掲、田中明彦『世界システム』参照）。

世界帝国はさまざまな民族と国家を一つの頂に集中するもので、世界統一を意識した「主体型世界システム」と呼べるものである。あとの二つは世界統一を意識しない「非主体型」で、とくに針葉樹林型は近代の国民国家より構成されるもので、近代主権国家が独立した地位を保持している。

一方、熱帯雨林型は中世のヨーロッパ社会に見られるもので、封建領主相互の関係とローマ教会とのかかわりが錯綜したものであった。日本の江戸時代もこれに類似しており、諸藩相互と江戸幕府との関係は姻戚関係などを通して錯綜していた。

ヨーロッパ社会が近代化を遂げて優勢となり、世界を席巻することができたのは、ヨーロッパが一つの世界帝国にならずに、中世の熱帯雨林型から針葉樹林型へ変遷したことにあると言われている。針葉樹林型の形態は、他国からの干渉を排除でき、自由に競争できたことが活力を生む源泉となった。しかし、一方で、富国強兵の無秩序な競争が平和の維持を困難にし、結

図９－１　世界システムのタイプ

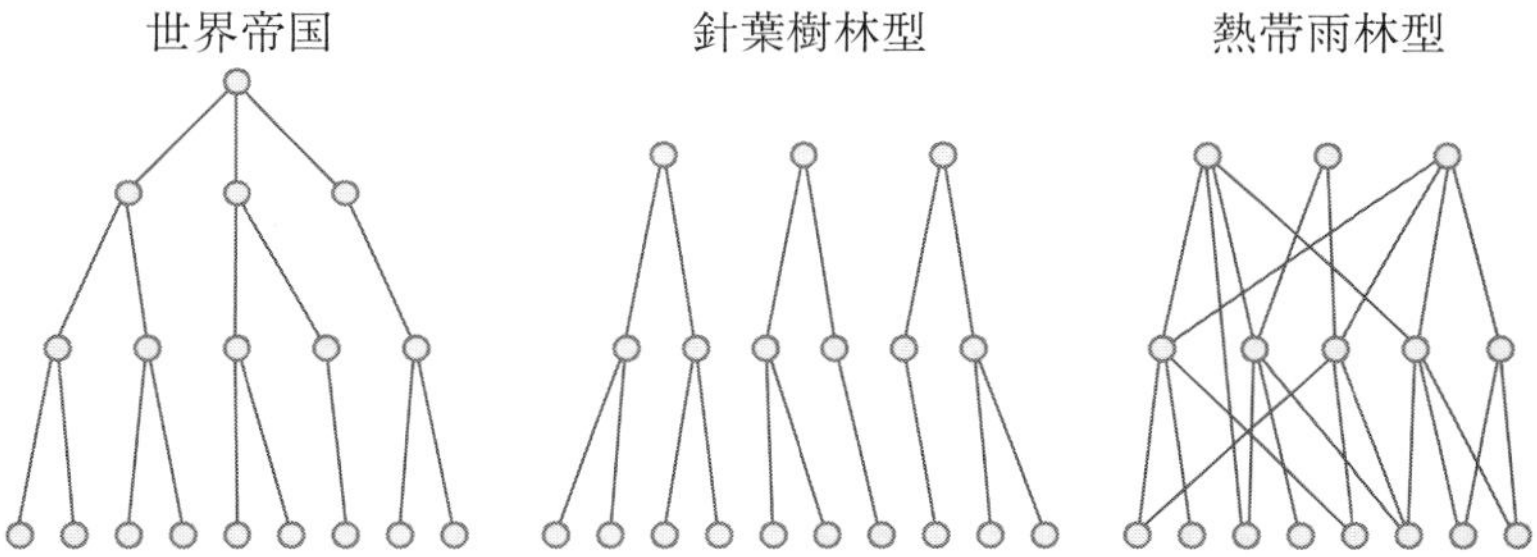


出典：田中（1989, p.15）図１－３による。

果的には二度にわたる世界大戦へとつながった。

ところで、世界は世界システムの観点から見て、今後はどのような方向にすすむであろうか。産業革命以来、世界の人口と経済成長はめざましく、第二次世界大戦後の植民地の独立もあって国民国家の数が増えただけでなく、先進国内の一地域では優に一国に相当するほどの人口と経済力を擁するに至っている。そのうえ、情報と交通のネットワークが高度に発達したため、地方が直接外国と結びつくようにもなっている。

このような状況から察すれば、皮肉にも、近代が針葉樹林型へと取り崩した熱帯雨林型に向かっているようにも思える。もちろん、中世社会の熱帯雨林型とは次元は違うが、地方が国の中央の枠組みを超えてほかの地方と直接交流するなど、「グローカル」（グローバル＋ローカル）という言葉が定着したことからも分かるように、よく似た様相となっている。

## 2 ナショナリズムと多重国籍をハックする

王朝や帝国は、領域を武力で統一したのち、統治を安定するために覇権を正当づけるソフトウエアをつくりだす。仏教・儒教・キリスト教・イスラム教などの宗教、王権神授説などもそのソフトウエアの一つである。そして、ナショナリズムは、近代になって成立した国民国家がつくりだしたソフトウエアである。

一口にナショナリズムと言っても多様であり、国際紛争につながり、問題とされるのは「エスニック・ナショナリズム」と言われる偏狭なもので、「民族や国家に基づく閉鎖的かつ排他的な帰属意識」である。たとえば、アメリカはヨーロッパの専制君主の圧政から逃れて建設された国であるため、アメリカの民主主義はエスニックなナショナリズムの色彩をもっており、自国の民主主義を他国に押し付けようとする傾向がある。

本来、国民国家は共通の民族・言語・文化を土台にしているわけだが、日本や韓国などのような、単一の民族・言語・文化をもつ国民国家は例外となる。ほとんどの国家は、複数の民族・言語・文化を抱えている。このような国民国家が統一の正当性を主張するためには、歴史的・文化的な面において一つの国であることが自然である、という物語が必要になってくる。

偏狭なエスニック・ナショナリズムは、国家主権を制限した地域共同体を組織する場合、弊害になる。この弊害に対しては、国籍とナショナリズムを冷静に分離することが処方箋となる。たとえば、日本の国籍をもち、憲法を順守しても、天皇制や日本の文化的アイデンティティを拒否するといった人も少なくない。日本国籍をもっていても日本語が話せない人はいるし、一般的な日常会話には英語がふんだんに入っている。事実、義務教育において英語を習っているし、大学入試では必須となっている。

国籍のもつ意味と意義として、以下の三つが考えられる。

❶その国の法の下による保護や法に決められた権利の行使。
❷その国において、ビジネスなど物事をなすための主要な便益が得られる。
❸納税など義務の履行と、その国への貢献。

したがって、ナショナリズムはその国の国民であるという精神的な支えとなるが、国籍は実利的な支えであると言える。二つあるいはそれ以上の国籍をもつことが、その人や国の実利につながるとすれば、それをためらう理由はない。グローバル化がすすむ現在では、国際結婚や経済的な目的で複数の国に職場や住居をもつ人たちが増えている。その人たちに単なる居住権よりも国籍をもってもらうことで、よりその国や社会になじめるようになる。

明治維新は、西欧諸国の圧力に屈しないために中央集権の国民国家を目指し、西洋文明を取り入れ、経済と軍隊を近代化した。その結果、西欧列強によって植民地化されずにすんだ。国民国家は、国内的には暴力を独占して支配力を強め、対外的には戦争の決意ができる存在である。国家の支配層は、その暴力を国民の利益（国益）のために行使するということを大前提としているが、国益というものはかなり漠然としたものであり、国民の合意を得られるのは難しい。そのなかでも国防は比較的明瞭であるが、具体的にどのように実現するのかとなると複数の選択肢があり、やはり国民の合意を得るのは容易でない。

しかし、国防という点でも、さらに経済的な面でも地域共同体の必要性を否定する人は多くないだろう。国防に多重国籍が役立つとすれば、それに反対する理由がないと思われる。

国家主権を制限する地域共同体を形成するためには解決しなければならない課題が多く、時間もかかるが、とりあえずはビザなしの渡航はもちろん、二重国籍に関する協定から出発すればどうだろうか。そうすれば、将来的には地域共同体に所属することになる国民同士が交流を深め、相互理解がすすみ、地域共同体への合意形成が進展する。

再び取り上げるが、『なぜ国々は戦争をするのか（下）』の著者ストウシンガーは、戦争の問題に関して、指導者たちの性格に決定的な重要性があり、従来指摘されてきたナショナリズム、軍国主義、同盟システムなどの抽象的力や経済的要因などは戦争を引き起こす決定的な役割を果たしていないとしている。そして、戦争勃発のもっとも決定的な要因は、指導者たちの敵に対する誤認識にあるとしている。

誤認識として、①戦争は迅速にかつ決定的な勝利に終わる、②相手に対する軽蔑と憎悪など歪んだ認識、③元アメリカ大統領のブッシュが、イラクは大量破壊兵器をもっていると思ったような、指導者たちの敵対者の意図に対する誤った観念、④ベトナム戦争時のように、指導者たちの敵対者の力の誤認、をストウシンガーは挙げている（前掲書、二〇四～三〇九ページ）。

多重国籍制度が、このような誤認識を正すための役割を果たすと期待できる。

EUが目指してきたのは、自国での市民権に加えて、EU市民としての権利を確立し、民主主義、法の支配、人権尊重といった共通する一連のヨーロッパ市民権という観念のうえに、単一ヨーロッパとしての「国家を超えた」アイデンティティを確立することにある。このアイデンティティ観に基づくナショナリズムは「シビック・ナショナリズム」と言われ、「中核となる市民としてのアイデンティティはそのままで、民族や文化の多様性を尊重する平等な市民社会というビジョンに基づく政治的忠誠」を強調している。

いわば「すべての人間が共通の道徳〈精神的規範、倫理道徳〉に基づいて、単一の共同体に属す」ことを目指すコスモポリタン主義と、「自分が所属する集団、党、または国家や民族への排他的な執着」をもつ自主独立主義を融合したものである（児玉昌己・伊佐淳編『アジアの国際協力と地域共同体を考える』芦書房、二〇一九年、一〇九～一一一ページ）。

この多様性のなかの統一という方向は、言語や文化の多様性を維持する面においてＡＩ技術の進歩が後押しするようである。そして、共通のアイデンティティや価値観の共有は、民主主義的な手続きでの社会的意思決定をスムーズにすることもあり、地域共同体の市民が共有するアイデンティティとして、①人権尊重、民主主義、法の支配、②不戦、平和の維持、③地球環境の保全、④文化の多様性を認め異文化の尊重、という四つが基本になるだろう。

## 3　脱自由貿易と脱グローバル化

脱国籍を提案したあとで脱グローバル化を主張するのは矛盾しているように思われるかもしれない。脱国籍の目的は戦争の防止である。個人も多国籍になれば、国民国家の枠が外れ、国益を競って紛争に至ることが防げる。一方、脱グローバル化は文化の多様性にかかわるものであり、全世界の持続可能性を保持するために必須の条件となる。つまり、普遍化してよいものと、普遍化してはならないものを意識して、両者のバランスをどのように取るのかという問題である。

自由貿易はグローバル化を進展させる。あるいは逆かもしれないが、いずれにしろ両者には密接な関係がある。そして、自由貿易が人々を幸福にするかどうかは別として、経済を発展させると思っている人が圧倒的多数である。しかし、自由貿易のメリットについては、基本的な原則と個々それぞれの現実問題に関して利害が錯綜していることもあって論争が続いている。

原理的には、自由貿易を擁護する考えは、経済自由主義を信奉することの一環である。経済自由主義に対抗するのは経済統制主義であるが、両者の原理的な論争は不毛である。なぜなら、自由にしてうまくいくなら労力や費用がかからないので、自由にしたほうがよいに決まっている。しかし、自由にしたほうがうまくいくのかということついては、個々の事例を通じて確認をしなければならない。よって、自由貿易がもっているどの特徴が経済成長をもたらすのかについて改めて考えてみることにする。一般的には、国境を越えてのモノと情報や人の交流に関して、次の二点から考える必要がある。

❶モノの移動
❷情報・技術の移動（人の交流からもたらせるものを含む）

**モノの移動**

国境を越えたモノの自由な移動が貿易を行う相互国の経済成長をもたらすという考え方の根拠は、分業によって生産性が向上するという事実を国際間に拡張することにある。貿易がすすむと、製造業者が世界中の広汎な消費者を対象にして商品を売ることができるし、規模の経済性が発揮できる。また、輸入品との競合で、国内産業が活発化することも貿易の有益性として挙げられる。国際分業におけるこの考え方は一般に支持されているが、疑問視する人も多い。

アメリカの経済学者ラビ・バトラ（Ravi Batra）などは、『貿易は国を滅ぼす』（鈴木主税訳、光文社、一九九三年）という本において次のような問題を指摘している。要約して紹介すると、以下のようになる。

❶国際分業で生産性が上昇しても、それにともなって需要が増加しなければ、価格が下落し所得が減少する可能性がある。

❷国際分業をになう国双方の所得分配は公平にいくかどうか。分業のメリットが大きい国とそうでない国がでる。

❸結合生産がある場合は生産性が複雑になる。国際分業が双方の国の生産性を上昇させることの理論的証明では、結合生産がないことを前提としてる。

❹自由貿易であれば、貿易収支は短期間で均衡するかどうか。そうでないとすると貿易摩擦が生じる。

❺消費者と労働者は別人でなく、彼らは同一人物である。消費者として価格が低下することの恩恵をうけたとしても、労働者として国際分業に伴う産業構造変化のあおりをくう。（前掲書、二〇八〜二一八ページ）

モノが国境を簡単に移動するといっても、国内において人と資源がスムーズに移動するとはかぎらない。貿易が引き起こす悪循環の多くは、人とリソースの移動と関係がある（バナジー［二〇二〇］一四一ページ）。また、自由貿易の影響を強く受けた地域ほど、貧困率の低下にストップがかかるという指摘もある（バナジー前掲書、九五ページ）。この国際分業に伴う産業構造変化は、日本においては農業の衰退で過密過疎化を引き起こし、アメリカでは製造業を経済基盤とした都市の衰退をもたらしている。

海外との貿易から生じる競争圧力の効果に関しても、あまり高い評価がない。経済成長の源泉としてのイノベーションを促す競争は必要であるが、先に紹介したバトラは国内競争と国際競争は異なるとして、前者は有益であるが後者は経済を損なうとしている（バトラ前掲書、二三三ページ参照）。

その例を挙げると、イギリスは経済が自由貿易によって高度に解放されていたが、国内での競争がないので実質所得の伸びが停滞した（バナジー前掲書、一六三ページ）。一方、イタリアは、全般に国際競争力は弱いが、熾烈な国内競争を特徴とする諸工業は非常に効率がよく、中規模の多くの会社と小さな会社からなるイタリア工業がしばしば世界をリードしている（バナジー前掲書、一五六ページ）。そしてアメリカは、いずれにしても経済が大きいために貿易の影響は大きくなく、したがって貿易から来る競争の刺激は小さく、アメリカ経済にとっては国内での企業間競争がはるかに重要であるとしている（バナジー前掲書、一二九ページ）。
これらに対してバトラ次のように述べている。

要するに、競争とは企業間の戦いであって、国家間の戦いではないのだ。政府は教育インフラストラクチャー、研究開発といった分野で効果的に便宜を図ることができるし、そうするべきである。しかし、競争の現場で実際の戦いに参加することはできないのである。（バトラ前掲書、二八六ページ）

また、生産性と規模の経済に関しても、生産性のレベルが低い場合は規模の経済効果は顕著であるが、生産性のレベル高い場合、あるいは付加価値の高い生産物をつくる場合には規模の経済は規模の不経済に圧倒される（バトラ前掲書、二八一ページ）。付加価値の高いもの（高級品）を生産するにつれて、生産に従事する人の自由な発想と独創性が必要とされ、規模の大きな組織ではそれが阻害されるということであろう。

自由貿易がもたらす弊害については、さらに次のことが追加できる。

❻生産性に優れたある国の生産物が世界中に普及することは、世界に画一化をもたらす。世界中

が同じようになってしまい、文化の多様性が失われる。
❼生活必需品を外国に頼るということは、国防の問題を抜きにしても、その国の自立を阻害する。災害時などやコロナウイルスなどで国際的な交流が中断したとき、とくに問題となる。
❽輸送の費用が増大する。輸送は生産物の経済価値を高めても、固有価値そのものを高めない。輸送は、エネルギーや道路などのインフラ面から考えると環境への負荷が大きい。自由貿易がもたらす環境破壊は、結合生産を考えたときにさらに大きくなる。

結合生産に関しては、生産物に限定するのではなく、自然環境や文化、地域社会への影響などと関連づけるとさらに深刻になる。典型的な事例として、木材の輸入によって日本の林業が打撃を受け、山林が荒廃したことが挙げられる。植林されたスギやヒノキなどが、山林の手入れが行き届かずに荒廃し、近年の豪雨で土砂崩れや流木となって被害を甚大なものにしている。日本の林業のあり方にも問題はあるが、木材の輸入について再考する必要があるように思える。

また、食料の輸入自由化が日本の農業と農村に深刻な影響を与えている。休耕地の増加がそのことを物語っている。これらの事情が過密過疎化をさらにすすませ、日本の地域社会をいびつな状態にしている。

## 情報の移動、技術移転

国を越えた人、モノ、情報、文化の交流が世界を豊かにしてきたことは確かであるが、モノの移動よりも人、情報、文化の交流がもたらした貢献のほうが圧倒的に大きいだろう。そして、今後ますますそうなるように感じられる。

歴史的に見ても、ある国でつくられた生産物の情報や技術が他国に伝わって、その国で、その国の原料・素材を使って工夫され、独自なものとしてつくりだされている。その一例が、陶磁器である。韓国における陶器の技術が日本に移転され、日本で陶器の生産が盛んになった。また、有田の磁器技術が愛知県の瀬戸に伝わって、磁器の大生産地となっている。

このほかにも、漢の王女が西域に嫁ぐときに蚕の卵を持っていき、のちに養蚕をはじめている。近代になってからも、貿易によって生産物を得るよりも、技術が移転されたことで独自に生産が促されたケースのほうがはるかに多い。日本の戦後復旧や高度成長も、アメリカなどからの技術移転がなければ達成できなかっただろう。また、中国における改革開放（一九九二年）以後の急速な経済発展にも、日本などからの技術移転が大いに貢献している。先に挙げたバトラ（二六四ページ参照）も次のように述べている。

――外国からの投資で最大の利益をもたらすものは先進技術である。受け入れ国は技術革新に多額の費用を投ずることなく先進技術を手に入れることができる。（中略）投資家は資本と新しい技術を（受け入れ国に）持ち込む。そして、国内の競争を制限しないかぎり、彼らの参入は国にとって有益なものとなる。（バトラ［一九九三］二三四ページ）

二〇世紀型貿易は「モノを売る」ための貿易システム（made-here-sold-there）であったが、二一世紀型貿易は「モノをつくるための貿易システム（made-everywhere-sold-there）」で、工場間で部品、中間財が貿易され、投資、資本、知的財産権、競争政策、規格、基準などを含む「深い統合」のサービス貿易が中心になるとしている研究者もいる（石川幸一・清水一史・助川成也編［二〇一六］『ＡＳＥＡＮ経済共同体の創設と日本』文眞堂、三六～三七ページ参照）。

筆者が結論として言えることは、モノ（生産物）の移動よりも技術移転のほうがはるかに経済発展に貢献しているし、今後ますますその傾向が強まるであろうということである。モノの移動は多少制限されても（むしろ、制限したほうがよい）、情報・技術の移転は大いにすすめるべきであり、そのほうが各地において独自の工夫がなされることになる。そして、多様性が保持されることにもなる。

# 第2部

# 独立九州国の体制と政策

青島神社と鬼の洗濯板（宮崎県宮崎市）
青島には、黒潮に乗ってヤシなどの種子が漂着し自生している。九州の風土を象徴する風景である。

# 第1章 国土の基本設計

## 1 独立九州国の基礎自治体

第1部では、独立九州国が、どのような理念に従わなければならないかについて考えてきた。つまるところ多様性の保持である。人々の生き方や生活、それらを支える文化が多様でなければ、世界の持続可能性が脅かされ、幸福感が低下するということを示した。

熱湯と水を混ぜると、自然に中間の温度となる。これと同じように、多様な文化をもつ社会が交流すると、均一なものに向かう傾向がある。均一化されたものを元の多様なものに戻すにはエネルギーが必要である。したがって、そうならないように、独立九州国の国土設計においては、国土の多様性をいかに保持していくのかが重要な課題となる。

独立九州国の基礎自治体（立法・行政・司法の三つの機能をもつ）では、現在の県を廃し、原則として人口一〇万～一〇〇万人とする「市」を配置したい。少なくとも一〇万人規模の人口でないと地域の自立が難しく、一〇〇万人を超えると住民の意思決定に関して整合性や調整が難しくなってしまうからだ。これらの基礎自治体は、インフラや生活ラインの効率的な運営を目指すことが必要となる場合、状況に応じて連携を図り、広域都市連合を組織する。

基礎自治体の領域は、地域の自立可能性と住民意思決定の整合性が基準となる。したがって、交通の利便性、地域文化の共通性、住民利害の一致などが目安となる。これらを考慮すると、河川の流域、島嶼《とうしょ》などのエリアを重視して、現在の行政区域と調整することになるだろう。このような方針のもとに、九州の北部について具体的に地域設定を考えてみよう。

流域に着目すれば、筑後川・矢部川流域、遠賀川流域、山国川流域などは一つの市としてまとめる。それによって、山から海まで統一的な環境政策が実行でき、良好な水循環を保つことができる。また、過疎化対策についても実効性のあるものが実施できる。

島嶼《とうしょ》については、対馬、壱岐などはそれぞれ一つの市に、そして五島列島なども一つの市としてまとまったほうがいいだろう。ここで大事なことは、離島と九州本土との結びつきである。江戸時代、対馬藩の「飛び地」が鳥栖の田代にあった。この飛び地は、対馬藩の経済を支えたと言われている。離島が自立するには、飛び地のような地域間連携が必要だろう。

都市連合については、福岡都市圏広域行政事業組合のように、事業組合を組織して水道、ガス、ゴミ処理などの事業運営を効率化していく。さらに、都市間連携の対象範囲を、都市計画や国際交流（外交）まで広げるべきだと思う。都市連合でぜひ実現したいのは、「環有明海連合」である。有明海沿岸の自治体が連携して有明海の再生に取り組むと同時に、「有明海クルーズ」などといった広域観光を実現したい。

## コラム25　平戸市の取り組みと期待——島々の自立

九州本土自体が島なのだが、その周りには大小さまざまな島が点在している。「独立九州国」では、それらの島の社会が、持続可能で質の高い生活を自立的に実現できるかが課題となる。

ここで紹介する平戸市は九州の西方、長崎県の西北端に位置しており、平戸、生月《いきつき》、大島、度島《たくしま》、高島と九州本土の田平地区で構成されている基礎自治体である。平野部もかなり広く、標高は高くはないが山もあるし水源もあるため稲作が可能である。食料に関しては、それこそ山海の珍味も豊富で、

稲刈りで交流を図る平戸市

三万人の人口なら充分自給が可能となっている。

この地域は、『魏志倭人伝』に記された「末羅国」のあった所で、その歴史も古い。江戸時代は平戸松浦藩の所領でったが、地元では松浦を「まつら」と読んでいる。遣隋使や遣唐使の寄港地であったほか、中世末にはスペイン、ポルトガル、オランダ、イギリスとの交易地でもあった。江戸初期に「オランダ商館」が置かれたが、のちに長崎に移転している。また、一五五〇年にフランシスコ・ザビエル（Francisco de Xavier, 1506～1552）が訪れたこともあり、隠れキリシタンの島としても有名である。

このような多様で豊富な資源を活用して「半農半X・半漁半X」を推進していけば、持続可能で質の高い生活は充分実現可能である。Xとしては、歴史・文化や食などをテーマとした観光はもちろん、グリーンツーリズム、ブルーツーリズム、スポーツツーリズムなどの形態も可能であろう。スポーツツーリズムとしては、島全体を対象にしたトライアスロンが魅力的である。さらに、このような地域資源はテレワーク基地としても有効に働くだろう。

いずれにしろ、事業や活動を展開していくうえでもっとも重要なのは、人的ネットワークの構築、「ひと（人）儲け」である。平戸市のほぼ中央部にあって、人口五〇〇人ほどの根獅子《ねしこ》集落が積極的に「ひと儲け」を実行している。この集落は平戸島中央部に位置しており、玄界灘につながる西海岸の根獅子湾に面している。根獅子海岸は水質と眺望がよいため「日本の快水浴場100選」にも選ばれている。

湾内には漁港があり、浜辺の北に八幡神社の森、北東の砂丘には「うしゃきの森」がある。この森に殉教者が葬られたとされており、隠れキリシタンの聖地ともなっている。二〇一〇年には、平戸市北西部の「重要文化的景観地」の一地区として選定されている。

根獅子の「ひと儲け」を主導する一人が川上茂次氏である。一九五〇年生まれの川上氏は、地元の高校を卒業したあと家業の農業に従事しながら「地域づくり」に取り組み、平戸市議会議員を九期務めた。現在は、「根獅子集落機能再生協議会」と「ねしこ交流庵運営協議会」の事務局長という役職を担っている。

彼の「ひと儲け」の第一歩は、一九八三年の「わらび座」（八九ページ参照）との出合いにはじまる。「わらび座」の平戸公演を通じて文化芸術関連の人脈につながると同時に、地域創生における文化芸術の重要性を認識することになった。これがきっかけとなり、文化経済学会の九州部会誘致（二〇〇二年）となり、九州大学、久留米大学、佐賀大学などの大学関係者とつながった。そして、二〇〇八年に古民家を改修した「かのう交流館」を造り、そこを拠点とした平戸市民大学の開校となった（二〇一三年）。

前述したトライアスロンだが、実は一九九二年、「平戸アイアンマントライアスロン in 根獅子」を根獅子の浜と小学校跡地を主会場にして開催している。このトライアスロンが「ひと儲け」のもう一つの流れになっている。

このときの大会には、国内と海外から四五〇名以上の選手が参加したほか、ボランティア二〇〇〇名、スタッフ一〇〇名をはじめとして、沿線および遠来の応援者は二万人を超えるという大盛況であった。

この大会を実行した川上氏とその同志は、トライアスロンを平戸に定着させようとしたのだが、諸般の事情で計画を断念せざるをえなかった。この悔しさをバネにして、一九九五年に地域おこしグループ「ヒラド・ビックフューチャーズ」を立ち上げた。そして、洋上コンサート、砂の造形、洋上映画祭、観光農業等講習会、福岡県・熊本県の子どもたちと地元の子どもたちによる「こども海彦山彦ものがたり交流」などを推進してきた。

二〇〇七年、これらの実績をもとに「根獅子《ねしこ》集落機能再編協議会」を結成し、農水省の集落機能再編促進委託事業に申請したところ採択された。そして、現在、これまでの活動に加えて「ねしこ食まつり」などを実施している。

そう言えば、囲炉裏付きの和室と洋室、バストイレ付きの滞在施設である「ねしこ交流庵」が二〇一四年に完成している。このような施設が整ったこともあり、今までの「ひと儲け」が本格的に活かされていくことになった（猪山勝利・川上茂次編著『地域を創る男――平戸、川上茂次の挑戦』長崎文献社、二〇一五年を参照）。

## 2 「地区」の配置

基礎自治体「市」の領域内に「地区」を配置する。地区は、人口規模と面積の広さで区画されるのがいいだろう。面積が狭くても人口が多いと、やはり住民の意向が反映されにくい。逆に、人口が少なくて面積が広いと、住民相互の交流・意思疎通が滞りがちとなる。

人口密度の高い所では、歩いていける距離の一キロ〜二キロ範囲（徒歩一五分から二〇分の距離）とし、人口の少ない所では二〇キロ範囲（自動車で一五分から二〇分）などを基本として、細部は地域事情に応じて決めるといいだろう。

地区には、広範な自治権が付与される。しかし、第1部の第1章で検討した自然共生度や経済構造・レベルについて、地区の方針や特色を明確にしなければならない。その基本となる特色を挙げると次のようなイメージになる。

Ａ：狩猟採集の暮らし。自然へのほぼ完全依存。

Ｂ：伝統的な小規模農業、沿岸・淡水漁業、環境保全と防災が一体化した林業。

Ｃ：半農半X、半魚半X、半林半X。Xとしては、芸術、スポーツ、教育、観光、そしてIT関係もリモート勤務の範囲で入ってもいいだろう。

Ｙ：環境に配慮した自立的な田園都市。

Ｚ：グローバル都市。

これらの特色が保持されることで、日常の暮らし方（生活文化）に関して多様な選択肢が人々に与えられる。もちろん、その地区の方針や特色を選択するのは住民の総意であって、一度決めた選択を変更するのも可能である。繰り返すが、義務づけられるのは、その特色や方針を明確にすることだけである。

## 3　筑後川・矢部川流域での事例

流域とは、河川の周囲にある分水嶺によって囲まれた地域のことである。たとえば、降った雨が筑後川に流れていく地域が「筑後川流域」となる。筑後川と矢部川は耳納《みのう》連山を分水嶺として共有し、矢部川からの支流が筑後川に流れるなど流域が錯綜している。そして、両流域は、歴史的にも、文化的にも、また経済的にも結びつきが深い。両流域の規模は**表１－１**のようになっている。人口、面積の規模は、優に一つの県に相当する。独立九州国では、この両流域を一つの市とする。仮に「筑後川流域市」と名付けよう。

筑後川・矢部川流域では、二十数年前から久留米大学とＮＰＯ法人筑後川流域連携倶楽部などが中心となって産官学民が連携しており、両流域を一体的に捉えて、持続可能で質の高い生活の実現を目指してきた。この目的のためにさまざまな事業や活動を展開しているが、それらを総称して「筑後川プロジェクト」と呼んでいる。

このプロジェクトの中心になるのが、「筑後川まるごと博物館」、「筑後川まるごとリバーパーク」、そして「筑後川ブランド」の三本柱である。それぞれが、「学び」、「遊び」、「仕事」に関係している。

筑後川まるごと博物館は、両流域全体を屋根のない博物館として捉えて、自然や歴史的遺跡、文化的遺産はもちろんのこと、地域の産業や地域住民の生活を含めた有形、無形のものを対象にして、それらの保存や継承をしながら学びや研究を行っている。建物はないが、展示される資料と学芸員、そして学芸員が活動するフィールドがあり、博物館に必要とされる三つの要素が含まれている。

筑後川まるごとリバーパークは、両流域を一つのテーマパークと見立てて遊びの場にし、広域観光を目指すものである。そして、筑後川ブランドは、両流域の物産を地域ブランド化し、販路を広げて経済振興を目指すも

表１－１　筑後川・矢部川流域概要

| | 筑後川流域 | 矢部川流域 |
|---|---|---|
| 幹川流路延長 | 143km | 61km |
| 流域面積 | 2,860㎢ | 820㎢ |
| 流域人口（約） | 110万人 | 19万人 |

のである。これらについて詳しくは、『筑後川まるごと博物館』（筑後川まるごと博物館運営委員会編）という本を参照していただきたい。

「筑後川まるごとリバーパーク」の構想では、観光資源の捉え方が画一的にならないよう、また流域各地の特徴を活かしたものとするため、流域を一一のゾーンに分けている（**図1-1**参照）。「筑後川まるごとリバーパーク」を「ディズニーランド」に置き換えてみれば、各ゾーンは「冒険の国」、「おとぎの国」、「未来の国」などにあたる。一一のゾーンはそれぞれ地域の特性を体現しているので、筑後川流域市の地区配置については、「筑後川まるごとリバーパーク」との関連から見ていくことにする。

新評論、2019年

各ゾーンの特質に応じてA、B、C、Y、Zの特徴をもった地区が形成される。ゾーン1・2・3は、Aの「狩猟採集の暮らし」ができる地区ができるだろう。同時に、Bの山林のもつ多面的な機能を活かした、環境保全ならびに防災と一体化した林業が展開され、薬草や山菜の産地として有名になるだろう。

ゾーン4の地元には、「水郷」を「すいきょう」と呼ぶ日田市がある。ここは、江戸時代には九州を総括する天領として、明治になってからは木材の集散地として栄えた。長年の経済力によ

図1－1　筑後川まるごとリバーパークと11のゾーン

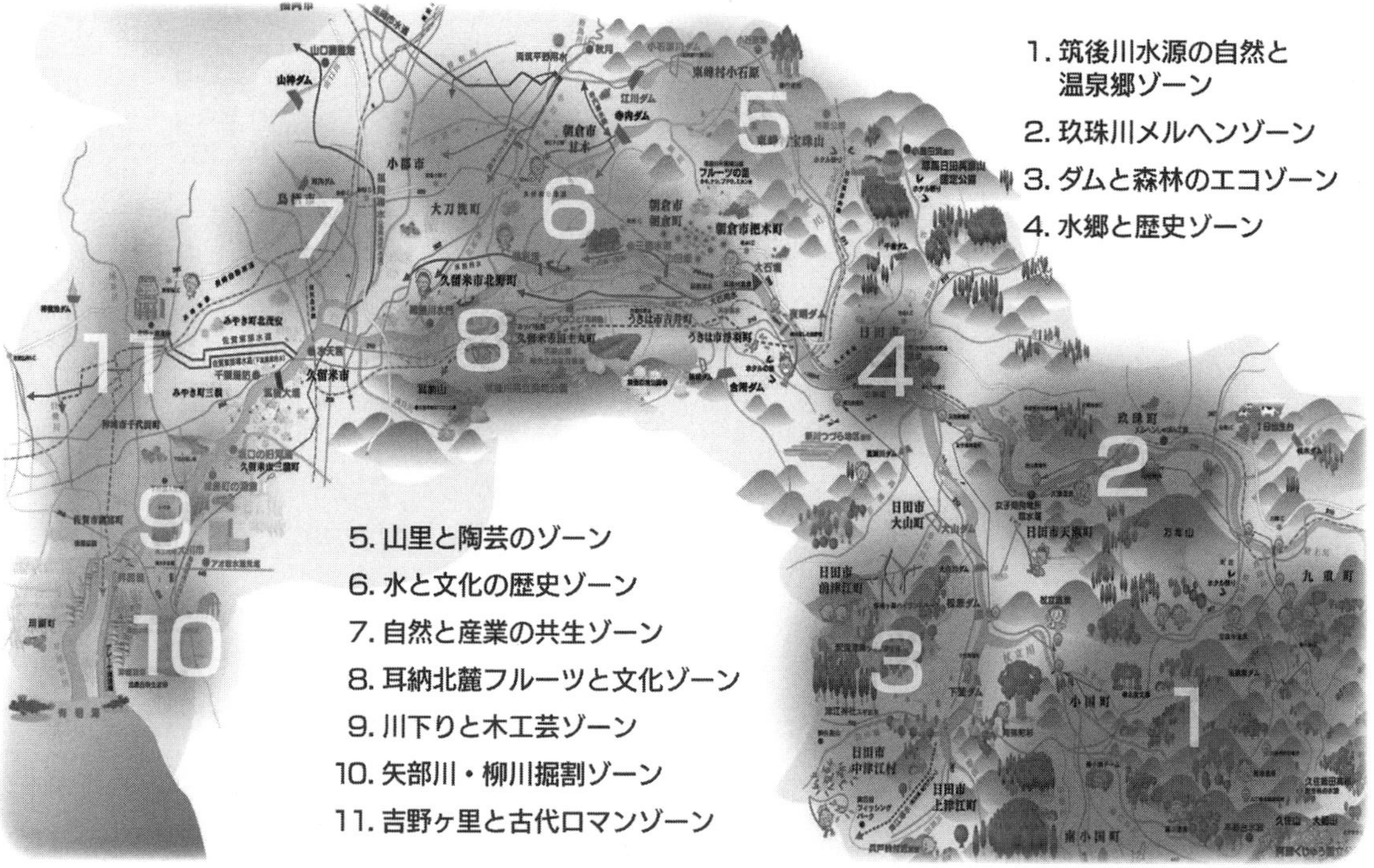

って培われた学芸・文化は、古い街並みとともに現在まで受け継がれている。Yの山河と共生したユニークな田園都市となるだろう。

　ゾーン5は陶芸の里である。今からおよそ四〇〇年前、豊臣秀吉が朝鮮に出兵したが、そのときに多くの陶工が朝鮮半島から連れてこられた。この陶工たちの技術が九州各地に伝わり、発展を遂げている。小石原村《こいしわら》（現・東《とう》峰《ほう》村）には、黒田藩の庇護のもとその技術が継承され、現在においても多くの窯元がある。江戸時代後期、小石原にいる陶工の指導のもと小鹿田焼《おんたやき》が生まれ、「唐臼《からうす》」で土を砕くなど当時の工法が現在も忠実に継承されており、柳宗悦（一八八九〜一九六一）やバーナード・リーチ（Bernard Howell Leach, 1887〜1979）が訪れて絶賛したという記録が残っている。したがって、このゾーンは、Cの半農半Xまたは半林半Xの地区になり、そのXは陶芸となる。

小鹿田焼の里

　ゾーン6・7・8・9・10、そしてゾーン11は農業が盛んであり、Cの半農半Xの地区になると同時に、人口も比較的多いのでYの田園都市も形成されるだろう。また、ゾーン10など有明海に面した所は半漁半Xも可能である。よって、A～Cの特徴をもった地区ができる。

ゾーン7・8・9・11の中間地帯は鳥栖市と久留米市にあたる。人口が集中しているため交通の要所であり、工場や流通拠点が集積しているほか大学や研究機関もあり、医療環境の面でも充実している。また、福岡都市圏とも近いので、Zのグローバル都市になっていく可能性が充分にある。

ただ、この地区は地形の特性で水害に見舞われることが多い。ここ数年は、毎年のように被害が出ている。スーパー堤防（正式には高規格堤防）を築くなどして、強靭で魅力ある都市計画が必要となる。

スーパー堤防とは、堤防の幅が高さの三〇倍以上ある堤防のことで、洪水に強く、しかも堤防上に建物や道路などを造ることも可能である。したがって、川と共生した魅力的な都市計画が可能となる。

「久留米市百年公園」のスーパー堤防上にあるリサーチセンター。筑後川沿いにあるこの地点は、昭和28年（1953年）の大水害の時に決壊し、市内に甚大な被害をもたらした。現在はスーパー堤防となり、「市制100年」を記念した広い公園となっている。研究開発機関を集積したリサーチセンターのほか、ショッピングセンターが隣接している。

# 第２章　政治体制

## 1　国（中央政府）・市・地区の関係

独立九州国における政治体制の基本方針は、エリア内の人々がそれぞれの好みに合った暮らしができる国土設計を維持することである。あえて「国民」という言葉を使用しなかったのは、独立九州国では多国籍の人がたくさんいることを前提としているからだ。

それにはまず、人々の暮らしに直接かかわる「地区」の自治権が保障され、その地区の特色が自律・自立的に実現できるものでなければならない。そして、中央政府と基礎自治体である「市政府」における第一の役割は、地区の自律的運営を保障し、かつ支援することとなる。徹底した「地区」の地方自治を実現し、地区にかかわる地域の自立を高めることが主眼となる。

図２－１　国・市・地区ネットワーク

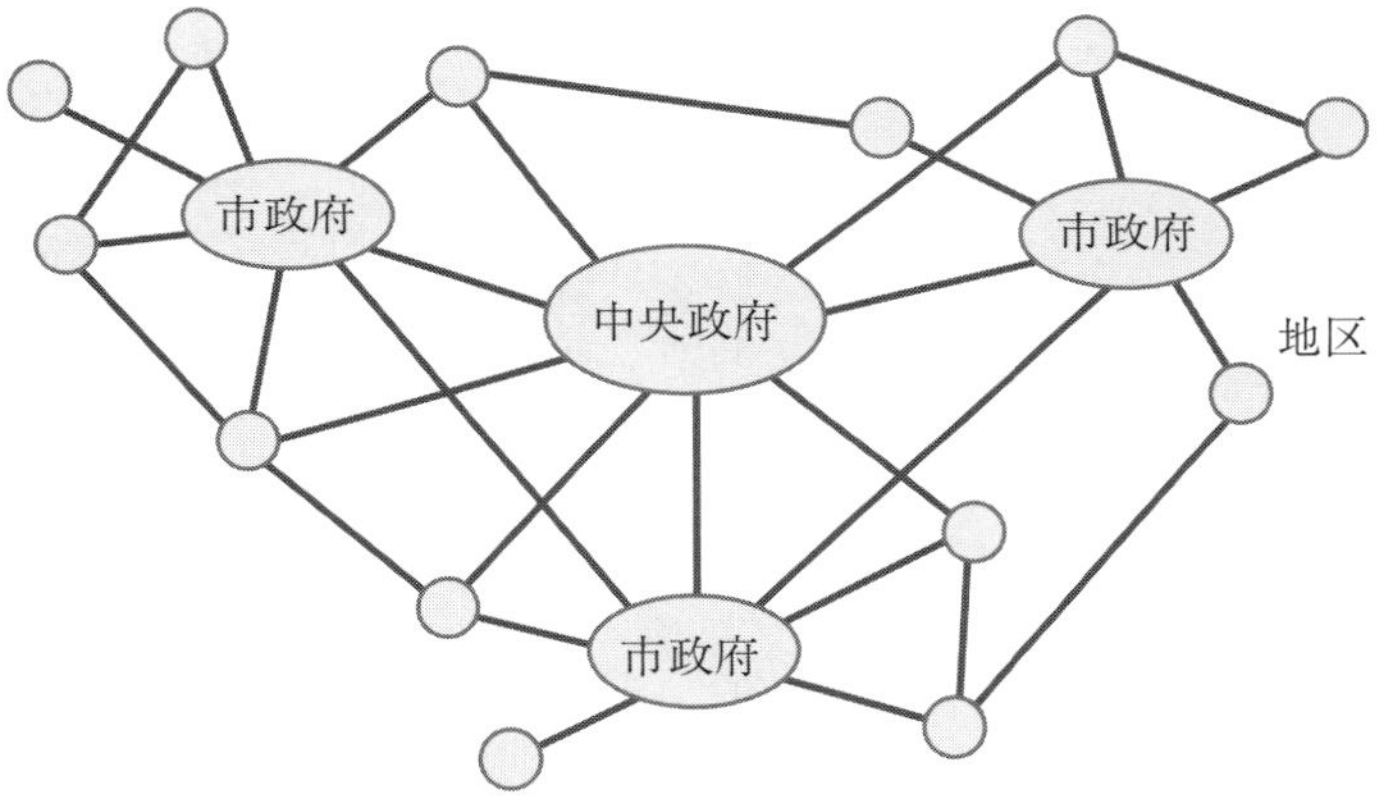


したがって、ダムや産業廃棄処理施設の建設など、その地区が反対を表明すれば絶対にできなくなる。市政府や中央政府は、地区の反対が強い場合には代替案を真剣に考える必要に迫られることになるが、このような制約のなかから素晴らしいアイディアや技術革新が生まれるものだ。

　このような基本方針を実現するためには、中央政府と基礎自治体としての「市」、そして自治組織である「地区」の関係が、従来の国・県・市町村のような階層的なものではなく、錯綜したアメーバ型のネットワークといった結びつきになる必要がある。

　市政府は、その領域にある地区間ネットワークの事務局的な存在となる。しかも地区は、属する市の領域を超えて他市の地区とも自由に結びつく。同じく、中央政府も「市」のネットワークにおける事務局的な存在となり、同時に、どの地区とも直接の結びつきをもつ。中央政府の政策は、大学、民間シンクタンクなどからの提案に基づいて、中立的な政策委員会において計画プランを策定するが、それを実施するかどうかについては、原則として市や地区の判断とする。

中央政府・市政府・地区の関係がピラミッド型（階層的）にならないことで上意下達にならず、各自治組織の自律が保たれる。これによって「富」と「政治権力」の癒着が防止されるだろう。つまり、中央政府が富裕層と癒着して政策をすすめようとしても、市や地区がそれに従うとはかぎらないという構造になる。

言うまでもなく、政治権力と富の癒着は経済格差を拡大するだけでなく、社会を不安定な状態にする。エリート層が富の獲得に奔走することで社会的モラルの低下を招き、社会全体の道徳観の低下につながっているという事実はご存じであろう。そのような状況が、民主主義体制そのものを骨抜きにしてしまうのだ。

## 2　立法・行政・司法の機関

中央政府と基礎自治体としての市政府は、立法・行政・司法の三つの機関をもつ。権力の集中に由来する権力乱用を避けるために、三権分立は厳密に守らなければならない。

立法機関は、住民から選ばれた代表からなる議会を設置する。議会を構成する議員は、できるだけ多方面から多様な考えをもつ人物が望ましいだろう。そのほうが、議会における議論が政党アピールのセレモニーにならず、活発で実りあるものになるはずだ。しかし、あまりにもかけ離れた心情や基盤であるとやはり議論はまとまらない。それを避けるため、選出母体が異なる複数の議会があるほうがよい。少なくとも二つ、これが現実的であろう。仮に、この二つを「上院」と「下院」として説明しよう。

下院のほうは、中央政府であれば「市」を選出母体にし、市政府であれば「地区」を選出母体にした代表で構成する。一方、上院のほうは、学識経験者や各種社会的な組織を母体にした代表で構成されるのがよいだろう。

選出方法は、投票による選挙システムにこだわる必要はない。投票による選出は、その人の見識や能力で選ばれるとはかぎらないし、人気投票のようになってしまう可能性が高い。事実、現在の選挙においてもその傾向が多々見られる。そして、それらの多くの人からは「政治をする」という姿がうかがえず、「特権」の保持に固執している。

現在の選挙システムを踏襲するのではなく、事情にあった選出方法を考案するべきである。とくに地区の議会については、地区住民が話し合って決めればよいだろう。推薦、抽選、順番などといった方法もありえるし、将来のことを考えて、人材育成に関しても踏まえなければならない。

議会の役割は、法律の制定、予算の審議と承認、行政・司法の監視などが主なものとなる。行政機関は、法律に従って、また議会の承認した予算に準じて統治事務を執行するわけだが、何といっても裁量の余地が大きくなる。そのため、必ずしも住民の意向に沿うように公務サービスが提供されるとはかぎらない。

いつの時代も、行政に対する不満は尽きないものだ。行政サービスへの不満が生じる原因は、通常の場合、管轄する行政区に行政機関が一つしかなく、いわば独占状態にあるからだ。これが複数あれば、住民はサービスのよい役所を選ぶだろう。そして、自分が気にいった役所に税金を払えばよい。場合によっては、気にいった程度に合わせて、複数の役所に分割して払うという方法も考えられる。

このように、独立九州国では、中央政府にも市政府にも複数の独立した行政機関を設置する。これによって住民は、議会への代表選出とあわせて、税金の支払いを通してもう一つの選択手段をもつことになる。

独立九州国でも、政治的主張や政策を共有する人たちが、それを実現するために政党を組織することは当然認められる。したがって、議会は政党を中心にした運営になるだろう。しかし、議会で多数派にならなくても政党の意向をくんだ行政機関がもてるので、自分たちの望む政策はある程度実行できる。有権者は、その成果を見て政党を評価するだろう。したがって、「揚げ足取り」

といった実のない論争や権力争いになりがちな政党政治の弊害は取り除ける。そして、野党側も行政能力の蓄積が可能となる。

とはいえ、地区における行政機関が複数あることは必ずしも効率的とは言えない。時間と手間を考えると、行政サービスの向上につながらないからである。地区における行政機関のあり方は、地区内での話し合いによって決める必要がある。したがって、有識者の政治に対する教養も求められることになる。

中央政府と市政府には複数の裁判所を設置する。「上級」と「下級」という階層的な区別をせず、すべての裁判所を横並び（平等）にするのがいいだろう。住民は、基本的にはどの裁判所に対しても訴訟することができ、原則として、三回まで同じ内容での訴訟を可能とする。

独立九州国でも、当然、重大な事件が発生するだろう。その場合は、複数の裁判所が連携して特別法廷をつくって対処する。どの裁判所にも違憲審査権があり、法律や条例などが憲法に違反するかどうかが迅速に判定されるようにする。

楽観的な見方かもしれないが、行政への信頼度が高まれば地域におけるモラルは高まると考えられる。行政を中心とした地域共同体が生まれ、かつての日本がそうであったように、住民同士の連携が強まってお互いが配慮するようになるだろう。そうすれば、少なくとも刑事事件は減ると思うのだが、みなさんはどのように考えるだろうか。

# 第３章 金融と財政制度

## 1 法定通貨の廃止

政治体制が地方自治を保障するものであっても、金融・財政面でそれを裏付けなければ、現在の日本のように「絵に描いた餅」になってしまう。日本の地方公共団体は「三割自治」と言われているように、平均して必要経費の三割程度しか自主財源をもっていない。あとは、主に地方交付税という国からの補填で賄っている（一七七ページ参照）。国の指示に従わなければ地方交付税を受けられないので、財政面で言えば、「地方自治体は国に拘束されている」と言ってもいいだろう。それゆえ、各自治体のトップや責任者が霞ヶ関に日参している。

とはいえ、国の財政状況も厳しいものとなっている。毎年三〇兆円を超える財政赤字を出しており、国債の累積赤字は一〇〇〇兆円を突破していることは衆知のとおりである。しかし、新型コロナ対策での「大判振る舞い」に見られるように、平然として赤字国債を積み上げている。なぜ、このようなことが可能なのかと不思議に思われる人が多いと思うが、それは日本銀行という「打ち出の小槌」があるからである。これについては第1部の第5章で詳しく述べたとおりである。要するに、法定通貨である「円」を発行する権利を独占していることに起因している。

法定通貨とは、その国の国民であれば支払いや決済の手段として受け取ることが義務づけられている通貨である。国の権威によってその信用を裏付け、「強制的に流通させている通貨」と言ってもよいだろう。経済の発展が充分でない状況では、商品流通を円滑にするために国家の権威で裏付けした信用の高い通貨が必要であると考えられがちだが、実際はそうではない。イングランド銀行の成立過程を見ても分かるように、市場が発達するにつれて、自発的に、信用の高い利便性のある貨幣が流通してくる。

法定通貨を発行する主たる目的は、国家の財源を確保することだ。地金など通貨発行の費用と、その額面価値との差が財源となっている。その証拠に、国家財政が困窮するたびに硬貨の改鋳を繰り返している。そして、先にも述べたように、「悪貨が良貨を駆逐する」とするグレシャムの法則（一七一ページ参照）が生まれることになる。

政府が法定通貨を発行する権限をもつと、財政の悪化に伴って際限なく通貨が増発されるといった状況が生まれやすい。とくに軍事・防衛費が必要なときはその傾向が大きくなり、インフレなど経済に悪影響を及ぼすことになる。それが理由で、現在の金融制度では政府に法定通貨の発行権限を与えず、名目上は、独立した機関である中央銀行（日本銀行）に権限が与えられている。さらに、通貨の際限ない膨張に歯止めをかけるために、直接中央銀行が国債を引き受けることも禁止している。この制度を改めて、政府が通貨を発行できるようにすることも可能である。そうすると、政府が発行する通貨の信用度が低下すれば国民は受け取りを拒否するため、自ずと流通しなくなる。

独立九州国では、中央政府と同様に地方政府も自らの信用のもとに通貨の発行権をもつ。しかし、その通貨は法定通貨としない。つまり、国民はその受け取りが拒否できるということだ。広い意味での「地域通貨」であり、「仮想通貨」である。

信用の根拠は納税できる通貨であることに留まる。したがって、貨幣の価値に絶対的な信用はなく、貨幣は価値の貯蔵機能として完全なものでなくなる。市政府は、これによって市政府地方債も自己裁量で発行が可能となる。また、市政府が永久利付債券（株式のような元本を償還しない債券）を発行するのも財源確保の一環として認められる。会社の業績がよいと株価が上がるように、市政府の行政成果が評価されれば債券価格が上がる。しかも、元本は返済されない。行政にかかわる何らの議決権をもたないが、債券価格の変動が市民の意向を反映することになる。

## 2 通貨発行の自由

法定通貨の発行を廃止するので、当然、中央銀行も廃止される。そして、すべての住民が自らの信用で通貨の発行ができる。もちろん、その通貨がどの程度流通するのかは発行者の信用によって変わってくる。中央政府と市政府は、それぞれが通貨発行銀行を運営し、それぞれが通貨を発行する。納税に関しては、それらの銀行が発行する通貨に限定してもよいだろう。

今述べたように、個人であっても通貨の発行はできる。たとえば、米の生産者が米にペックした通貨を発行すれば、実際に米の販売ができなくても流動性に困ることはない。個人が自分の労働にペックした通貨を発行して信用が得られれば、失業していても流動性に困ることはないのだ。そして、それぞれの最終的決済は米や労働で行うことになる。

これらに伴う複雑な記録や決済は、ＩＴ技術の発展で今や可能になった。流動性の不足を金融機関に依存しなくてもすむようになるのだ。企業も、流動性を手に入れるために株式を発行するのではなく、決済時に自社の通貨を発行すればよい。ただし、相手が受け取るかどうかについては、前述のように企業の信用にかかわってくる。

多数の千差万別な通貨が発行されることで煩雑になるだろうが、信用のない通貨は淘汰されるものだ。もちろん、「円」、「ドル」、「元」も日常の決済に使用してもよい。また、幸いにしてIT技術の発達によって交換レートは自動的に計算されるので、混乱や決済時の不便さはさほど生じないと思われる。また、国内でも複数通貨の交換比率があるため、よい通貨が使用されるようになるだろう。そうなると、先に述べた「悪貨が良貨を駆逐する」のグレシャムの法則（一七一ページ参照）が成立しなくなる。

小説家・劇作家の井上ひさし（一九三四〜二〇一〇）の小説『吉里吉里人』（新潮社、一九八一年）を読まれたことがあるだろうか。日本政府から独立した吉里吉里国が発行する「イエン」が「円」の価値を上回ってしまうという記述があるが、まさにここで述べたごとくのことが起こっている。小説での話だが、ここまで読まれたあなたであれば「実現可能」と思われるだろう。

## 3　政府の財源

中央政府や市政府の財源はできるだけ政府の事業から得るようにして、税に依存しないように努める。税の徴収は国家の強制力を伴い、その強制は人々の幸福感を損なう。また、強制するには費用がかかるという問題もある。よって、政府の財源は、人々がすすんで協力する形で確保することが望ましい。また、課税をする場合でも、貨幣での徴収だけでなく、物納や用役（賦役、労働による納税）も活用する。貨幣で納税するためにはそれを稼ぐ必要が生じるが、モノや労働で納税する場合は市場に依存しなくてもよいし、貨幣所得のない人にも課税ができるので公平性にもつながる。

労働の生産性が上昇し、労働時間が短縮すれば、時間に余裕が出るので月に何日かは公務に就いて納税義務を果すというのも現実的である。そうなれば、市民が公務に精通するだけでなく理解もすすむので、行政効率の向上も期待できる。一番身近な問題で言えば、ゴミ収集に関することである。分別がすすんだ現在でもトラブルが全国で発生しているし、分別の意味すら理解していない住民が多い。これがすすむだけでも、環境問題の一つは解決につながる。

とはいえ、多くの人が公務に従事することで秘密事項が漏れたり、不正が行われるのではないかといった懸念をもつ人がいるかもしれない。しかし、そもそも漏れてはいけない情報とは市民の個人情報だけであり、それ以外の公務に関する情報であれば公表されても問題ないはずだ。世に言う「不正」は、情報の開示が充分でないことから生じている。

税については、可能なら所得税を廃止し、資産への課税と消費税を基本とするのがいいだろう。所得の計算は煩雑で恣意的な要素がかなりあるため、捕捉することが難しい。また、所得額の算定に経費と時間がかかってしまう。所得に応じて人々は消費し、資産を増やしていくわけだから、資産と消費への課税のほうが捕捉しやすい。

図３－１　貨幣での納税と労働での納税の違い

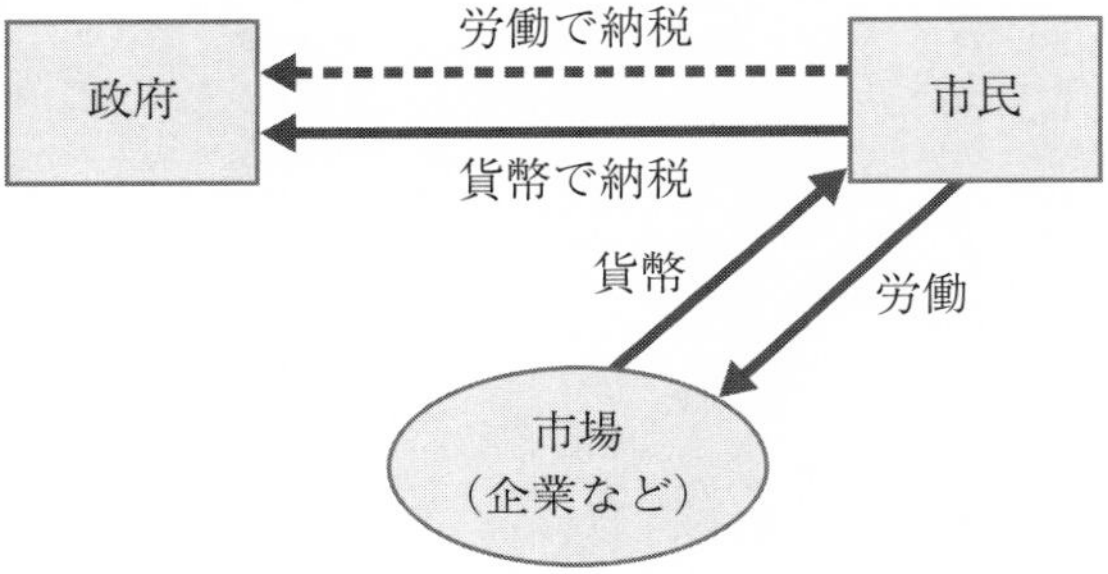


貨幣で納税する場合、市場を経由してから、たとえば企業で働いて貨幣を稼いで納税しなければならない。労働で納税する場合は直接に用役を提供すればよく、市場に依存しなくてよい。その分だけ負担感が軽くなる。

有形資産の場合は実体があるし、金融資産の場合もＩＴ技術の向上によって捕捉率の高まりが充分に期待できる。一方、売上税（消費税）は、地産地消を促すためにマイレージに比例して一〇～五〇パーセントの課税とすればいいだろう。所得税だけでなく関税や酒税なども廃止するので、税率を高めに設定しても誰も異論を差し挟まないだろう。もちろん、遠くから運ばれた商品ほど高い税率が課せられることになる。

資産の評価は、原則として所有者が手放してもよいとする価格で評価する。そして、いつでもその価格で、市（中央）政府が望むなら売りわたすことを条件とする。売りわたしを考えるなら高い価格をつけるほうが得策のように思えるが、そうすると資産税が高くなる。逆に、資産税の軽減を考えて低く評価すると市（中央）政府に買い上げられることになる。このバランスを考えると、適切な評価額に落ちつくだろう。それに、住民自身が本来の資産価値を考える機会にもなる。

資産税の税率だが、個人資産にあっては日常生活を維持するのに必要な資産までは低率とし、それを超えた範囲については高率を課す。企業などの場合も同じく、生産活動に必要な範囲までは低率とし、それを超えた場合には高率にする。こうすれば、市政府は財源が確保できるとともに資産の投機によるバブルの発生が防げる。

ここで述べた税は地方税を主としている。では、中央政府に納める税はどうするのかというと、あくまでも「従」の位置づけとなり、中央政府の財政は市政府からの供出金や資産運用で賄うことにする。それについて、以下で述べておこう。

## 4　資産運用

市政府から供出される税収入は、もっぱら国防、治安、経済格差の是正、そして社会保障への財源に当て、その他の管理経費などは資産の運用で確保する。土地への課税が強化されれば遊休地を手放す人が多くなり、中央政府の所有地が増加すると考えられる。

土地は天から与えられたかぎられた資産であり、人々の生活には絶対不可欠なため、本来ならば社会全体で所有するべきものである。独立九州国での私有権の根拠は資産の有効活用にあり、有効に活用しない資産は所有権が保障されないとする。ここで述べる「有効活用」とは、個人の利益ではなく社会全体の福祉に貢献するかどうかである。

要するに、資産にかかる税を納めることで公共福祉に貢献するわけだ。また、地価の上昇は地主の努力ではなく社会経済の発展によってもたらされたものであるため、地価の上昇に伴う利得は地主個人に帰属するものではない。したがって、土地に関しては社会または共同体の所有とし、個人に対して使用権を与えるようにすべきだろう。

言うまでもなく、中国などの社会主義国では土地はすべて国有となっているわけだが、オランダ・アムステルダム市のほとんどの土地が市有地になっていることはご存じだろうか。また、世界遺産である和歌山県の高野山も、ほぼすべてが本山（金剛峯寺）の所有となっている。つまり、町役場も本山に対して賃貸料を支払っているということだ。

なお、中央（市）政府は、道路、港湾、航空などの交通インフラ、通信や電気・水道など基本的な生活インフラに関する整備に責任をもつが、できるだけ政府が直接関与しないようにして、建設と運営は民間に任せるほうがいいだろう。中央（市）政府は、インフラ建設に必要となる資金調達には積極的にかかわり、インフラ運営会社の株をもち、その配当を財源にすればよい。また、有望な事業や企業に投資し、産業を望ましい方向へ誘導するとともに財源とする。どのような方向が望ましいかについては次章で述べる。

# 第４章　経済・産業・貿易政策

## 1 経済政策の目的

中央政府の役割は、前章で述べたように、国防、治安・防災、そして経済格差から生じる困窮者の救済である。独立九州国における経済政策の第一の目的は、生活困窮者に寄り添って救済することにある。そのため、経済格差を直接的な手段で是正していく。

たとえば、雇用を増やすための経済刺激策は採用しない。成熟した経済では、生活に必要な物資を生産する能力は十分に備わっているので、生活困窮者の救済はその生産能力がもたらす成果の配分によるべきである。中央政府が介入し、不自然に生産能力を拡大するという経済成長政策は、短期的には効果があっても、長い目で見れば資源の浪費と環境破壊をもたらすだけである。

さらに、経済振興政策としての補助金制度を廃止し、それに必要とされる資金は融資とする。

経済成長を重視する大義名分の第一は、国民の雇用を守ることである。さまざまな分野で技術進歩がすすみ、オートメーション化で生産性が向上すると労働力の削減が可能となり、失業の原因になると同時に低価格で製品が大量生産されることになる。これに対する需要を創出するためにも雇用の確保が重要な課題となる。

多くの政治家が「雇用の確保」を公約に掲げ、経済成長政策に加担している。その政策は思ったほどの効果はなく、税金の無駄遣いとなっている。雇用を第一とする政策を見直し、失業を和らげる趨勢的な要因に着目しなければならない。その要因として、エネルギー・コストが高騰する状況を踏まえてエネルギー集約型から労働集約型へ移行することが挙げられる。たとえば、手づくり製品や高級品への需要増、経済活動領域を小さくしようとする傾向、すなわち地域社会をより小さく独立的にすることなどである。

## 2　経済政策の手法

独立九州国ではいたずらに経済を成長させるような政策はとらないので、そのための補助金は一切支出しないし、経済運営に関して政府は直接的に関与しない。ただ、政府が関与する機関は民間企業と同列として経済活動に参加し、将来すすむべき望ましい方向へと、経済運営をリードすることはあり得る。どのような経済運営が望ましいのか、どのような産業育成が望ましいのかについては次節で述べることにして、独立九州国の経済政策の目的を実現するために、中央（市）政府が直接的に関与する手法・手段として次のようなことが実施されるだろう。

## 一人一〇〇万円相当のベーシックインカムの支給

第1部で述べたように、現在の日本にこのベーシックインカムを導入すると全体で約一二〇兆円が必要であり、その財源をどうするのかが最大の課題となる（九九ページ参照）。繰り返しになるが、現在の財政状況でも充分手が届く。所得税の控除対象となっている基礎控除や扶養者控除などを廃止すれば、二〇兆円ぐらいの税収アップになる。児童手当・障碍者や生活保護などの補償も廃止し、基礎年金や失業補償も削減すれば同じく二〇兆円ぐらいは削減できる。

また、「ＧｏＴｏキャンペーン」などの経済振興策や産業振興補助金も廃止（産業振興にかかわる政府資金はすべて融資にする）し、これに付随しての事務処理簡略化などの経費削減で二〇兆円を捻出するなどして財政支出を洗い直すほか、ＡＩ・ロボットに固定資産税を適用して増収を図ることが可能である。さらに、マイレージに比例した消費税で平均二〇パーセントの税率にすればかなりの財源になるはずだ。

独立九州国では、このベーシックインカムの導入に一二兆円程度が必要となる。独立九州国では、前述したように所得税を廃止して資産に税を課すわけだが、独立九州国の資産額はどのくらいになるだろうか。

日本全体では、固定資本ストックが一七〇〇兆円、家計の金融資産が一八〇〇兆円、民間非金融企業の純金融資産（資産額―負債額）が二〇〇兆円の合計三七〇〇兆円となっている。一方、独立九州国の資産は、その一〇パーセントとして三七〇兆円である。資産への税率を平均三パーセントとすれば、それだけで約一一兆円になるのだ。

また、独立九州国のGDPは、同じく日本全体の一〇パーセントとすれば五〇兆円となる。マイレージに比例した消費税を平均二〇パーセントにすれば、ここからも一〇兆円が見込める。となると、ベーシックインカムの導入は充分に可能となる。

第1部第2章の繰り返しになるが、ベーシックインカムの給付を受ける資格として、ボランティア活動への参加（国防・災害・福祉など）や医学・健康管理の講習の受講を義務づけるという案が考えられる（一〇三ページ参照）。言うまでもなく、これらは社会的費用の削減という効果がある。さらに、以下に示すような政策だと、ベーシックインカムとともにセーフティーネット効果を補強することになる。

**排出権取引の徹底と個人版**

ガソリンなどといったエネルギーの消費については一人当たりの上限を決め、それを上回って消費をする人は、上限まで使用しなかった人から使用権利を買い取る（排出権取引の個人版）形にする。つまり、自動車を自由に乗り回せるのは、自動者に乗らない人のおかげであるということだ（一〇二ページ参照）。

自動車に乗らない人のおかげで道路の混雑や環境汚染が緩和される。また、自動車に乗らない人たちは高齢者や経済的弱者の場合が多いので、この制度は経済格差の是正にもなる。ひょっとしたら、喫煙権もこの制度の一環に含めるとよいかもしれない。

このような考え方は、当然、事業者間にも適応される。そうすれば環境に負荷をかけない事業者が優遇され、伝統工芸や手づくりのもの、そして文化的な活動や事業の活性化に寄与することにもなる。

**包括的な社会保障と共済制度**

現行の制度では医療と介護は別となっており、傷害保険や生命保険なども別々に運営されているが、これらは一括して取り扱ったほうが効率的である。さらに、日常生活の基本的な必需品などの調達も、望むなら包括したほうがよいだろう。そうすれば、一定の掛け金さえ支払っておけば、医療・介護・傷害、そして死亡時の保障および生活必需品が得られることになる。

もちろん、保障やサービスの程度については人々の好みに応じて選択できるようにしておくべきだろう。そして、基本的な保障とサービスに関する掛け金はベーシックインカムの範囲内に設定する。そうすることで、基本的なセーフティーネットが確立する。

このような社会保障と共済制度の運営も、中央（市）政府と民間機関が参画して競合すれば信頼性とサービスの向上が得られる。顧客の獲得に関しては、ネットワークビジネスの形態を採用するというのも一案であろう。そうなると主婦やシングルマザーの副業になりえるし、生活の安定にも役立つ。

## ワークシェアリング

繰り返すが、成熟した経済社会では人々の日常生活に必要な物資は充分に足りている。このことは、食べ残された料理、衣類、家具などが廃棄されている現状を見れば分かるだろう。ミクロな分野での職業におけるミスマッチがあるにしても、このような状態で失業者が出るというのは、雇用されている人が働きすぎているからだ。なぜなら、失業者は餓死しているわけではなく、社会全体で扶養していると考えることができるからだ。

金銭面で言えば、失業保険を支払っているので所得保障は当然の権利となるが、実物面で考えると、働いている人が生産したもので生産に参画していない人を養っている状態となる。したがって、仮に一日八時間働いているとすれば、失業率が五パーセントの場合、四〇分は失業者のために働いていることになる。すべての人が生きていくために必要とされる物資が全体に充分あるのなら、ワークシェリングで雇用を分けあったほうが合理的である。

ワークシェリングを実施すると、削減できた労働時間を人々はもっと充実したことに使用するようになる。余暇の充実やボランティア活動など、社会的価値を高める活動にそれらの時間を当てるだろう。独立九州国であれば、前章で述べたように労働で納税できるので、税負担の軽減策としても時間が使える。さらに言えば、ワークシェリングは過密過疎化の解消にも有益な手段となる。ワークシェリングでなく、経済成長で雇用を増加させようとすると、あまり必要としないものを無理に生産することになる。究極の例として、「穴を掘って、その穴を埋める」という状態が挙げられる。

## コラム26　大分県姫島村の取り組み

大分県姫島村は国東半島の東北に位置し、人口二〇〇〇人余りの島であるが、ユニークな取り組みで有名である。その代表例として、村役場の過疎化対策として業務のワークシェリングが挙げられる。

田舎は働き口がなくて人が流出し、過疎化していく。しかし、田舎で生活をすると都会ほどお金はかからない。それでも安定した一定の収入が必要となるわけだが、役場に勤めることによって安定的な収入が得られる。ある程度の収入があれば、物価の安い田舎では農業、漁業、林業などを兼ねれば生活ができる。それで、姫島村役場は給料を安くして、多くの職員を採用することにした。給与水準は、国家公務員の八〇パーセントほどで、七七人が雇用されている（二〇二〇年四月一日現在）。就業者数が八八〇人余りなので、約一一人に一人が村の職員ということになる。

また、村外から人を呼び込むために、二〇一八年に「姫島ＩＴアイランド構想」を立ち上げた。ＩＴ企業の誘致、テレワーク・サテライトなどを整備している。素晴らしい風景を見ながら、美味しい海の幸を堪能し、仕事ができるという環境がここにはある。ＩＴ教育にも力を入れており、島に残ってＩＴ関連の仕事を目指す若者の養成を目的としている。このような「半漁半ＩＴ」には期待がもてる。

一方、子育て対策の充実にも目を見張るものがある。もちろん、待機児童などはいないし、医療費も中学までは無料となっている。そのため、出生率は二・五人となっており、大分県の平均一・五人を大きく上回っている。姫島村の人口は一九五五年の四一七八人をピークに減少しはじめ、一九八〇年から少し増加したが、一九九〇年から再び減少しはじめた。前述したような政策によって、姫島で生まれた子どもたちが島に残るようになれば過疎化をくい止めることはできる。

また、環境対策でも空き缶のデポジットに早くから取り組んでいるし、電気自動車のタイムシェアリングも実施している。時代を先行するこのような取り組みは「島の誇り」となり、島で生きようとする動機づけにつながっている。

盆踊りで踊られる姫島の「キツネ踊り」。この盆踊りでは、17世紀からの伝統的なものから、怪獣に扮した現代的なものまで40種類の踊りが披露されている。一番人気は子どもたちによるキツネ踊りで、地域の結束と世代間の交流に役立っている。毎回、この盆踊りには島外からも多くの人が訪れている。

## 3　産業政策

独立九州国の理念からすれば、産業政策は多様な国づくりと地域自立に寄与するものでなければならない。多様な独自色をもっている地区から構成される国づくりは、地域の自立とあいまって社会の持続可能性に不可欠である。それは同時に、過密過疎化がもたらす弊害を是正するものであり、社会のセーフティーネットを確立することになる。さらに、市場経済万能主義からの脱却を促すと同時に、ビジネスも含めてさまざまな分野に挑戦する動機づけとなる。

セーフティーネットが確立しておれば、失敗しても打ちひしがれることなく再度の挑戦が可能となる。最終的な成功は、成功するまで挑戦することによって得られるということだ。このような基本的な方針に従うと、次のような事業や産業が推奨されることになる。

## 文化産業とそれを補完する文化関連産業

社会を持続可能にするには、経済と環境の「ウィンウィン関係」を築く事業や産業がなければならない。観光業がその代表的だろう。人々は、環境が汚染されている所にわざわざお金を使ってまでは行かない。言うまでもなく、美しい自然そのものは永遠の観光資源である。

観光にかぎらず、集客が必須なサービスとソフトを提供する産業で成り立つ都市や地域は環境保全に努めなければならない。文化とそれに関連する産業、そして芸術とスポーツは、環境と経済の「ウィンウィン関係」を築くために貢献するだろう。

## コラム27　宮崎県五ヶ瀬町桑野内地区「夕日の里づくり」——夕日の里版グリーンツーリズム

西臼杵郡五ヶ瀬町は宮崎県の北西端に位置し、農業を主産業とする人口約三四〇〇人の町である。山と丘陵が多く、町の東部は天孫降臨の地「高千穂町」に、南部は「椎葉村・諸塚村」

に接し、北部は熊本県との県境となる。日本最南端のスキー場を擁するなど、四季の気候変化が大きい所である。主な企業としては、全国的にも有名な焼酎メーカー「雲海酒造」の五ヶ瀬工場が立地している。

一九九三年以来、「夕日の里グリーンツーリズム」を実践している「桑野内地区」は、町の中心である五ヶ瀬町役場から五キロほどの所にあり、「夕日の里大橋」と名付けられている高架橋で結ばれている。「夕日の里」とは、地区における地域づくりのコンセプトであり、グリーンツーリズムに取り組んできた住民にとっては「誇り」の代名詞となっている。

元々、この地区は畑農業や林業が主体であったが、次第に茶、椎茸、夏秋野菜、花卉《かき》、ブドウなどの生産に移行していった。近年は、「五ヶ瀬ワイン」をＰＲしているほか、全国でも珍しい釜炒り茶「五ヶ瀬みどり」が農林水産大臣賞を受賞するなど、全国ブランドとして認知されている。

地形や気候、そして幸いなことにインフラが未整備だということで、桑野内地区には手つかずの自然が残った。また、かつて日本社会がもっていた精神性や行動規範が保全された。人の心、気候風土、四季の景観という美しさが、都市の人々をひきつけている。グリーンツーリズムの取り組み自体は、ほかの地域と大きな違いはないが、取り組みに対する考え方、つまり「地域の自立」という観点から見習うべき点が多い。それを整理すると次のようになる。

❶ターゲットを選ばないこと。顧客の対象を絞り込んで、それにあった戦略を取るというのが一般的であるが、近年は余暇に対するニーズが積極的で目的性の高いものに変化しており、体験交流ツアーに関心のある年齢層が若い女性から八〇代までと広くなっているほか、遠方からも多くの人が訪れている。

❷大規模施設が造られてこなかった。体験交流ツアーのため、民家に手を入れることもあまりない。ソフトを重視し、「開発しない開発」を考えるのが地区の方針となっている。言ってみれば、「開発しなければならないのは人の意識である」という考え方が浸透している。

❸取れるリスクは取るということ。地域活性化には、市民主導で活性化策を立案・推進することが必要である。「夕日の里」の取り組みでは、自助努力の考え方が貫かれている。自力で事業をする場合、可能な範囲はかぎられてくる。自らが担い、コントロールし得るリスクの範囲内で、そのときの身の丈にあった事業を企画する。たとえば、地域のイベントとして「夕日の里フェスタin五ヶ瀬」を毎年開催しているが、フェスタ

阿蘇を臨んでの「夕日の里フェスタ in 五ヶ瀬」

の主体になれなくても景品を提供するなど、さまざまな形で参画している。果たし得る範囲内で役割をもつという姿勢、大いに学ぶべき点である。

❹地域資源の価値を正しく評価するには、よそ者の目を含む「セカンドオピニオン」が必要である。桑野内地区の人々にとって夕日は、ある意味当たり前のものであった。しかし、夕日を見た来訪者が琴線《きんせん》を揺さぶられる様子を見て、地区の人々に変化が起こった。そして、日々見ていた夕日を改めて見たとき、新たな感動が共有できるようになった。

❺パートナーシップを築くこと。グリーンツーリズム開始当初、地区と福岡県との縁は細かったが、双方が交流希望をもっていることが分かったため福岡県で説明会を開催した。すると、目論見としていた五〇人を大幅に超え、一四〇人もの応募があった。このときの参加者名簿が「ふくおか町人会」発足の基礎ともなっている。そして、交流を通じてお互いが元気を分ち合い、よい意味で来訪者と親戚関係を築くことを目指すようになった。

❻地域に培われた知恵と心の申し送りである。地区を知悉《ちしつ》し、知識・技術を蓄積し、郷土芸能の伝承者でもある高齢者は、都市農村交流のみならず、地域づくり全体のアドバイザーとして、また担い手として不可欠な存在となっている。そして、その技を受け継ぐだけの環境ができている。

❼最後に、「右で経済、左で心」である。「市場原理」と「心の価値」というバランスは重要な

ポイントである。たとえば、スーパーに行けば豆腐は安く手に入るだろうが、価値の最大化は市場原理で割り切れるようなものではない。その場で豆腐を一緒につくって食べたときにしか実感できない価値がある。

住民と来訪者で最高の贅沢を共有することがグリーンツーリズムにおける最大の価値であり、そうすることで自らも学んでいく。目先の損得では動かず、自助の精神が先にあり、経済活動を取り込みながら人々を巻き込んで発展していくのが「夕日の里版グリーンツーリズム」だと言える（須川一幸氏の情報をベースにして記述）。

## コラム28　遊びと文化と時間の経済軸をつくる（NPO法人五ヶ瀬川流域ネットワーク理事長・土井裕子）

私たちは、一九年にわたって「リバーパル五ヶ瀬川」という河川資料館の運営の傍ら、「東海さるく」という地域イベントを続けている。かつて舟運基地として栄えたことで、地域にたくさん残っている「水神さん」や「庚申さん」などをめぐるスタンプラリーを基本にしたイベントであるが、それに「アーティスト・イン・レジデンス」を取り込み、街角ギャラリー、街角ショップ、街角カフェなどのほか、地元の人が出店する野菜や加工品の店を加えて開催している。

アーティスト・イン・レジデンスは、最初に「よしだぎょうこ」さんというアーティストを迎えたのが契機である。彼女がこの地を気に入り、「ここは外国人がきっと気に入る。私は来年、文科省の助成をもらって一年間ニューヨークなので、各国政府の奨学金をもらった若者が所属するスタジオのなかから、良さそうな人を選んで送り込んであげる」と言われ、最初にメキシコ人が来て、キューバ人、中国人、台湾系アメリカ人、香港、シンガポール系アメリカ人と続いた。しかし、二〇一一年三月一一日の東北大震災が理由で放射能に敏感な外国人が来なくなり、日本人ばかりになった。それで、ぎょうこさんが金沢美術工芸大学の大学院生になったことがきっかけとなり、東京芸大とともに金沢美大の学生が来るようになった。

どの作家や学生も地域の履歴や魅力を調査し、それを活かすためのインスタレーション作品が主であるが、海外の作家が持参した作品は買い取ってもいる。その内に、一度来た学生の作品の展示販売もはじめたところ（それも、ほとんど買っていたが）、近年は地元の人も買ってくれるようになったし、学生同士でも互いの作品

川の中のオブジェ

を買うようになった。これは、私が学生時代から五〇年近く買い続けていた美術作品の一部、とくに「モノ派」と呼ばれる一群の作品がここに来て二桁ほど値上がりした、と話しているからかもしれない。

基本的に欧米の人は、美術作品は安いときに買って、高くなったら売るというスタイルを取っている。安いときとは、言うまでもなく作家が若いときのもので、買うことによって若い作家の育成にもつながる。ところが日本人は、とくに海外作品は最高値で買わされるケースが多く、国内にいる若い作家の作品を買うことが少ない。そのため、「貧乏絵描き」というフレーズが若い作家の意欲を削いでいる。

文化と時間の経済が貧弱で、日本人が得意とする不動産投資にしても、木造の家だと二〇年で減価償却が「0」になり、売るときには家を壊して更地にしたほうが高く売れるようだ。一方、イギリスなどでは、手入れのよい家は一〇〇年を経過すると値上り率が高くなるため、お金持ちほど古い家に住んでいることが多い。もちろん、手入れすることを厭わず、多くの職人が社会的に存在価値を示し続けている。

日本の場合、時間をかけないと身につかない技術に対する評価が低いため、家に関して言えば、大工、左官、建具、家具といった職人がつくっていたものがことごとく工場製品に置き換わっている。これは、遊戯施設においても同じである。平成天皇のご結婚で集まったお祝い金で横浜に「子どもの国」を造って、開園から五五年間で四〇〇〇万人を超える子どもが来園したと言われているが、東京ディズニーランドは、二〇一七年に入場者が七億人に達したと報道された。どうやら日本人は、ミッキーマウスにたくさん餌をあげるのが好きなようだ。と同時に、遊びと文化と時間の経済軸をつくるという発想が欠けているように思える。

アート作品は、三〇～四〇年すると、評論家によって世界史のなかに位置づけられた作品が高騰する。この地に来た若者のなかから、時代の表現を代表するような作家が生まれると、地元のコレクションがアート資産となる。そのような希望のもと、少ない投資で時間をかけながら地域の文化資産が着々と蓄積されていく過程を見守っている。つまり、ゴッホの『ひまわり』を五八億円で買ったケースの逆バージョンを狙っているということだ。

---

テレビ、ラジオ、新聞、映画などの情報発信分野が東京に集まっているという現状が、東京への一極集中を促す要因となっている。独立九州国が自立的であるには、情報・メディアの発信について主導権をもたなければならない。九州の情報・メディア発信の拠点としては大牟田市が有力な候補地となる。

有明海をアメリカ西海岸のベイエアリアにたとえるのも理由の一つになるが、大牟田市は九州のほぼ中心に位置しており、福岡都市圏や熊本市からも新幹線で一五分ほどの距離でしかない。

道路などのインフラも、石炭で栄えた当時のものが残っているために充実している。また、福岡空港や佐賀空港が高速道路で一時間範囲にある。とくに、佐賀空港へは高速船を走らせれば三〇分ぐらいで行ける。

海外へも近い。地図を見れば分かるように、中国、韓国、台湾など東・東南アジアにも近い。これらの国の主要都市までの飛行距離は、東京や札幌と変わらないのだ。また、何と言っても地価が安い。富裕層の人が東京近辺で一〇〇坪の豪邸を建てる金額で、三〇〇〇坪の、プール付きの大邸宅が大牟田市では建つだろう。

このような利点を活かし、チャーター都市として自治特区にすれば、海外からの投資も呼び込めるし、国際的なスターが住むような都市になると考えられる。

医療、教育、福祉、研究開発、そしてレジャーなどは、人間の能力を洗練し、強化することにも貢献するため、人間の幸福感と直結する分野である。そうすると、持続可能で質の高い生活を実現するために、ほかの産業がこの分野を支援し、協力するような、いわばこの分野が頂点とな

大牟田市役所。この前の道路は６車線である。役場の建物は、保存かどうかで意見が分かれている

る産業構造になっていく。

## 自給自足を支援し、田舎暮らしを楽しくする事業・産業

地域の経済的自立は、人々の生活が市場にどれだけ依存するかにもよる。ほとんどの人が自給自足的な生活をしているなら、地域の経済的自立度は高くなる。市場に参画して貨幣所得を稼ぐ仕事が少ない田舎には、自給自足を楽しめる情報・知識、そして技術がある。それを活用すれば、地域の経済的自立が高められるだけでなく、過疎化も防げる。いや、過疎化を防ぐというよりも、過疎化から発生する問題が解決できると言ったほうがよいかもしれない。

市場経済にどっぷり浸かってしまうと、必要なものをほとんど貨幣で買うことになり、生活に必要なものを自分でつくろうとはしなくなるものだ。日々の食事にしても、手間を省いてコンビニ弁当を食べたり、頻繁に外食するようになる。そうすると、日常使っている商品の生産工程がブラックボックスとなり、商品についての正確な知識が得られなくなる。

このような状況がエスカレートすると、広告・宣伝に惑わされて不適切なものを購入するだけでなく、不必要なものまで購入することになる。生活に必要なものをすべて市場で調達するようになると、商品価値は価格に一元化して評価されるので、商品のもつ本来の価値を見誤ることにもなる。よって、自給自足を楽しむという行為は市場依存による弊害を防ぐことになる。

とはいえ、そう簡単に自給自足ができるわけではない。それ相応の知識・情報・技術がなければならない。したがって、自給自足を楽しみたいと思う人にそれらを提供することが事業やビジネスになり得る。この事業・ビジネスが人々の自給自足の度合いを高め、地域経済の自立度を高め、そして社会のセーフティーネットを高めることになる。さらに、自給自足を楽しむという精神は、モノを大切にし、リサイクルをすすめ、地上にある資源の徹底的活用にもつながる。

## コラム29　波佐見焼《はさみやき》の挑戦

前述したように、九州は「陶芸王国」と呼ばれている。豊臣秀吉の朝鮮出兵で連れてこられた陶工が築いた窯が多く存在し、四〇〇年以上の歴史をもつ伝統産業になっている（二八四ページ参照）。独立九州国にとっても、培われた陶芸技術を現在のニーズに合わせて活かすことが経済的にも有意義であるが、それ以上に、新しい生活文化の創生にもなる。長崎県東彼杵《ひがしそのぎ》郡《ぐん》の波佐見焼は、佐賀県に隣接した人口一万四〇〇〇人余りの波佐見町でつくられているものだが、社会の新しい動向をつかむために積極的な挑戦を繰り返している。

実は、全国の日用食器の一三パーセントを波佐見焼が占めているのだが、その知名度は決して高くない。陶磁器の生産工程の前段である生地や成型を波佐見町で担い、後段を隣の有田町で行い、完成品の「有田焼」として出回っているからである。

波佐見焼の特徴の一つは、「地域内分業体制」がとられていることだ。通常、陶芸の生産は一つの窯元で全工程を行っているが、波佐見焼では、生地だけをつくる職人、型だけを専門につくる職人などといった形で分業している。江戸時代から「食らわんか碗」という庶民の飯碗を京都や大阪で大量に販売していたため、大量生産体制が必要になったという歴史背景がある。

この分業体制によって、認知度は低くても経済発展に伴って追い風を受けてきたわけだが、食生活のスタイルが変わったこと、海外から安価な食器が輸入されたことで大きな打撃を受けた。このような事情はどこの産地でも同じだろうが、波佐見焼では出荷額が四分の一まで低下した。この事態を打開するために、長崎県立大学の呼びかけを契機に、特徴のなかった波佐見焼を地域ブランド化しようとする挑戦がはじまった。

地域ブランドを形成する目的は、差別化によって製品の販売増や価格の上昇を目指すだけでなく、地域に働く場所をつくりだし、地域そのものを魅力的な場所にすることである。そこで、波佐見焼ブランドの目標は「良質なカジュアル」となった。

波佐見焼は、有田焼、唐津焼、小石原《こいしわら》焼や薩摩焼などの九州を代表する陶芸に比べると、これといった特徴がない。それゆえ、「特徴のないのが特徴である」と言われている。前述した「食らわんか碗」のように、ひたすら庶民の日用に応じてさまざまな食器をつくってきたわけである。そこで、「良質なカジュアル」を目標として、現代社会の機能的な生活スタイルにあわせるとともに、さらに質の高い生活文化を目指すことにした。

現在の日本人の生活スタイルは西洋化しており、食事もフランス料理やイタリア料理が好まれている。したがって、使用する食器も洋式が多くなっているので、それにこたえる必要がある。一方、世界遺産に登録されたように、世界的には和食が注目されはじめている。和食に供される和食器は、洋食器や中華の食器に比べて圧倒的に種類が多い。料理ごとに食器が異なることや、季節に合わせて食器も換えている。これらの要望にこたえていくことは、やがて日本における伝統的な生活文化の見直しにも結びつく。

波佐見焼振興会会長の児玉盛介氏は、「次の時代の職人を育てるのに一番大事なことは、仕事の喜びというか、その人たちがどうプライドをもつかということ」（長崎県立大学学長プロジェクト編『波佐見焼ブランドへの道程』石風社、二〇一六年、二九ページ）、「カジュアルリッチ層を狙うためには、（中略）仕事に喜びを感じているような商品をどうやって作って、それをちゃんとした波佐見焼として市場に出すかというのがポイントで、振興会

「波佐見交流館」と「くらわんか館」

としての目標かなと思います」（前掲、三〇ページ）と述べている。

このような戦略のもとにつくられている波佐見焼が、東京ドームで毎年開催されている展示会に出品されており、陶工たちは大きな「手ごたえ」を感じている。

### スモールビジネス

自給自足を楽しむと言っても、現実には一〇〇パーセント自給自足をするというのは無理で、日常の生活必需品の五〇パーセントもできれば十分であろう。この自給自足と相性のよいビジネス形態はスモールビジネスである。個人あるいは少人数の事業体では、何といっても時間の使い方に裁量が利く。

スモールビジネスの発展には、小型で優秀な機械や小規模プラントの開発が欠かせない。独立九州国では、この開発をすすめる政策を採用したい。このような観点から、産業別に独立九州国でのあり方を見ていきたい。

## 4　農林水産業

農林水産業は自然の恵みに依存する産業で、自然とのかかわりが深い。産業革命以前の社会では、ほとんどの人がこの分野に携わっており、生活に関連するものは自給自足の状態で賄ってきた。その状態は、産業と言うよりは「なりわい」であり、生活そのものであった。したがって、農林水産業は、食料や製造業に使用される材料を提供するといった役割以外に、人間の日常生活を支える多様な機能、たとえば環境保全、生活文化の継承と創造、人々の健康と精神的な癒し、教育などにかかわってくる。

産業化した農業・林業・水産業は、これらの多面的な機能を無視し、食料や原材料の効率的な産出に専念してきた。そして、効率性の目標とされたのは利潤であり、食料の生産にしても、人々の健康に役立つものを生産するのではなく、金を稼げるものをつくろうとしている。独立九州国の農林水産業は、そのようなものであってはならない。かつてのように、多面的な機能を活かすものでなければならない。そして、地域が自立するための「要」でなければならない。

産業としての農林水産業はどうしても利潤追求に走る傾向が強く、規模の経済性を追求することになる。そうすれば、どうしても省力化のために機械を導入し、工場型の経営となってしまう。独立九州国の農業は、そのような工業型経営に寄らず、安定して食料や原材料を得る方法を選ばなければならない。

その方策として、第一に人間の食料を優先する。その解決策として、牛などの反芻動物は小屋ではなく牧草地で育て（可能なかぎり）、穀物や魚を家畜や養殖魚の餌にせず、できるだけ人間が食べるようにする。

第二に、食料の廃棄量を減らす。欧米諸国や日本は、食べ物の半分を無駄にしていると言われている。それらの量は、飢えに苦しむ一〇億人を満たすために必要とされる食料の三倍から五倍になるとも言われている。解決策として、豚と家禽、そしてペットに残飯やその加工品を与えるようにする。そのためにも、生ごみゴミの減量や活用する事業への投資を促すべきだろう。また、食料の廃棄費用を食料品価格に上乗せすれば食料のありがたさが分かり、廃棄しなくなるかもしれない。

第三に、未来を見据え、持続可能で循環型の農林水産業を目指す。農業における解決策として、土壌の持続性を高めるために作物と家畜を一緒に育てる。さらに、下水の汚泥を肥料にするための小規模装置を開発して、事業所ごとに肥料化できるようにしたい。

**半農半X**

人間は食べ物さえあれば何とか生きていけるので、農業に片足を突っ込むだけで自給自足への第一歩となる。農作業の時間は比較的自由が利くし、季節的な繁忙時期が決まっているため、ほかの職業と兼ねることが十分可能である。グリーンツーリズムはその典型と言えるもので、農業のもつ多面的な機能を最大限に活かすことができる。

この場合のXは、観光・教育などとなる。園芸療法と組み合わせれば医療も加わることになる。また、ＩＴも農業とは相性がいいと言われている。ＩＴ技術そのものが、生産効率の改善や販売に役立つこともある。新型コロナの感染が理由でテレワークが推奨されていることも追い風になっていると言えるだろう。

公務員や教員などはXの有力候補であり、ワークシェアリングと組み合わせれば過疎化対策としても有効だろう。また、プロスポーツも農業との連携が模索されている。実際、女子サッカーチームの「ＦＣ越後妻有《つまり》」（新潟県十日町市）の選手は農業との両立を目指している。

農作業の程度が出荷や販売までに至らず、自家消費に留まる趣味的な園芸もまた多面的機能の範疇に入る。それでも、ドイツのクラインガルテン（二〇〇〇年の歴史をもつ農地の貸借制度）やロシヤのダーチャ（菜園付きのセカンドハウス）などの水準になれば社会全体の食料生産の一端を担うし、食料の自給率向上に寄与するだろう。そして、多数の都市住民が田舎に農園付きの別荘をもち、二拠点居住が実現すれば田舎に新たなビジネス機会が生まれ、過疎化の勢いを止めることにもなる。

この半農半Xという考えは、林業や漁業にも拡張できる。独立九州国では、国民の半数が何らかの形で農林漁業にかかわることを目指したい。その理由は、人々の健康とも大いにかかわるからだ。

## コラム30　カライモ生産からはじまった集落自立――鹿児島県鹿屋市串良町柳谷集落「やねだん」

通称「やねだん」は大隅半島のほぼ中央に位置する人口三〇〇人ほどの集落であるが、地域創生では全国的に有名で、二〇一五年一月には地域創生大臣（当時）であった石破茂氏が訪問している。

やねだん地域創生の指導的役割を担っているのが、一九九六年に五五歳で公民館自治館長に就任した豊重哲郎氏である。豊重氏の地域創生の理念は、①行政に頼らない住民自治、②自主財源の確保、③納得して人が集まる活動、である。

地域づくりのアイディアも自分たちで考え、できることはすべて自分たちで行う。集会場や道路、そして公園整備なども行政任せにせず自分たちで行う。空き家を改造して「迎賓館」を造り、外部からの移住者を呼び込んでいる。この迎賓館に芸術家が移住してきたことで、その活動を支援しようと、閉店したスーパーに「ギャラリーやねだん」を開設した（二〇〇六年）。

活動に必要とされる財源も、コミュニティ・ビジネスを行って自分たちで確保している。それは、休耕地を借りてのカライモ生産からはじまった。カライモを植えるために「柳谷高校生クラブ」のメンバーに、「収益が出たら東京ドームでイチローを観よう」と言って誘ったそうだ。東京ドームには行けなかったが、福岡ドームには行けたという。

やねだん集落では、畜産農家が悪臭を放っていたこともあり、洗濯を一日二回しなければならないほど生活環境に悪影響を与えていた。この悪臭を除去するために研修会を開催し、土着菌（田や畑にいる好気性の微生物）を開発している。この土着菌を混ぜた餌を牛や豚に与えたところ、糞尿の臭いがかなり収まって生活環境の改善につながった。

そして二〇〇二年、「土着菌センター」を建設し、土着菌を活用した自然農業に挑戦し、タマネギや長芋などの野菜づくりをはじめた。さらに、地元の焼酎メーカーと協力して、この土着菌からつくられたカライモで集落のプライベート・ブランドとなる「焼酎やねだん」を醸造し販売している。これが、集落の大きな収益となっている。

「やねだん」の入り口

豊重氏によれば、三番目の理念である「納得して活動や事業に参加してもらう」ことが一番難しいと言う。そのためには、情報開示は無論のこと、活動や事業が集落のためになり、住民それぞれにかかわっているという事実を理解してもらわなければならない、と述べている。コミュニティ・ビジネスの収益金で「寺子屋」（学習塾）を開いたり、高齢者の憩いの場を造ったりしたほか、集落の全世帯にボーナスとして一万円を還元するといった配慮もしている。

　特筆できるのは、このような活動によって人口が増加し、高齢化率が低下していることである。日本全体で人口が減少し、地方が軒並み過疎化している現状では、全国で画一的な地域創生政策を実施しても地域間競争を生むだけであって、望むような効果は期待できない。各地域の事情に沿った、独自の方法を展開しなければならないということだ（『よかネット』No.88、二〇〇七年一〇月号などを参照）。

## 医療と農業

　人間の寿命が延びるにつれて医療費が増え、社会の負担となってきている。人々が長生きするのはよいことだが、「ピンピンコロリ」と俗に言われるように、どうすれば元気で長生きできるかがもっとも気になるところである。人間も自然の一部であるので、自然から恵みをいただく農林水産業がこれに大きくかかわってくる。

「身土不二《しんどふじ》」あるいは「医食同源」とあるように、食と健康は肉体的にも精神的にも深い関係がある。化学肥料で栽培された野菜・穀物・果実、ホルモン剤や抗生物質が使われて飼育された畜産や養殖された魚介類については、従来から栄養価や安全性について疑問が呈されている。

西洋の諺、「医者に払うより肉屋に払え」ではないが、安い食料を手に入れる代償として医療費の負担が増えるというのは本末転倒である。それに、医療費については公的助成があるために負担感が軽減されるため、一層安い食料を選んでしまっている。

独立九州国での医療政策は、病気にならないように「予防医学」の徹底を第一としたい。それには、どのような食品が健康に良いのか悪いのか、そして健康によい食料をどのように育てるのかなど、医療と農業の連携が欠かせない。

一般に無農薬・有機栽培は、農薬や化学肥料を多用する工業型農業よりも値段が高いと言われているが、最近の実践事

株式会社アグリガーデン・スクール・アカデミー　福岡・朝倉校。医農科学を実践し、無農薬・有機農業を教えている。農業関係者だけでなく、農業への進出を目指す企業からも研修者が来ている。中国も健康関連産業に関心が深く、中国社会科学院のメンバーが視察に来た。住所：〒838-0023 福岡県朝倉市三奈木3023－１地先　旧福岡県立朝倉農業高等学校内
TEL：0946-23-8257　FAX：0946-23-8258

例では、有機栽培の作物は環境変化への適応力が強いために収穫が安定し、むしろ安くなるという報告も出ている。

有機栽培では、土壌の微生物の働きが収穫を左右すると言われている。一方、体内での微生物の働きも人間の健康に影響があると言われている。この方面でも医療と農業は結びつくことになる。この関係を科学的に解明していく「医農科学」は、人間の健康と農業のあり方についての新しい方向を切り開くと期待されている。健康な食料が健康な体と精神をつくる。そのためには「テマヒマ」を惜しんではならないだろう。半農半Xは、このような考え方にも合致する。

## 林業と漁業

日本、とくに九州は温暖で雨も多く、樹木の生育がよく、その種類も豊富なので生態系も多様である。したがって、山林の復元力が高いため林業に適している。しかし、九州の林業は、持続可能なものとは決して言えないというのが現状である。その理由は、戦後の事情が大きく影響している。太平洋戦争の敗戦でパルプの原木供給地であった樺太《カラフト》を失い、パルプの原木供給地を内地に求めざるをえなくなったこと、そして、戦後復興での木材需要を見込んでスギ・ヒノキの大規模造林が行われたことである。

全国の広範な山林において自然林を切り開き、スギ・ヒノキが大量に植林された。ところが、高度成長期が終わり、外国からの木材輸入とあいまって国内木材の価格が大幅に低下してしまった。この事実が林業経営を圧迫し、間伐などといった手入れが行き届かなくなった。植林されたスギ・ヒノキは、間伐されないために「もやし」のように細長く、根の張り方も浅い。密植されたままなので、下草も生えず大量の雨が降ると根こそぎ倒れ、流木となって麓に流されてしまう。二〇一七年に起こった九州北部豪雨の流木被害がこれを象徴している。

木材資源を確保するためには植林が必要であるが、山林の環境保全と地崩れや流木被害に対する配慮が必要となる。根の浅い植林用のスギ・ヒノキなどは、渓流沿い、尾根沿い、そして急傾斜地には植えないようにし、そのあたりには根が深く張る広葉樹を植えなければならない。この広葉樹だが、落ち葉は腐食して山林を肥やすことになるので、植林したスギ・ヒノキの成長にもよい影響を与える。

農地と同じく、山林にも多様な機能がある。林業経営も、木材の供給に限定せずに多様な機能を活かすべきであろう。たとえば、広葉樹も高級木材になり得るので、スギ・ヒノキ以外の樹木も注目すべきである。また、薬草や機能性食品の素材も経営資源になる。美しい山林の風景や森林浴のスポットは、言うまでもなく観光資源となる。

そして、田畑を荒らすとして害獣扱いされているシカやイノシシなども、山の恵みとして活かせる。経済性だけでなく、環境や防災に配慮した林業や山林づくりのためには、それらを総合した視野をもつ人材の養成が欠かせない。オーストリアの森林マイスター制などを参考にすべきだろう。

生物多様性に富んだ山林が生みだす水は有機物を豊富に含み、川を経て海に流れ着くと魚介類を育み、沿岸漁業を盛んにする。遠洋漁業と養殖への依存度を減らし、漁業を持続可能なものにしたい。何と言っても、遠洋漁業は石油を使用する。一方、魚の養殖は、小魚を餌にするので天然魚を減らすことになる。生態系を健全に保ち、その恵みをいただくという姿勢が大事である。

## 5　エネルギー、交通政策

持続可能な社会を実現するためには、エネルギー源を石油などの化石エネルギーに依存するのではなく、再生可能なものにしなければならない。そして、もっとも基本となるのは、エネルギー使用そのものを節約することだ。技術的にはエネルギーの使用効率を高めることになるが、成長神話に毒されないようにしたい。独立九州国では、技術面と人々の生活スタイル面からこれを目指したい。

渓流や用水を利用した小水力発電、木材資源を活用したバイオマス発電、空き地や家屋の屋根を使った太陽光発電などによって再生産可能なエネルギー源を開発し、エネルギーの地産地消を目指せば地域経済の自立を促すことになる。

ところで、全エネルギーの四五パーセント弱を製造業が消費しているという事実はご存じだろうか。大量生産の使い捨てといった消費スタイルから、手づくりのものなどを大切に使う消費文化が一般的になれば、必然的にエネルギー消費は削減される。また、貿易構造が、製品の輸出入の重視から技術移転を重視するようになれば地産地消がすすむため、同じくエネルギー消費は削減されるだろう。

オフィスや商業施設と家庭部門が、それぞれ全エネルギーの約一五パーセントを使用している。暖房や冷房のエネルギー消費を抑えるためには、エアコンの効率を上げるのはもちろんだが、建物自体の構造にも工夫の余地がある。また、近年の温暖化によって夏の気温が異常に高くなり、とくに都会は灼熱地獄のようになってきている。働き方改革の一環として、長い夏休みをとって、涼しい所で過ごすことを促すような政策を実施してはどうだろうか。当然、過疎対策にもなるし、「GO To トラベル」などよりもよっぽど気が利いている。

運輸部門が全エネルギーの約二五パーセントを消費している。したがって、独立九州国におけるエネルギー政策の基本理念からすれば、交通政策の基本は、旅客や貨物の運輸に支障をきたすことなくエネルギー消費をどのように削減するかとなる。この面でのエネルギー消費の削減は、同時に環境負荷を減少させることにつながる。

輸送機関別にエネルギー消費を見ると、乗用車が約五〇パーセント、トラックが約三五パーセント、海運・鉄道・航空がそれぞれ約五パーセントとなっている。旅客を一人運ぶのに消費するエネルギーは、乗用車が鉄道の約五倍、バスが約一・五倍であるので、輸送部門における消費エネルギーの削減は乗用車の使用抑制が鍵となる。

そのためには、都市のなかではできるだけ乗用車を使用しないようにする都市計画が必要となる。都市をコンパクト化し、近い所は徒歩や自転車を使用し、遠くは鉄道、バス、タクシーなどの公共輸送機関を利用する。自動化運転がすすめば、公共輸送機関の運賃も安くなるだろう。また、自動車の通行を規制したトラジット・モールは都市の魅力を高め、集客にも貢献する（駄田井正［二〇〇一］『自転車は街を救う』新評論を参照）。

人口が少ない田舎では、鉄道やバスなどの公共輸送機関が充実していないので、どうしても乗用車に頼らざるを得ない。高齢者など自分で運転できない人は、タクシーを利用するか、家族や知人に送り迎えを頼むことになる。とはいえ、過疎地ではタクシーの利用もままならない。これを踏まえてコミュニティバスを運行させるという方法もあるが、便数や費用の面でやはり問題がある。このような所では、自家用車をタクシーとして利用できれば便利であろう。家族や知人に送り迎えを頼むのも、度重なれば気が引けるので、なにがしかの対価を払うようにすればよい。いわば「白タク」を、地域に限定して合法化するということである。

## 6 貿易と技術移転

　貿易の自由を主張する人たちは、貿易当事国双方を経済的に豊かにすることに根拠を置いている。しかし、現実がそうなっていないことは第1部で述べた。国々を富ましてきたのは、貿易よりもむしろ技術移転である。これに着目すると、独立九州国が目指す貿易政策は次のようになるだろう。

❶産業間貿易は最低限に抑制するべきである。多国籍企業はできるだけ一国内で生産し、販売するように努めるべきである。たとえば、多国籍企業Aが日本とアメリカに工場をもっていて、同じ製品を生産している場合、日本の工場で生産された製品はできるだけアメリカに輸出しないようにする。これを実現するためには、前述したマイレージ税の導入が有効であろう（二九八ページ参照）。

❷国際間の技術移転を増やすべきである。世界中の貿易を最大限にするのではなく、国際間の資本と技術の移転を最大限にするべきである。日本の場合、そうすることで資本収益を増やし、輸出のための工業生産を減らして石油・石炭などの燃料と原材料の輸入を減らせるので、必然的に環境負荷の軽減につながる。

❸技術力と資本を豊富にもつ国は、その両方を輸出し、発展途上国は第一次産品を輸出する代わりに技術を輸入し、外国企業を誘致して、国内の原材料を国内での生産に使うようにする。そして、この基本理念が守られるように努力する。

❹幼稚産業（未発達な産業）の保護をするための関税政策も、場合によっては必要かもしれない。

❺研究開発に予算を投入し、環境汚染の抑制につながる発見を促す。規模の経済に頼らなくてもすむだけの技術開発と経営を整える。

❻技術移転がすすむような国際的な機構の設立に努力する。

もちろん、すべて簡単なことではないが、英知を結集して実現すべきである。

# 第５章　教育政策

教育のあり方は第１部の第４章で述べているので、ここではその理念に合致した制度を考えていきたい。

## 1　義務教育の廃止――公立・国立の学校の廃止

独立九州国では、義務教育という概念ではなく、子どもたちが教育を受ける権利を社会が保障するという立場としたい。子どもを育てるという範囲で教育は必要であるが、一人前になったあとは自主性に任せる。どこまで、またはどのような教育を受けるかに関しては基本的には親と子どもの問題であって中央（市）政府は関与しないが、子どもたちが自主的に望むなら、それをできるだけ叶えるように支援する。したがって、国立や公立の学校は設立しない。その意味で言えば学校はすべて私立となるが、初等・中等教育に関しては従来の意味での学校を必要としない。

一五歳ぐらいまでの年少者を対象とする教育では、便宜的に知識や技能を取得する分野と、スポーツ・芸術・芸能など体力や精神・文化面に関する分野に分ける。知識や技術・技能の習得は、学科ごとに習得度（達成度）に応じた規準を設け、年齢に関係なく挑戦できるようにする。この達成度の規準設定にも中央政府が関与することはなく、民間の自主性に任せる。

また、基準は複数あってもいいだろう。達成度の判定は、それぞれ基準を決めた機関が行うことにする。どの基準を選ぶかも自由にして、複数の規準に挑戦することも可能とする。もちろん、これらの規準に沿った学習を指導する塾、教室や学校も自由に設立できるようにする。要するに、独立九州国にあっては、文部科学省のようなおせっかいな機関は置かないということだ。

一方、スポーツ、文化などに関しては、現在のスポーツ教室や美術学校、それにボーイスカウト、自然学校などをイメージしてもらえればよいだろう。また、のちに述べる大学と同様、これらの教育機関に対する税制上の優遇措置は設けるが、中央政府からの補助は基本的にない。

## コラム31　学科の達成度規準と、フリースクールや公文教育研究会

現在の学校教育との連続性を考慮して、手はじめとして次ページに掲載した**表5－1**のような基準が考えられる。

表５－１　学習進度と現行制度の比較

| 段階 | 級 | 国語・数学 | 外国語 | 社会・理科など |
|---|---|---|---|---|
| A | 1 | 小学校１・２年程度 | 英検準２級程度 | テーマ別研究 |
| | 2 | 小学校３・４年程度 | | テーマ別研究 |
| | 3 | 小学校５・６年程度 | | テーマ別研究 |
| B | 1 | 中学校１年程度 | 英検２級程度 | テーマ別研究 |
| | 2 | 中学校２年程度 | | テーマ別研究 |
| | 3 | 中学校３年程度 | | テーマ別研究 |
| C | 1 | テーマ別研究 | 英検１級程度 | テーマ別研究 |
| | 2 | テーマ別研究 | | テーマ別研究 |
| | 3 | テーマ別研究 | | テーマ別研究 |

テーマ別研究とは、それぞれの段階に応じた難易度の課題を調査研究し、発表して評価を受けるものである。たとえば、社会のA段階における１級では、住んでいる町の様子について、「どんなお店がありますか？」などの問題が出されることになる。

ところで、現代の公教育に不満をもっている人は少なくない。とくに、学校に通わなければならない子どもたちが不満をもっている。その証拠に、小学校では約一パーセント、中学校では約三パーセントの生徒が不登校となっている。

一方、フリースクールではこのような子どもたちを引き受けて教育を行っている。学校に行くことを拒否した子どもたちではあるが、フリースクールでは楽しく過ごしており、友達ができたり、勉強が好きになったりしている。問題となった子どもたちがそうであるという事実から、問題なく登校している子どもたちにとってもフリースクールは楽しいはずだ。

テレビのリモコンは、病気などで体が不自由な人のことを考えて開発されたものである。しかし、現在は健常な人も使っており、わざわざテレビ台まで行って操作をする人はいない。また、建物や道路などのユニバーサルデザインは、障碍のある人だけにとってよいものではない。健常な人にとっても快適なものなのだ。

江戸時代の寺子屋、藩校、それに私塾では、年齢に関係なく学力のある者が上級の学習にすすんでいる。幕末から明治にかけて日本最大の私塾であった日田市の「咸宜園《かんぎえん》」（一五〇ページの写真参照）では、年齢、身分、貧富、そして男女の区別なく、学力のある者は上級へとすすんだ。筆者が子どものころに通ったソロバン塾でも、やはり能力主義であった。「公文教育研究会」は、この日本式教育方法を数学、国語、英語などの科目において実践している。

公文教育研究会は、一九六二年に「大阪数学研究会」として立ち上げ、二〇〇〇年に株式会社となって現在の名称となっている。主婦をはじめとした女性を起用して、フランチャイズでの教室運営を行っている。二〇一一年では、全国に一万六八〇〇の教室があり、生徒数は一四八万人という普及ぶりである。何と海外にも展開しており、四八か国で八一〇〇の教室をもち、二九三万人の生徒が学んでいる。

## 2 大学

大学は、教える側（教師）と教わる側（学生）がはっきりしている学校と言うよりは、高度な知識、技術、技能の獲得と開発を目指す人々の集団であり、「研究」と「教育」、そして「社会貢献」が目的となっている。この三つの目的が、分離されることなく一体的に実践されることが望ましい。というよりは、一体的になされることでそれぞれの目的が効果的に達成される。

学生は、教室で一方的な受け身の講義を聴くよりも、研究開発や社会貢献プロジェクトに参加して自主的に学んでいくというスタイルをとりたい。企業、自治体、研究機関との連携体となり、学生、社会人というような区別がはっきりしないものになるだろう。もちろん、入学試験もなくす。「入学」と言うよりも、むしろ大学に「所属」すると言ったほうがいいだろう。所属できるかどうかの学力は、年齢に関係なく、**表5－1**（三四〇ページ）に示したような科目ごとの段級で評価して決めることにする。

大学に所属すると所属保証料を支払う。これは、教育や経営にかかわるスタッフも同様である。キャンパスは大学と企業や研究機関などとのかかわりが深いので、都市や地域全体に広がっているといった様相になる。大学に対しては、前述したように税控除の優遇はあるが補助金はない。

運営にかかる経費は、所属保証料と寄付、そして事業収益などで賄う。

　大学は研究開発のテーマごとに分かれた学科を基本単位として、いくつかの学科が集まって学部が形成される。学部は、大学運営の自立的単位である。学科には一〇〇人から一〇〇〇人が所属し、全員が所属保証料を支払う。保証料は学部によって多少異なるだろうが、平均して入会金五〇万円、年会費一〇〇万円とし、前述のごとく、教わる立場の人も教える立場の人も支払うことにする。第1部で述べたように、ベーシックインカムの一〇〇万円があるので支払いは充分可能であろう（九九ページ参照）。

## コラム32　独立九州国の大学イメージ――筑後川大学

　筑後川大学の使命は、筑後川・矢部川流域を一体的に捉えて、持続可能で質の高い生活の実現に寄与することである。この目的を追求する活動や事業を「筑後川プロジェクト」と総称しているが、これを研究・開発の面から支援すると言ってよいだろう（二八一ページ参照）。したがって、キャンパスは筑後川・矢部川流域に点在することになる。

　筑後川プロジェクトのパイロット事業を行いながら、事業にかかわる技術、運営ノウハウなどを研究開発する筑後川プロジェクト学科には一五〇人が所属し、専任教授資格スタッフ八人、運営スタッフ三人とする。

専任教授資格がない者でも能力と経歴に従って教えられるようにして、二年以上所属する者は何らかの形で指導に携わる。学科の運営事務、管理などに関しては、全員がそれぞれ役割をもち、なにがしかの報酬が支払われる。

持続可能で質の高い生活実践を行うとともに事業やビジネスも行うほか、農場・果樹園、宿泊施設、レストラン、アンテナショップの運営をはじめとして、モニターツアーなども実施していきたい。

筑後川大学での講義（イメージ）

# 第６章

# 国防と外交

## 1 国防の基本方針

永続的な世界平和が実現すると、人々は煩わしい「国防」という課題から解放されることになる。とはいえ、現在のところ世界平和は実現されていないので、「国防」がもっとも重要なことになる。世界平和への道は、全世界の人々が同朋であるという意識をもち、世界全体が一つの共同体のようになることである。そのようなことは非現実的だ、と考える人も少なくないだろうが、人類の歴史は確実にその方向へと向かっている。

人類発祥の早い時期、大多数の人類は戦うよりも協力するほうが生活の改善につながることを本能として抱いたようだ。日本の歴史を振り返っても、四〇〇年前ぐらいは戦国時代で、日本人同士が殺しあっていた。日本での内乱が終止符を打ったのは一八七七年の「西南の役」であり、その後は日本人同士が本格的に殺しあうことがなくなった。

二〇世紀には二つの世界大戦があって、隣国同士が宣戦布告して、高度な兵器を開発して殺し合った。現在でも国際紛争は絶えないわけだが、もはや宣戦布告をしての国同士の戦争はないだろうと言われている。見方によっては、わずか七〇年で遂げた大変な進歩である。そして、もっとも参考になるのがＥＵ（ヨーロッパ共同体）である。二つの世界大戦の際、文字どおり死にもの狂いになって戦ったヨーロッパ諸国が、その反省から、少なくともヨーロッパ内での戦争を終わらせようとする意図でＥＵははじまっている。その意義は計り知れないほど大きい。

地政学的な面における日本と九州の安全保障に関しては、韓国・北朝鮮・中国などの東アジア諸国とフィリッピン・タイ・ベトナムなどといった東南アジアとの関係が重要となる。となると、東アジア共同体（ＡＵ）が極めて重要な構想となる。東アジアは、歴史的な経過や国の大きさといった違い、それに政治体制、経済発展の相違などの面で、ヨーロッパと比較すれば共同体形成には不利な材料が多いと言える。しかし、道のりは遠くとも問題点を克服していき、実現するだけの価値は途方もなく大きい。少なくとも、東アジア共同体への話し合いが継続されるかぎり戦争を避けることができる。したがって、独立九州国の国防の基本戦略は東アジア共同体の実現となり、その構想について話し合うための外交であり、牽引役でありたいと考える。

## 2 具体的な手段

### 多重国籍

相互交流、とくに民間の交流が盛んになり、共同体構想が相互の利益になることが理論的かつ心情的にも理解できるようになると、国家を超えた共同体意識の醸成につながる。少なくとも、多重国籍の取得を認めれば国際間の移動や居住に関しての支障を取り除くことになるので、相互交流がすすめられる。そして、何よりも共同体を形成する国々の国籍をもっているわけだから、共同体への帰属意識が高まることになる。

### 東アジアチャーター都市と東アジア大学

多重国籍をもつ人が集まる高度な自治権をもつ都

別府湾ハイウエイオアシスから「立命館アジア太平洋大学」を望む。学生の半分以上が留学生である

市は情報と人的交流の場になり、共同体を舞台にしたビジネスや文化活動など創造的な活動が展開される場となる。言うなれば、東アジア共同体構想のショーウィンドウのような役割を果たし、共同体を形成することがどのような利点をもたらすかのモデルになるだろう。

そのチャーター都市に、日・中・韓の出身者がそれぞれ三分の一で構成される大学を設置する。そうすれば互いの文化を深く知り合うことになるし、東アジア共同体の運営を指導する人材育成にもつながる。その一例として、大分県別府市にある立命館アジア太平洋大学（前ページの写真参照）が参考になる。

## コラム33　尖閣諸島、竹島の問題

日本と中国間の尖閣諸島、日本と韓国間の竹島の問題は、それぞれの国の関係に深く突き刺さったトゲとなっている。言うまでもなく、武力紛争につながる火種でもある。この問題に関しては、領有権の主張という近視眼な見方では円満な解決とはならない。

東アジア共同体構想が実現した場合は、長期的な視点に立って考えなければならない。両島海域を「東アジアの環境協力のシンボル」として自然保護区にし、一二海里の漁業禁止区域を設けて、研究対象としてすべての国の科学者に開放するというのも一案である（豊下楢彦［二〇一二］『「尖閣問題」とは何か』岩波現代文庫参照）。

## コラム34　日韓トンネル

環黄海圏の結びつきを強めるインフラとして「日韓海底トンネル構想」というものがある。そのルートは、唐津から壱岐、対馬を経由して釜山に至るという、全長二七〇キロが有力である。戦前からこのような構想はあったが、一九八〇年、大林組がユーラシア大陸・欧州へと至るユーラシア・ドライブウェイ構想の一環として具体的に提唱した。その実現に向けて、「日韓トンネル推進全国会議」や「日韓トンネル実現九州連絡協議会」が組織されている。

イギリス－フランス間のドーバー海峡海底トンネルと比較しても大きな経済効果が見込まれるので、日韓トンネルに関しては韓国側からの期待も大きい（許在完《ホ・ジュワン》［二〇二〇］『英仏トンネルが日韓トンネルに示唆する点』日韓トンネル実現九州連絡協議会参照）。

特別史跡「名護屋城跡並びに陣跡」の保存整備事業と「文禄・慶長の役」および日本列島と朝鮮半島との長い交流の歴史を調査・研究・展示紹介している「名護屋城博物館」

九州ならびに日本との結びつきが強化されれば、韓国におけるソウル一極集中が緩和されるのではないかと筆者は思っている。もちろん、環黄海圏や東アジアの共同体を目指す独立九州国としても歓迎できる構想となる。

この構想で大事なことは、唐津、壱岐そして対馬が単なる通過点にならずに、魅力ある地域創生につながるプランの作成であろう。トンネル実現の戦略のみならず、地域創生について同時に考えていかなくてはならない。

もちろん、韓国側のエリアについても同じである。そうなると、両国とも政治問題で「いがみ合っている」場合ではない（「国のかたち」提言委員会編［二〇二〇］『九州発「国のかたち」を問う――日韓トンネル構想への期待』三岳出版社参照）。

日韓トンネルの調査用試掘入口と、地下500メートル地点。見学希望の方は、「日韓トンネル実現九州連絡協議会」（〒816-0864　福岡県春日市須玖９－139　TEL：092-519-2763　Fax：092-519-2753　Email：nikkantonneru@yahoo.co,jp）に連絡。

## 3 防衛戦略

### 基本方針

独立九州国における国防の基本方針は東アジア共同体の形成にあるが、この共同体が形成されるまではもちろん、形成されたあとでも、他国からの武力による侵略や威嚇される可能性はゼロではない。したがって、ハード（武装）とソフト（外交）による防衛戦略が不可欠である。

東アジア共同体が形成されれば、加盟国相互間での武力紛争という可能性は避けられる。そして、東アジア共同体の形成にあたっては、共同体外部からの武力侵略や脅威に関して、集団的防衛に関する協定が結ばれるだろう。それによって抑止力が高まる。

東アジア共同体が形成される過程で話し合いの場がもたれるだけでも、日中韓の相互武力紛争の可能性は、竹島・尖閣の問題があっても大きく低下するだろう。そして、前述したように、独立九州国が東アジア共同体形成の牽引役になるよう行動する。

他国からの軍事的な侵略をどのように食い止めるかが防衛の基本的な目的となるが、侵略されてから反撃するのは打撃だけでなく損害も大きくなる。最善の策は、侵略されないことである。防衛は抑制力と侵略意図が絡まった複雑な問題である。重要なのは、できるだけ相手の利益または安全を脅かさないようにすることである。

これに関して、軍備を充実して侵略を事実上不可能にしたり、侵略者に大きな痛手を与えて報復するといった防衛は問題があるため、慎重な考慮が必要とされる。なぜなら、軍備の充実には経費が掛かり、国民の福利厚生を犠牲にするし、軍備が充実すればそれだけ他国への脅威になるからだ。とくに他国への脅威になると軍拡競争につながり、ますます平和が遠のくことになる。

したがって、外交によって利益の対立を調整し、侵略する意図を減少させる必要がある。これに関連して、徹底したリサイクルを行い、石油などの地下資源を極力使用しないで、地上にある資源や再生可能資源でエネルギーを賄えば資源の争奪戦に巻き込まれることはない。さらに、世界平和や人類の福祉増進に関する世界的インフラを供給し、存在しなければならない国として尊敬される国を目指すように努める。

### 最小必要限度の軍事力

外交努力によって、相手国の核兵器使用や大規模な軍事行動を起こさせないようにすることは、現在の国際情勢から言っても可能である。しかし、空挺隊の奇襲やミサイル攻撃による威嚇などといった意図を完全になくすまでには至っていない。したがって、それに対処するだけの軍事力をもつことが現段階では必要となるだろう。

そのためには、空挺隊の奇襲を撃退できる空軍力とミサイルの迎撃システムが最小限必要になる。ミサイル攻撃を仕掛けた国に対して、報復のミサイルを発射するかどうかは慎重な考慮がいる。そのような能力をもつことがミサイル攻撃に対する抑止力になることは確かであるが、相手国への脅威となって軍拡競争につながる恐れもある。

陸軍に関しては、水際の侵略を食い止めるための強力な精鋭部隊として、二個師団は必要であろう。師団は一万人から三万人の兵士から成り、独自に軍事行動ができる部隊とする。精鋭部隊以外の陸軍は、国土保全や災害救助などの国土建設にも従事する。山林の整備を兼ねて配置するようにして、ゲリラ戦を展開する「屯林兵」は、独立九州国の事情からして過疎対策にもなって有効な手段となる。

海軍としては、周囲の海へのゲリラ活動を鎮圧する戦力が必要であろう。そして、屯林兵と同じ考え方で離島に配置し、普段は漁業や海洋汚染に取り組むことになる。「屯島兵」も、国土保全、災害救助、そして過疎対策の面から有力な手段となる。

## 軍事訓練の義務化について

軍事技術の発達で技術習得に専門性が必要になってきている現在、徴兵制は合理的なものではなく、志願制に移行してきている。独立九州国においても徴兵制は似つかわしくないだろう。しかし、フィンランドの事例を参考にすると、なにがしかの軍事教練は義務化すべきだろう。

事実、国民一体となった防衛意識の醸成も防衛力を高めることになるし、訓練において「軍事」という非人間性を実感すれば、平和の必要性を改めて知ることにもなる。また、これらの訓練が災害時の救援活動にも活かされるだろう。つまり、独立九州国の全員が、現在の自衛隊の役目を果たすということである。

訓練は男女ともに受けることが望ましいが、望まない人には公的サービスやボランティア活動に従事する形で代替できるようにすればいいだろう。訓練の期間は三か月程度として、訓練期間は連続ではなく、断続的なものであってもよいようにする。

## 産軍共同体の安楽死

武器がなければ戦争にならない。また、武器は経済的厚生にも役立たず、使用されれば著しく自然環境を破壊する。それを生産する軍需産業は経済的厚生と環境の両立を阻み、世界の持続可能性を危機に陥れている。軍事産業関連の規模はＧＤＰの一〇パーセント以上はあると言われており、雇用と利益をそれに依存している国や地域があることも事実である。これが、軍縮がなかなか実現しない隠れた原因となっている。

したがって、軍縮を実現するためには、軍需産業に依存する国や地域の経済に打撃を与えない配慮が必要になる。軍事技術や武器などの生産設備を、軍需から民需に対応するものに転換しなければならい。軍需用のものが民需用になったり、逆に民需用に開発されたものが軍需用に転用される事例はこれまでにもたくさんあり、その気になればそれほど難しいことではない。独立九州国では、これらを大学や研究機関の研究テーマとしたい。

## 4 外交の主体

独立九州国では、個別国との外交は中央政府ではなく市政府（基礎自治体）が行い、中央政府はその調整を行うことにする。となると、市政府は特定の国と深く付き合うことが可能となる。この場合の利点として、中央政府が他国の外交事情に煩わさずにすむという点が挙げられる。たとえば、アメリカと中国が敵対的な関係になっても、両国の顔色をうかがう必要がないということだ。アメリカとはある市政府が付き合っており、中国とは別の市政府が付き合っているという外交施策が成立すれば、結果として中立全方位外交となり、徹底した平和外交につながる。民間や基礎自治体が主体となる外交は、東アジア共同体の形成においてとくに有効である。

東アジア共同体は、一般的には「ＡＳＥＡＮ＋三か国」を対象にして構想する。しかし、ここでは、日本、独立九州国、韓国、北朝鮮、中国、そして台湾を対象とし、しかも国が主導するものではなく民間や地域が主体となる。人的交流や文化交流をすすめ、これらを通じた安全保障が主目的となり、文化・芸術の振興、生活の質の向上を目指し、社会の持続可能性を第一として経済振興は二の次となる。少なくとも、ＧＤＰを押し上げるための共同体ではない。

目的を達成するための当面の目標は、加盟国内でのビザなし渡航と、加盟国間での多国籍の承認であろう。実現への道程では、まず韓国との関係を修復することである。自民党政権下の日本では修復に時間がかかるが、独立九州国ならすぐに仲良くなれる。なぜなら、竹島は島根県の問題であるとして、日韓にかかわるややこしいことは日本政府の問題として棚上げし、独立九州国は関係ないとして韓国に訴えるのだ。ちょっと暴言かもしれないが、少なくとも現在よりは関係がよくなるだろう。

韓国とよい関係を築けたら、両国が主導して、環黄海圏の人的交流と文化交流を促進する。環黄海圏の対象国は、独立九州国、韓国、北朝鮮、そして中国となるが、事情が許すなら台湾を加えたい。国家が主導するよりも、むしろ各都市や各地域を主体として連携すればいい。現在でもさまざまな形で行われているように、野球やサッカーの「環黄海圏リーグ」などを開催してスポーツ交流をすすめるといった方法が有効な手段となるし、文化芸術の交流も、都市や地域間であれば草の根の交流に結びつく。

自然環境の保全と人々の健康のために農業の多面的機能を活かす必要があるが、それには農村の交流が役立つ。有機栽培・無農薬の農産物の地産地消を環黄海圏が連携してすすめれば、農産物にかかわる貿易摩擦は生じないだろう。この問題は、東アジア共同体構想においても懸案事項となる。また、農村の交流は文化・芸術交流やスポーツ交流と結びつき、半農半Xの交流へと発展することだけは間違いない（進藤栄一・豊田隆・鈴木亘弘編［二〇〇七］『農が拓く東アジア共同体』日本経済評論社参照）。

環黄海圏にいくつかのチャーター都市ができれば、その連携は環黄海圏の結びつきを強めることになる。そして、この環黄海圏の共同体ネットワークが機能していけば、日本国も動きだし、やがて「ASEAN＋三か国」の東アジア共同体に至るだろう。

なお、経済面に関しては自由貿易を建前とするが、前述したように、マイレージに基づく消費税を課すことにする（二九八ページ参照）。モノの交易よりも技術移転に重点を置く経済外交を目指すということだ。したがって、市政府と民間が主体にならざるを得ない。

# エピローグ　九州独立への道程

本書の第1部では、独立した九州のあるべき姿の基本理念を述べてきた。その内容は、グローバル化、産業主義、そして中央集権がもたらす画一化を押し留め、多様な文化が保持される異質な地域社会が共存するといった生活環境を目指すものであった。

異質で独自な特徴をもつ地域社会の共存、これは到達するべき理想の姿というよりは、そうでなければ「国が滅ぶ」もしくは「世界が滅ぶ」ことになり、住んでいる人々を不幸にしてしまうのではないかと考えてイメージしたものである。

そして、第2部では、その基本理念を念頭にして、独立した九州国の形と、採用するべき政策について述べたわけだが、読者からすれば「単なる夢物語、実現するわけがない」と思われるかも知れない。そこで、九州が独立する道程について述べておくことにする。

現在の社会状況からして、九州独立のために革命を起こしたり、武力によって成し遂げるというのは好ましくないし、かえって独立を不可能にすると考えられる。よって、日本国の法と国際法に準拠して平和裏に成し遂げる必要がある。

となると、九州独立を目指す組織が必要となる。言ってみれば、一種の政党のようなものであるが、現存の政党のように排他的なものではなく、九州独立に賛同するなら、どこの政党に所属している人であっても参加できるという形を取りたい。

このような組織をつくったうえで、研究会、講演会、シンポジウムなどを開催するほか、出版物の刊行などによって「九州独立」を目指す賛同者を集める。そして、そのメンバーから選出された人が九州内の各県議会や市町村議会に立候補して、「九州独立」を目指す議員が多数を占めるようにしていく。

もちろん、さまざまな案件・機会において住民投票を行う必要があるだろう。そのたびに説明会などを繰り返し行い、自治権を強めていく必要がある。もちろん、最終的には国際社会に承認されることを目指すわけだが、その前段階として、九州各県を廃して「九州道」の成立を目指すというのも一案だ。

独立までの道程を簡単に述べるとこうなるのだが、賛同者を増やしていくためには言葉だけの説得では無理だし、簡単にできるとも思っていない。まずは、並行して「独立九州国」の理念を実現する事業や活動を行わなければならないと考えている。

どのような事業や活動なのかと言えば、現在の国の教育制度からはみだした学習塾や学校の運営、地域通貨の発行、コンセンサス会議やシナリオ・ワークショップなどによる政策形成、そして本書の「コラム」で紹介したような地域の自律・自立を目指す地域づくりの実践などをさらに増やしていくことである。もちろん、「九州独立」の国際的な承認を念頭に入れた、独自の外交戦略も展開しなければならないだろう。

このような事業や活動の母体として、「株式会社　独立九州」（仮称）の立ち上げを提案したい。資本金として、一三〇〇億円を目標にする。約一三〇〇万人がいる九州の住民一人が一万円ずつ出せば達成できる金額なので、啓蒙活動がすすめば決して不可能ではない。

この会社での事業や活動が活発になればなるほど賛同者は増えていくはずだ。そして、政治的に「九州独立」が成就したときには、「独立九州国」が実施しなければならない事業や活動の半ばがすでに達成されていることになる。

現行の制度に何の疑問ももたず、国の言うまま、これまでと同じように生活をするという選択肢ももちろんある。ただ、それだと「文句を言う」ことができない。歴史を振り返れば分かるように、大いなる疑問をもったときに人は変革・改革を成し遂げてきた。そのとき、さまざまな情報を入手し、それをもとに多くの人が「学ぶ」という行為を行ってきた。決して、武力だけに頼ってきたわけではないのだ。

国が提供している教育では、学べないことが多すぎる。極端に言えば、「余計なことを考えない人間の輩出を目指している」かのようだ。事実、受験勉強として詰め込む知識に、必要とされるものがいったいどれだけあるのか疑問である。

それだけに、住民全員が「社会のあり方」について改めて学ぶ必要があるだろう。それを教える人が九州にはいるし、また学べる環境が現在の九州にある。本書では、紙幅《しふく》の関係でそのすべてを紹介することはできなかったが、今後の活動のなかでさらに詳しく伝えていきたいと思っている。

独立までの道のり、言うまでもなく平坦ではないし、かなりの時間がかかるだろう。もちろん、筆者が生きている間に達成できるとも思っていない。しかし、この活動を続けることでさまざまな世代の方に継承してもらえると期待している。

九州を、さらには日本、そして世界を変える人、それは「あなた」かもしれない。

# あとがき

人間は組織や制度をつくって、集団や社会を円滑に運営する。つくられた組織や制度は、人間の環境への適応に則したものでなければならないのだが、つくられた当初の環境にはうまく適応していても、環境が変化すればうまく適応できなくなる。それが制度疲労である。制度が疲労すれば、それを変革しなければならない。この変革がうまくいくかどうかが問題である。

そして、環境の変化が、人間社会の外部からの要因でなく、内部からの人間活動の結果から生じている場合は変革が難しくなる。なぜなら、変革に伴って既得権益を失う集団が存在しているからだ。あるいは、成功したがゆえにその体験を捨てられない場合もある。

本書は、日本の制度疲労をどのように変革するのかを主眼にしており、「まずは九州からやろう!」ということを目指して著した。いきなり日本全体でというよりも既得権益からの抵抗が小さく、実現の可能性が高いと考えられる。

日本の現状を見ると、与党保守勢力は既得権益を守るために、現状の大幅な変革を望まない。一方、野党は与党の揚げ足取りに終始し、過去のイデオロギーの亡霊に今なお取りつかれていて、日本の制度疲労を体系的に変革するだけのビジョンをもっていない。そのため、つまらない路線論争にこだわり、野党連合も「ガラスの館」の域を出ないでいる。

二〇年ほど前に、『九州独立も夢ではない』（同文館出版）という著作の共同執筆者に加わった。この本では主に、九州は独立できるか、その国力があるかということと、独立すれば何ができるのかが主なテーマとなっていた。九州が独立できる国力をもつかについて言えば、国力を人口、国土の大きさ、経済力（ＧＤＰの大きさ）で測れば、オランダをはじめノルウェー、スイス、デンマーク、それにシンガポールなど、九州と同等かそれ以下であっても存在感をもつ国が数多くあった。この状況は今も変わっていない。

そのため本書では、「独立九州国」はどうあるべきかの理念と政策に焦点を絞った。第1部では基本的理念について、第2部で理念に沿った具体的政策について考えた。第1部の基本的理念は広い分野にわたり、筆者の専門を越えているので、思い違いや考え違いが多々あるかもしれない。読者からのご批判ご意見を賜わればありがたい。第2部の具体的政策についても、論争を呼ぶことは覚悟している。多くの人の意見をうかがうことで、より良い状態に到達できればと思っている。

この著作が出版できたのは、株式会社新評論の武市一幸氏のおかげである。出版の計画から編集過程での助言など、いろいろと手を煩わした。本書が多くの読者に読まれて、啓発的な書物を数多く上梓しておられる新評論に少しでも貢献できたらと願っている。

本書の原稿作成の段階に至るまで、資料や写真の提供、研究会などで貴重なご意見をいただくなど多くの人々に協力していただいた。ご尊名を記することはお許しいただき、改めてみなさんに感謝の念を表したい。

二〇二一年一〇月吉日

筑後川入道九仙坊

・山本七平［1979］『勤勉の哲学——日本人を動かす原理』PHP研究所
・山本哲士［2006］『ホスピタリティ原論——哲学と経済の新設計』新曜社
・山本雅男［1993］『ヨーロッパ「近代」の終焉』講談社現代新書
・山道省三［2008］「"いい川づくり"と住民の参画」季刊河川レビューNo.141、新公論社
・吉川勝秀［2004］『人・川・大地と環境——自然共生圏・都市に向けて』技報社
・吉川勝秀［2008］「流域連携——四半世紀の歩み」季刊河川レビューNo.141、新公論社
・吉川勝秀［2010］「国土改造二千年の歴史を総括」季刊河川レビューNo.147、新公論社
・ライダー，M.［2018］『進化は万能である——人類・テクノロジー・宇宙の未来』太田直子・鍛原多恵子・柴田裕之・吉田三知世訳、ハヤカワ・ノンフィクション文庫
・バトラ，ラビ［1993］『貿易は国を滅ぼす』鈴木主税訳、光文社
・リンベリー，P. & オークショット，I.［2014］『ファーマゲドン——安い肉の本当のコスト』野中香方子訳、日経BP社

・Bianch, M. [2006], "If happiness is so important, why do we know so little about?", in Bruni,L and Porta, P.L. (chapter7, pp.127-150)
・Bruni, L[2006] "The "technology of happiness" and the tradition of economic saience", in Brune and porta (chapter2, pp.24-52)
・Bruni, L and Porta, P.L.ed [2006], *Handbook on the Economics of Happiness*, Edward Elgar.
・Frankel B., [1987] *The Post Industrial Utopians*, Polity Press.
・Kumar, Krishan (1995) *From Post-Industrial to Post-Modern Society: new theories of contemporary world*, Blackwell.
・『よかネット』No.88、2007年10月号

か――ルーズベルトの罪状・フーバー大統領回顧録を論ず』勉誠出版
・フライ，ブルーノ・S［2012］『幸福度を測る経済学』白石小百合訳、NTT 出版
・古市憲寿・トゥーッカ＝トイボネン［2015］『国家がよみがえるとき――持たざる国であるフィンランドが何度も再生できた理由』マガジンハウス
・フレイ，B. S. and A. シュッツアー［2005］『幸福の政治経済学――人々の幸せを促進するものは何か』佐和隆光監訳・沢崎冬日訳、ダイヤモンド社
・ベル，ダニエル［1975］『脱工業社会の到来』内田忠夫・嘉治元朗・城塚登・馬場修一・村上泰亮・谷島喬四郎訳（上・下）ダイヤモンド社
・ベル，ダニエル［1976］『資本主義の文化的矛盾』林雄二訳 講談社
・ヘンドリックス，J.［2019］『文化が人を進化させる』今西康子訳、白揚社
・ホイジンガ，H.［1974］『ホモ・ルーデンス』里見元一朗訳、河出書房新社，原典出版1938年
・ボイル，マーク［2017］『無銭経済宣言、お金を使わずに生きる方法』吉田奈緒子訳、紀伊國屋書店
・妹尾昌俊［2020］『教師崩壊――先生の数が足りない、質も危ない』PHP 新書
・松尾匡編［2019］『反緊縮！宣言――人びとにもっとカネをよこせー』亜紀書房
・松原隆一郎［1994］「経済が目指す豊かさと文化」、『自動車とその世界』トヨタ財団　No.261
・マルサス，トマス・ロバート［1798］『人口論』永井義雄訳、中公文庫、1973年参照
・武者小路公秀（1988）「地域自立と国際関係」、エントロピー学会編『地域自立を考える』
・森谷正規［1993］「手段のニーズにこたえる技術の展開」、現代文化研究所『自動車とその世界』N.255.、トヨタ財団刊
・山田孝雄編［1979］『世界の幸福論』大明堂

留米大学〉第29巻4号、659～679ページ。
・豊下楢彦［2012］『「尖閣問題」とは何か』岩波現代文庫
・ドラッカー，P.［1992］『未来企業——生産組織の条件』上田惇生・佐々木実智男・田代正美訳、ダイヤモンド社
・長崎県立大学学長プロジェクト編［2016］『波佐見焼ブランドへの道程』石風社
・中島尚正・広瀬通孝［1994］「つくり伝えるプロセスへの英知」（対談）『自動車とその世界』トヨタ財団　No.261、38～45ページ。
・中野信子［2016］『サイコパス』文春新書
・中村尚司［1986］『豊かなアジア、貧しい日本』学陽書房
・ノルベルク，ヨハン［2018］『進歩、人類の未来が明るい10の理由』山形浩生訳、晶文社
・ハイエク，F. A.［1988］『貨幣発行自由化論』川口順二訳、東洋経済新報社
・バナジー，A. V. & デュフロ，E.［2020］『絶望を希望に変える経済学——社会の重大問題をどう解決するか』村井章子訳、日本経済新聞社
・バーバラ・タックマン，B. W.［2009］『愚行の世界史——トロイからベトナムまで』大社淑子訳、中央文庫、原典出版1984年
・パルファキス，ヤニス［2019］『父が娘に語る——美しくて、深く、壮大で、とんでもわかりやすい——経済の話』関美和訳、ダイヤモンド社
・日高敏隆［1976］『動物にとって社会とは何か』至誠堂
・日高敏隆［2005］『生物多様性はなぜ大切か？』昭和堂
・平川秀洋［2020］「専門知の「柔らかさ」とどうつきあうか」、『世界』No.936、岩波書店、253～257ページ。
・ビンスバーガー，M.［2009］『お金と幸福のおかしな関係、トレッドミルから降りてみませんか』小山千早訳 新評論
・フォスター，ハル編［1987］『反美学——ポストモダンの様相』室井尚・吉岡洋訳、勁草書房
・福岡賢正［2000］『楽しい不便』南方新社
・藤井厳喜・稲村公望・茂木弘道［2016］『日米戦争を起こしたのは誰

・駄田井正・冨元國光［1989］「福祉指標とGNP」『産業経済研究』第29巻4号、久留米大学産業経済研究会。
・駄田井正［1990］「地域経済の長期視点と政策課題」、駄田井正・鶴田義彦編著『地域経済分析の一視点——筑後川流域圏をモデルとして』久留米大学商学部付属産業経済研究所紀要第19集。
・駄田井正編［1999］『九州独立も夢ではない——ポスト近代の国づくり』同文舘出版
・駄田井正・松尾匡［2004］『地域の課題と地域通貨の役割および郵貯の貢献策』郵便貯金に関する委託研究、日本郵政公社九州支社貯金事業部
・駄田井正［2007］「少子高齢化社会における生産性」、『日中における高齢化・少子化問題の比較研究報告書』久留米大学経済学部・中国社会科学院人口与労働経済研究所編、13〜19ページ。
・駄田井正・浦川康弘［2011］『文化の時代の経済学入門』新評論
・駄田井正［2014］「流域学の形成」、久留米大学経済社会研究所編『プロジェクト研究　筑後川流域学の形成』久留米大学経済社会研究所紀要第４輯第１章
・田中明彦［1989］『世界システム』現代政治叢書19、東京大学出版会
・田中克［2008］『森里海連関学への道』旬報社
・月尾嘉男［1993］『贅沢の創造——21世紀・技術は芸術を目指す』PHP研究所
・月尾嘉男監修・NTTデータ経営研究所 I-community戦略センター編［2003］『環境共生型社会のグランドデザイン』NTT出版
・デイ，スティーブン［2019］「第5章　国際横断的アイデンティティの形成——EUとASEAN」、児玉昌己・伊佐淳編［2019］103〜124ページ。
・トクヴィル，A.［2005］『アメリカのデモクラシー』松本礼一訳、岩波文庫
・トフラー，アルヴィン［1982］『第三の波』徳岡孝夫監訳、中公文庫
・冨元國光［1988］「New Net National Welfareの開発——新しい福祉指標」、『産業経済研究』第29巻1号、久留米大学産業経済研究会
・冨元国光・駄田井正［1989］「福祉指標とGNP」『産業経済研究』〈久

郎監訳、和田滋・清水右郷訳、名古屋大学出版会
・ゴルツ，A.［1985］『エコロジー共同体への道』辻由美訳、技術と人間
・坂本龍一・河邑厚徳編［2002］『エンデの警鐘――地域通貨の希望と銀行の未来』NHK 出版
・ザックシュタイン，スター［2018］『成績をハックする』高瀬裕人・吉田新一郎訳、新評論
・塩見直紀と種まき大作戦編［2007］『半農半 X の種を播く』コモンズ
・実藤秀志［2002］『年収100万で楽しく幸せに生活する本』経済界
・篠原徹［2005］『自然を生きる技術』歴史文化ライブラリー204、吉川弘文館
・シューマッハ，E. F.［1975］『人間復興の経済学』斎藤司郎訳、祐学社
・シュンペーター，S. A.［1962］『資本主義・社会主義・民主主義（上・中・下）』東畑精一訳、東洋経済新報社
・スヴェンセン，L.［2016］『働くことの哲学』小須田健訳、紀伊国屋書店
・鈴木貴博［2017］『仕事消滅――AI の時代を生き抜くために、いま私たちにできること』講談社＋α新書
・ストウシンガー，J. G.［2015］『なぜ国々は戦争をするのか』等松春夫監訳・比較戦争史研究会訳、国書刊行会
・スローター，アン・マリー［2017］『仕事と家庭は両立できない？――「女性が輝く社会」のウソとホント』関美和訳、NTT 出版
・関曠野［1988］「エコノミー批判から「法」へ、人間中心主義から地球中心主義の憲法へ」エントロピー学会編［1988］18～30ページ
・先崎彰容［2019］『パッシング論』新潮新書
・孫崎享［2015］『日米開戦の正体』祥伝社
・ダイヤモンド，J. & ロビンソン，J. A.［2018］『歴史は実験できるのか』小坂恵理訳、慶応義塾大学出版会
・ダーウィン，C.［2016，原典1871］『人間の由来（上・下）』長谷川眞理子訳、講談社学術文庫
・武野秀樹・山下正毅［1993］『国民経済計算の展開』同文舘

・奥山直人［1994］「マルチメディアとモノづくり」、『自動車とその世界』トヨタ財団　No.261，pp.46-51.
・小倉理一［1998］『複雑系社会の地域づくり』海鳥社
・科学技術への市民参加を考える会［2002］『コンセンサス会議実践マニュアル』 http://www.ajcost.jp/
・金森修・中島秀人編［2002］『科学論の現在』勁草書房
・ガルブレイス，J.K.［1972］『新しい産業国家』都留重人監訳、河出書房新社
・川内イオ［2019］『農業新時代――ネクストファーマーズの挑戦』文春新書
・川竹文夫［2018］『どんなガンでも自分で治せる！』人間出版
・九州経済調査協会編［2019］『30年後に向けた九州地域発展戦略』九州経済調査協会
・工藤勇一［2018］『学校の「当たり前」をやめた。――生徒も教師も変わる！公立名門中学校長の改革』時事通信社
・「国のかたち」提言委員会編［2020］『九州発「国のかたち」を問う――日韓トンネル構想への期待』三岳出版社
・窪田新之助［2017］『日本発「ロボットAI農業」の凄い未来――2020年に激変する国土・GDP・生活』講談社＋α新書
・熊沢孝［1993］『消費社会再生の条件――日本の消費はなぜ混乱したのか』ダイヤモンド社
・クリストファー，B.［2014］『モラルの起源』斉藤隆央訳、白揚社
・グレイ，P.［2018］『遊びが学びに欠かせないわけ――自立した学び手を育てる』吉田新一郎訳、築地書館
・黒川紀章［2006］『新・共生の思想』黒川紀章著作集Ⅳ、勉誠出版
・経済審議会NNW開発委員会［1973］『NNW開発報告――新しい福祉指標NNW』大蔵省印刷局
・児玉昌己・伊佐淳編［2019］『アジアの国際協力と地域共同体を考える』芦書房
・小林傳司［2004］『誰が科学技術について考えるのか』名古屋大学出版会
・コリンズ，H. &エヴァンズ，R.［2020］『専門知を再考する』奥田太

# 参考文献一覧


・アインシュタイン＆インフェルト［1939］『物理学はいかにつくられたか』石原純訳、岩波書店
・有本健男・佐藤靖・松尾敬子［2016］『科学的助言』東京大学出版会
・アレックス・カー、清野由美［2019］『観光亡国論』中公新書ラクレ
・アロー，K. J.［1977］『社会的選択と個人的評価』長名寛明訳、日本経済新聞社
・アンドリュー・J. サター［2012］『経済成長神話の終わり――減成長と日本の希望』中村起子訳、講談社
・石川幸一・清水一史・助川成也編［2016］『ASEAN 経済共同体の創設と日本』文眞堂
・市橋伯一［2019］『協力と裏切りの生命文化史』光文新書
・稲盛和夫［2010］『アメーバ経営』日経ビジネス文庫
・井上智洋［2019］『純粋機械化経済――頭脳資本主義と日本の没落』日本経済新聞出版社
・井上智洋［2016］『人工知能と経済の未来――2030年雇用大崩壊』文春新書
・猪山勝利・川上茂次編［2015］『地域を創る男――平戸、川上茂次の挑戦』長崎文献社
・岩切章太郎［1990］『自然の美　人口の美　人情の美』鉱脈社
・ヴェブレン，T. B.［1961］『有閑階級の理論』小原敬士訳、岩波書店、原典出版1897年
・ウッドワード，H. N.［1977］『資本主義はゼロ成長でも生き残る』大原進訳、日本経済新聞社
・梅棹忠夫［2020］『女と文明』中公文庫、初版1988年
・エントロピー学会編［1988］『地域自立を考える』別冊経ゼミ、エントロピー読本Ⅳ、日本評論社
・王銘琬［2018］『棋士と AI――アルファ碁から始まった未来』岩波新書
・大野信三［1966］『仏教社会・経済学説の研究』有斐閣

## 著者紹介

**筑後川入道九仙坊**（ちくごがわ・にゅうどう・きゅうせんぼう）

1944年生まれ。久留米大学名誉教授。ここ20年来、筑後川・矢部川流域を一体的に捉えて、持続可能で質の高い生活の実現にかかわっている。2021年６月創刊の雑誌『CHIKUGOGAWA.Biz』において、「入道コラム」を執筆している。

九仙坊とは「カッパの大将」という意味である。


**九州独立と日本の創生**
——楽しいサスティナブルな社会——

2021年12月15日　初版第１刷発行

著　者　筑後川入道九仙坊
発行者　武　市　一　幸

発行所　株式会社　新　評　論

〒169-0051
東京都新宿区西早稲田３-16-28
http://www.shinhyoron.co.jp

電話　03（3202）7391
FAX　03（3202）5832
振替・00160-1-113487

落丁・乱丁はお取り替えします。
定価はカバーに表示してあります。

印刷　フォレスト
製本　中永製本所
装丁　星野文子





Printed in Japan
ISBN978-4-7948-1199-8